Dans la même collection :

Le sens de l'organisation, Stéphanie Winston
S'aimer soi-même, Robert Schuller
Assurez-vous de gagner, Denis Waitley
Le pouvoir ultime, David Grant
L'Université du Succès, Og Mandino
Le pouvoir magique de l'image de soi, Maxwell Maltz
Faites plus qu'exister, vivez !, Wilferd Peterson
Le chemin du bonheur, Alfred Montapert

Dans la collection À l'écoute du succès (cassettes)

L'homme est le reflet de ses pensées, James Allen
Votre plus grand pouvoir, Martin Kohe
La magie de croire, Claude Bristol
Après la pluie, le beau temps, Robert Schuller

SE PRENDRE EN MAIN

Cet ouvrage a été publié en langue anglaise sous le titre original
TAKING CHARGE
Original English language edition published by
Gemini Publishers, Jamaica, New York

Dépôts légaux : 1er trimestre 1987
Bibliothèque nationale du Québec
Bibliothèque nationale du Canada

Conception graphique de la jaquette :
MICHEL BÉRARD

Version française :
LES BUREAUX DE TRADUCTION TRANS-ADAPT, INC.

Photocomposition et mise en pages :
COMPOSITION FLEUR DE LYSÉE INC.

ISBN : 2-89225-100-1

Beverly Nadler

Se prendre en main

Les éditions
Un monde différent ltée
3400, boulevard Losch, Suite 8
Saint-Hubert, QC
Canada J3Y 5T6
(514) 656-2660

Note au lecteur

Le but du présent ouvrage n'est pas de servir à l'établissement de diagnostics ou d'ordonnances, ce qui est l'affaire des médecins, mais de vous informer, de vous faire prendre conscience des nombreuses possibilités qu'offre la médecine naturelle, libre, autogérée, celle qui s'intéresse à la *totalité* de la personne : corps, psychisme et esprit.

Nous vous recommandons de ne pas vous livrer à des exercices fantaisistes ou encore de modifier radicalement votre mode de vie, sans avoir d'abord consulté des spécialistes à cet effet.

Dédicace

À ma famille et à tous mes amis...
ceux que je connais et ceux que je ne connais pas encore

Pour tous les rêves que tu berces
Au plus profond de ton âme,
Pour toutes les épreuves qui t'attendent,
Toi qui vise un but,

Pour toutes les peurs secrètes qui t'agitent
Tandis que tu tends la main vers ton étoile,
À toi, je dédie ce livre,
Car je connais ta grandeur.

Que veux-tu ? Dis-le !
Le monde attend que tu dises le mot.
La vie au plaisir mêle la douleur.
Allons, va, cours au trésor !

Je comprends ton hésitation
Car je suis passée par là moi aussi.
Ouvre-toi l'esprit, prépare-toi,
Et attends-toi au succès !

Il n'y a pas que le voisin
Qui a ce qu'il faut pour réussir.
Non, mon ami : tout s'offre à toi.
Voici la clef - allons, prends-la !

Table des matières

Introduction

Si nous regroupions un certain nombre de personnes, prises au hasard dans toutes les parties du monde, et que nous leur demandions ce qu'elles attendent de la vie, nous obtiendrions sans doute des réponses quelque peu différentes, mais pourtant la plupart d'entre elles se ressembleraient.

En effet, nous désirons tous jouir de la santé et du bonheur, et la majorité des gens, mais certainement pas tous, veulent connaître la réussite et la prospérité. Pour certains, cependant, la prospérité (l'argent) est synonyme de fardeau. Comme ces personnes associent la réussite à l'argent et aux succès personnels, celle-ci les intéresse peu, et elles ne recherchent donc pas ce qu'on entend généralement par « réussite ».

Quant à vous, vous n'excluez probablement rien : ni la santé, ni la prospérité, ni la réussite, ni le bonheur. Et pourquoi le feriez-vous ? Tous ces biens attendent, dans leur abondance, que quelqu'un vienne les chercher. Pourquoi ne serait-ce pas vous ?

Considérons la gamme de vos désirs, celui de la richesse par exemple. Que représente-t-elle pour vous ? Combien d'argent voulez-vous ? Combien d'argent vous attendez-vous à avoir ? Il est certain que chacun devrait avoir assez d'argent pour combler ses besoins matériels : nourriture, vêtements, logement, transports, etc. Mais une fois ces besoins satisfaits, combien vous faut-il d'argent pour satisfaire à vos désirs ? Combien d'argent aimeriez-vous avoir à la banque ou à la Bourse ? Voudriez-vous avoir suffisamment d'argent pour être en mesure de le dilapider, de faire des choses extravagantes comme de louer un avion pour une nuit, vous rendre à Porto Rico et jouer 25 000 dollars au casino sans le moindre pincement au coeur ?

Quel type de distractions aimez-vous ? Le théâtre, la danse, les restaurants chics ? Quels vêtements voulez-vous porter ? Combien d'argent vous faut-il pour le genre de vie que vous souhaiteriez adopter, les placements que vous aimeriez faire ? Jackie Onassis et les Rockefeller ont une conception de la richesse différente de la mienne. Quelle est la vôtre ?

Et la santé ? Quand on ne l'a pas, il est certain qu'on ne peut goûter à nombre des plaisirs et des richesses de la vie. La santé, la meilleure santé physique et mentale possible, devrait être la plus importante de nos priorités. La santé, pour moi, ce n'est pas seulement l'absence de symptômes de maladies. C'est être en forme, oui, mais c'est bien plus encore. Être vraiment en santé, c'est être plein de vitalité, se sentir et avoir l'air « vivant », c'est avoir des yeux vifs et pétillants, un teint frais et des cheveux sains. C'est aussi avoir l'esprit alerte, les idées claires et ressentir des émotions adaptées aux situations. Pour un arthritique, être en santé, c'est sans doute de ne pas souffrir. Pour une personne atteinte d'une maladie de dégénérescence, ce peut être d'en ralentir l'évolution. Et pour vous, qu'est-ce que c'est, la santé ?

La réussite, qu'évoque-t-elle pour vous ? Elle devrait impliquer *tous* les domaines de votre vie, bien plus que votre métier ou votre profession. Vous voulez réussir au plan professionnel, cela va de soi ; mais ne voulez-vous pas également réussir en tant qu'épouse ou mari, en tant que parent ou ami et, ce qui est primordial, en tant qu'individu ? La réussite, ce sera alors pour vous la réalisation des objectifs que vous vous êtes fixés. C'est dans *toutes* les dimensions de votre existence que vous devez vous fixer des objectifs : aux plans du travail et des finances, aux plans de la famille et des amitiés, au plan de la santé et, surtout, au plan personnel. Vous connaîtrez la réussite lorsque vous obtiendrez, ferez et deviendrez tout ce que vous désirez.

Et le bonheur, ce fameux, cet insaisissable bonheur ! Qu'est-ce qui vous rend *personnellement* heureux ? Ça peut être très différent de ce qui me rend heureuse, moi, ou votre conjoint, ou encore votre patron, vos enfants, vos meilleurs amis. C'est quelque chose d'impalpable qui nous vient de l'intérieur. Des gens riches sont insatisfaits et malheureux, alors que certains pauvres connaissent un sentiment de paix et de plénitude qui ne peut être que le bonheur. D'autres personnes, en bonne santé et au physique agréable, ne connaissent jamais aucune satisfaction alors que des handicapés physiques rayonnent d'une joie intérieure et sont un modèle pour les autres. Le bonheur découle tout autant de nos sentiments personnels que de la qualité de notre vie.

Ce livre a été écrit pour vous aider à prendre en main *votre vie*, à en faire une vie de qualité !

1

Fixez-vous des objectifs

Si nous voulons prendre en main notre vie, nous devons, avant tout, nous fixez des buts à atteindre. Je sais bien qu'une telle affirmation n'est pas très originale. Je sais également qu'elle ne soulève guère l'enthousiasme. Mais elle est véridique. Il y a des personnes qui se fixent des buts ou des objectifs à atteindre sans vraiment y penser, enfin, sans y penser consciemment et ce, pour la simple raison que la nécessité de se fixer des objectifs est devenue, pour ces personnes, une sorte d'automatisme. Elles organisent pour ainsi dire automatiquement leur vie ; elles savent où elles vont et prennent les moyens pour y parvenir. Elles aiment les défis et se fixent des objectifs stimulants. D'autres personnes, au contraire, sont portées par leur tempérament à se laisser aller ; elles justifient leur comportement en disant qu'il est impossible d'échapper à son destin. Mais ces personnes sont dans l'erreur. La vérité est que *l'on est soi-même l'artisan de son propre destin.*

Si vous êtes de ces personnes qui n'ont aucun mal à se fixer des buts, le présent chapitre vous plaira sûrement et vous ne verrez aucune corvée dans l'exécution des exercices qui y sont proposés. Il se peut, toutefois, que la lecture de ce chapitre vous permette de vous rendre compte que vous avez négligé de vous fixer des objectifs dans certains domaines de votre vie et que, par conséquent, ceux-ci ne vous ont pas apporté toutes les satisfactions que vous espériez.

Pourquoi se fixer des objectifs ?

Si vous êtes de ceux qui ont tendance à se laisser porter par les circonstances, la lecture du présent chapitre vous permettra d'identifier vos besoins et vos désirs, et vous serez dès lors en mesure d'orienter votre vie de façon à satisfaire ceux-ci. Si l'idée de vous fixer des objectifs vous répugne encore, je me permets de vous poser les questions suivantes : Êtes-vous satisfait de votre vie actuelle ? De votre travail et de votre vie professionnelle ? Réussissez-vous comme vous le voudriez ? Vous sentez-vous à l'aise financièrement ? Votre avenir et celui de votre famille est-il assuré ? Autrement dit, estimez-vous que la vie répond à toutes vos attentes ? Si votre réponse est oui, vous pouvez refermer ce livre ; même si elle vous procurait un certain plaisir, sa lecture ne vous serait sans doute pas d'une grande utilité. Par contre, si vous avez répondu non, lisez ce livre et voyez jusqu'à quel point le simple fait de vous fixer des objectifs peut transformer votre vie.

En effet, c'est en vous fixant des objectifs que vous pouvez clairement définir vos désirs et vos besoins ; vous découvrez alors dans quelle direction vous devez dorénavant orienter votre vie. Vous vous créez de cette façon une sorte de carte routière qui vous donne la direction à suivre et vous indique si vous vous en écartez ou non.

Vous vous fixez constamment des objectifs. Si, par exemple, un beau matin, vous prenez la décision d'aller voir un film dans la soirée, vous venez de vous fixer un objectif. Ou encore, si vous décidez de ranger vos placards au cours de la semaine, vous venez de vous fixer un autre objectif. Vous pouvez décider d'inviter des amis à dîner ; ce dîner est un objectif. Lorsque vous réalisez une chose que vous aviez l'intention d'accomplir, et que le résultat s'avère être une réussite, vous atteignez votre objectif. Mais vous devez penser, maintenant, à des objectifs un peu plus ambitieux... vous devez penser à des *objectifs qui transformeront votre vie.*

Nous connaissons tous des histoires de gens qui, issus d'un milieu pauvre, sont pourtant devenus millionnaires. Ce phénomène est assez peu fréquent et ne se rencontre que chez les personnes qui brûlent du désir de parvenir à leurs fins. Aucun obstacle ne peut résister à ces personnes. Tous les défis les stimulent, et quels que soient les problèmes auxquels elles font face, elles ne se découragent jamais parce que, dans le secret de leur coeur, elles se sont fait le serment de réussir.

C'est ainsi qu'Edison essuya de nombreux échecs avant que son ampoule électrique ne s'allume enfin. Auparavant, il avait perdu tous ses travaux dans un incendie qui avait détruit son laboratoire. Inébranlable, il rebâtit celui-ci et recommença tous ses travaux. Combien de gens, devant l'anéantissement de l'oeuvre de leur vie, auraient renoncé ? Edison, lui, y vit l'occasion de repartir de zéro.

Quant à Barbra Streisand, la superstar, on la considérait à ses débuts comme une sorte de grande maladroite, pas du tout gâtée par la nature ; une bonne chanteuse, assurément, mais il y en avait des centaines d'autres toutes aussi douées qu'elle, alors qu'elle-même était tout à fait dépourvue de cette puissance de séduction qui aurait pu lui laisser croire qu'elle parviendrait un jour au plus haut sommet. Aujourd'hui, elle est adulée par des millions de fans dans le monde entier, et elle le mérite bien. Et cela non pas uniquement à cause de son talent, mais parce qu'elle a concentré toute son énergie et versé généreusement « son sang, sa sueur et ses larmes » afin de réaliser son rêve.

Un objectif authentique

L'objectif authentique est celui qui nous motive et nous anime. Pour l'atteindre, nous sommes prêts à en payer le prix, en temps, en énergie et en efforts, et nous n'acceptons jamais la défaite. Cependant, il n'est pas recommandé de consacrer toutes ses énergies à la poursuite d'un seul objectif. Les personnes qui connaissent un succès éclatant dans un domaine précis éprouvent souvent des difficultés dans les autres secteurs de l'activité humaine. Il est donc plus sain et plus harmonieux de vivre notre vie dans toute sa *plénitude* en nous fixant des objectifs dans les principales sphères de notre activité, soit aux plans personnel, familial, professionnel, financier, physique et social.

Vous croyez peut-être que vous vous êtes fixé des objectifs parce que vous savez ce que vous voulez : vous voulez des piles d'argent, une belle maison et la paix intérieure. Mais ce ne sont *pas* des objectifs, ce sont des *rêves*. Quand nous avons un objectif authentique, nous en percevons automatiquement tous les détails. Nous en avons une image distincte et nous voyons les premières étapes qu'il nous faut franchir pour l'atteindre. Nous n'avons pas à y réfléchir ; il s'impose à nous sans même que nous en ayons conscience.

Pensez à une chose que vous avez fortement désirée dans le passé. Étiez-vous obligé d'y penser ? Bien sûr que non ! Vous deviez même faire des efforts pour *cesser* d'y penser. Vous en voyiez tous les détails avec l'oeil de votre esprit, n'est-ce pas ? Elle vous apparaissait si distinctement que vous auriez pu la toucher. Voilà ce qu'est un objectif authentique : c'est quelque chose qui vous stimule. Votre esprit créateur vous indique les moyens d'en faire une réalité et vous y consacrez dès lors toute votre énergie jusqu'à ce qu'il se réalise.

Toutefois, il n'en va pas toujours ainsi. Il arrive que votre élan et votre motivation ne suffisent pas à la création d'une image mentale précise et nette ; vous devez alors déterminer consciemment ce que vous voulez et, cela fait, vous pourrez alors prendre les moyens qui vous permettront de l'obtenir.

Les objectifs concernant votre développement personnel

Ces objectifs comprennent tout ce qui a trait, de près ou de loin, au développement de votre personnalité. Ce sont sans doute vos objectifs les plus importants parce que la qualité de toutes les sphères de votre activité sera déterminée en fonction de ce que vous voulez être en tant qu'individu. Quelle sorte de personne voulez-vous être ? Quel niveau de conscience souhaitez-vous atteindre ? Vos objectifs personnels devraient également comprendre vos loisirs et toutes les choses qui pourraient améliorer la qualité de votre vie, de tout ce qui contribuera à votre développement personnel et favorisera l'éveil de votre sagesse, de votre intelligence et de votre paix intérieure. Demandez-vous ce que vous comptez faire pour atteindre votre objectif de croissance : allez-vous étudier, lire, écouter des cassettes, méditer, participer à des ateliers ?...

Les objectifs concernant votre santé

Ces objectifs s'appliquent tout autant à la santé de votre corps qu'à celle de votre esprit. Vous ne voulez pas seulement vous « sentir » bien, mais vous voulez être une personne resplendissante de santé et vous souhaitez que celle-ci se reflète au niveau de votre pensée et de vos émotions. Quelle apparence physique aimeriez-vous avoir ? La beauté fait également partie de vos objectifs de santé car une belle apparence est le signe indéniable d'une excellente santé. Si vous souffrez d'une maladie, votre principal objectif sera de faire tout ce qui est en votre pouvoir pour vous en guérir. Si vous souffrez d'obésité, vous déciderez de perdre du poids. Votre programme de culture physique peut faire partie des objectifs concernant votre santé, mais il peut tout aussi bien faire partie de ceux qui ont trait à votre développement personnel.

Les objectifs concernant votre vie familiale

Ces objectifs concernent vos relations avec votre conjoint et vos enfants. Ils se rapportent également à celles que vous entretenez avec vos parents, vos frères et soeurs, bref, tous ceux qui vous sont proches et chers. Fixez-vous des objectifs dont la teneur précisera la qualité et la quantité de temps que vous voulez bien leur consacrer. Vos objectifs familiaux comprennent l'image que vous souhaitez projeter sur les membres de votre famille, ainsi que l'affection et l'amitié que vous désirez partager avec chacun d'entre eux.

Les objectifs concernant votre vie professionnelle

Ces objectifs ont trait à vos désirs et à vos ambitions en matière de métier ou de profession. Si vous êtes à votre compte, ces objectifs doivent préciser la nature des produits ou des services que vous fournissez à vos clients. Ils doivent porter sur les revenus bruts de votre entreprise, le volume de vos ventes et l'image que votre compagnie projette. L'harmonie et la communication avec vos collègues constituent des éléments importants de votre vie professionnelle et elles doivent donc être incluses dans les objectifs la concernant.

Un vendeur, par exemple, doit se fixer des objectifs quant aux produits et services qu'il offre à sa clientèle. Il doit également décider du nombre de clients actuels qu'il veut rencontrer par jour ou par semaine. Il doit se fixer des objectifs relatifs au nombre de clients potentiels qu'il entend solliciter. Ses objectifs devraient tenir compte du volume de ses ventes globales et de son revenu personnel.

Les objectifs concernant vos finances

Ces objectifs sont différents de ceux concernant votre vie professionnelle, même si tous deux peuvent avoir un certain impact sur vos revenus personnels. Les objectifs professionnels se rapportent à vos activités professionnelles, alors que les objectifs financiers concernent l'utilisation que vous faites de vos revenus et la constitution de votre capital. Ce dernier peut être constitué de placements, que ce soit à la banque ou chez un courtier, et vos objectifs doivent préciser les délais que vous vous donnez pour le constituer. Vous devriez également considérer toutes les formes de placements possibles : les actions, les obligations, l'achat de bijoux ou de tableaux, etc. Vos biens immobiliers, vos assurances et tous vos autres investissements sont des éléments importants que vous devez considérer lorsque vous établissez les objectifs concernant vos finances.

Les objectifs concernant votre vie sociale

Ces objectifs se rapportent à vos relations avec vos amis, vos connaissances et votre milieu. Ils doivent définir le genre de personnes que vous souhaitez fréquenter. Celles-ci devraient vous motiver et partager vos intérêts et vos valeurs ; de plus, elles devraient être d'un niveau intellectuel comparable au vôtre. Vos objectifs sociaux concernent aussi l'usage que vous faites de vos loisirs, les organismes et les clubs auxquels vous appartenez, ainsi que les programmes communautaires auxquels vous participez.

Vous êtes maintenant en mesure de procéder à une évaluation pertinente de vos objectifs. Dans quels domaines vous êtes-vous fixé des buts précis ? Dans quels domaines ceux-ci sont-ils nébuleux ou même inexistants ? Il vous faudra donc réfléchir, vous remuer les méninges et même faire un véritable examen de conscience afin de cerner tous les objectifs que vous voulez atteindre.

Le remue-méninges

Quand on parle de remue-méninges, on pense souvent à un groupe d'au moins deux personnes qui, penchées sur un problème, échangent des idées. Mais rien ne vous empêche de vous livrer seul à cet exercice. L'activité mentale stimule le cerveau. Bien des idées originales nous viennent à l'esprit lorsque nous activons notre cerveau et l'obligeons à penser d'une manière particulière. Lorsque deux esprits ou plus se rencontrent pour réfléchir sur un sujet bien précis, nous assistons alors à la création d'un « cerveau collectif ». Napoleon Hill, qui a employé ce terme, affirme dans *Les lois du succès*[1] et *Réfléchissez et devenez riche*[2] que les personnes riches et influentes organisent régulièrement des rencontres de « cerveau collectif » parce que la puissance et l'énergie de leurs esprits se trouvent décuplées lorsqu'ils s'unissent harmonieusement. Vous aimeriez sans doute procéder à la création d'un « cerveau collectif » pour vous aider à établir certains de vos objectifs, mais commencez donc par travailler seul chacun des domaines de votre vie. Si ces objectifs concernent d'autres personnes, il vous faudra d'abord les examiner attentivement et en parler ensuite avec les personnes concernées.

Découvrez vos objectifs personnels

Nombre de personnes consacrent une grande part de leur vie à satisfaire les désirs et les besoins des autres, c'est-à-dire les objectifs d'autrui. Faites un examen de conscience pour découvrir ce que vous voulez vraiment, *vous*. En ce qui me concerne, au début de mon mariage, mon objectif était que mon mari réussisse; quand j'ai eu des enfants, que mes enfants soient heureux. J'avais aussi des objectifs pour les autres membres de ma famille. Ma vie, c'était de voir à ce que les autres atteignent leurs objectifs et satisfassent leurs besoins. Je me croyais satisfaite lorsque les membres de mon entourage étaient satisfaits. De fait, il m'arrivait souvent de dire (et je suis sûre que vous vous reconnaîtrez dans mes propos, surtout vous les mères) : « Ce que vous voulez et ce que je veux, c'est tout un ; votre bonheur ou le mien, c'est la même chose. »

---

1. HILL, Napoleon. *Les lois du succès*. Saint-Hubert, Québec : Les éditions Un monde différent, 1983. Collection Motivation et épanouissement personnel.

2. HILL, Napoleon. *Réfléchissez et devenez riche*. Saint-Hubert, Québec : Les éditions Un monde différent, 1986. Collection À l'écoute du succès (cassettes de motivation).

Quand j'essayai, il y a quelques années, de découvrir ce que moi je voulais, cela me fut impossible. C'était toujours des « Je voudrais que mon mari... Je voudrais que ma fille... Je voudrais que mon père... » Il fallut que je me creuse drôlement les méninges pour découvrir mes objectifs personnels.

Il y en a que leurs désirs culpabilisent, comme s'ils n'y avaient pas droit, comme si leur bien grugeait celui d'autrui. Allons donc ! Tant que vous ne lésez personne, vous pouvez bondir vers les étoiles ! Du moment que vous ne causez de tort moral ou physique à personne, que vous respectez les droits d'autrui, tout est pour le mieux.

Bien sûr, du jour où vous vous mettrez à donner la priorité à vos désirs et à vos besoins personnels, il se peut que vous dérangiez certaines personnes. Si vous avez toujours joué les Cendrillon, le jour où vous déciderez de relever la tête, vous en secouerez sûrement certains. Mais ça, ce n'est pas votre problème, c'est le leur, et c'est à eux de s'en occuper. Il n'y a rien d'égoïste à vouloir atteindre ses objectifs, à vouloir être soi.

Étudiez de près quels sont vos désirs et mettez-vous bien en tête que même la lune est à portée de votre main ! Et maintenant, au travail.

Listes de vos désirs et de vos besoins

La première chose à faire, c'est de dresser deux listes. Sur la première, celle de vos besoins, vous indiquerez tout ce qu'il vous semble urgent de posséder, de faire ou d'être. Sur la seconde, celle de vos désirs, vous indiquerez tout ce que vous rêvez d'acquérir ou de réussir dans un avenir plus ou moins lointain. Une fois que vous aurez dressé ces deux listes à votre entière satisfaction, relisez-les. Il se peut que vous ayez inscrit le même item sur chacune d'entre elles. La liste de vos besoins peut comporter, par exemple, une maison, une auto, de la nourriture ou peut-être que pour vous, tout cela va de soi. Votre maison peut être trop petite ou votre quartier peut vous sembler de plus en plus moche, et vous souhaitez déménager. Dans ce cas, précisez sur la liste de vos besoins le type de maison qu'il vous faut. Il se peut, en outre, que vous caressiez le rêve de faire l'acquisition d'une maison idéale, même si cela est pour vous un luxe. Vous devriez alors inscrire cette maison sur la liste de vos désirs. Une auto supplémentaire ? Inscrivez-la sur la liste de vos besoins. Une Mercedes Benz ? Dans ce cas, mettez-la sur la liste de vos désirs.

Soumettez maintenant à un sérieux examen la liste de vos désirs et parmi ceux-ci, décidez de ceux qui méritent vraiment que vous fournissiez les efforts ou fassiez les sacrifices nécessaires en temps ou en énergie pour les réaliser. Pesez bien vos choix. Vous allez mettre à jour des attitudes et des convictions très significatives. Vous découvrirez ce que sont vos véritables priorités et serez amené à évaluer le niveau de vos attentes. Parmi tous ces désirs, vous distinguerez ceux qui sont susceptibles de se réaliser dans l'immédiat ou dans l'avenir. Vous serez également en mesure de constater si certaines dimensions de votre vie sont singulièrement déficientes en objectifs.

Il vous sera alors possible de vous fixer des priorités nouvelles si celles-ci vous semblent justifiées. Par exemple, c'est peut-être votre commerce qui vous motive et vous croyez que, comme par miracle, vos relations familiales et conjugales se maintiendront d'elles-mêmes dans l'harmonie. Vous ne vous êtes donc fixé aucun objectif dans ces domaines ; vous n'êtes pas naturellement enclin à soigner votre relation avec votre conjoint. Peut-être même vous dites-vous : « Pourquoi me casser la tête ? », du fait que vous vous bercez depuis longtemps de l'illusion que les relations humaines, ça se passe d'attentions. Si c'est le cas, il va falloir vous demander si votre mariage compte suffisamment à vos yeux pour que vous en fassiez une priorité. Si oui, vous devrez vous fixer des objectifs dans ce domaine. Mais veillez à ce que ces objectifs soient raisonnables et réalisables.

Relisez maintenant ces deux listes pour voir si elles ne présentent pas des contradictions qui crèvent les yeux. Si, par exemple, vous êtes vendeur, que vous vous soyez fixé comme objectif de faire 75 000 dollars de revenu par an et qu'en même temps vous voulez devenir pianiste et donner des concerts, vous nagez en pleine contradiction. Toutefois, si vous vous fixez des délais raisonnables et si vous modifiez quelque peu ces objectifs, il vous sera possible de les atteindre tous les deux. Une solution consisterait à vous fixer un niveau de revenu comme vendeur pour l'immédiat et à vous fixer comme autre objectif d'économiser suffisamment d'argent pour être en mesure de cesser de travailler dans quelques années. Cela fait, vous pourrez alors vous fixer comme objectif de sérieusement préparer votre carrière de musicien. Une autre solution serait que vous décidiez, après avoir examiné toutes les options possibles, de poursuivre avec succès votre carrière de vendeur et que vous preniez des leçons de piano uniquement pour votre plaisir. On peut ainsi modifier des objectifs qui semblent incompatibles au départ pour en arriver à quelque chose d'harmonieux.

Relisez encore une fois vos listes et assurez-vous que vous avez biffé tous les objectifs qui sont incompatibles avec vos priorités, de même que tous ceux qui vous paraissent illogiques ou irréalisables.

Vous devez maintenant fixer des délais pour chacun des objectifs de vos deux listes. Déterminez lesquels sont à court, à moyen ou à long terme. Le court terme va de l'immédiat à un ou deux ans, le moyen terme de un à cinq ans et le long terme de cinq à dix ou même vingt ans (et même plus, si vous êtes assez jeune). Si vous éprouvez de la difficulté à établir l'échéance de certains de vos objectifs, ne perdez pas votre temps à y réfléchir. Vous trouverez une réponse pour la plupart d'entre eux sans même y penser ; passez donc aux suivants et revenez-y plus tard.

Vos listes devraient maintenant vous donner une idée plus précise du type d'existence auquel vous aspirez. Certains de ces objectifs revêtiront, bien sûr, une plus grande importance à vos yeux.

Voici des exemples de listes de désirs et de besoins, ainsi que leurs échéances. Elles ne reflètent pas les goûts d'une personne en particulier, mais représentent plutôt certains de mes propres objectifs et d'autres que j'ai empruntés à mes compagnons de travail.

LISTE DE MES BESOINS	ÉCHÉANCE
3 000 dollars par mois pour couvrir l'hypothèque	Immédiatement
Du temps pour écrire et méditer tous les jours (2-3 heures)	Immédiatement
Une nouvelle maison avec trois placards supplémentaires	Un an
Une seconde auto pour mon usage personnel	Trois mois
Devenir membre du club sportif de ma région	L'été prochain
Dîner au restaurant une fois par semaine	Immédiatement
Une semaine de vacances par an	Immédiatement
Des relations affectueuses avec mon conjoint	Immédiatement

Vous avez sans doute remarqué que l'échéance de la plupart de vos besoins réels est immédiate. À la réflexion, vous déciderez peut-être que certains d'entre eux ne sont pas vraiment des besoins, mais plutôt des désirs. Ou encore vous vous apercevrez que vous avez oublié d'en inscrire d'autres sur votre liste. Nous avons tous des besoins et des désirs différents ; ce qui importe, c'est de bien les identifier et de les inscrire sur la liste appropriée.

LISTE DE MES DÉSIRS	ÉCHÉANCE
Du temps pour faire de l'exercice	Immédiatement
Une maison dans un quartier chic	Six ans
Une Mercedez Benz	Cinq ans
Deux mois de voyage par an	Trois ans
Un manteau d'astrakan	Cet hiver
Un diamant d'un carat	Deux ans
Un portefeuille de 250 000 dollars en valeurs diverses	Sept ans
Des lithographies de Picasso et de Matisse	Trois ans
Un vase bleu pour la salle à manger	Immédiatement
Un veston sport de chez Calvin Klein	Immédiatement
Des rapports harmonieux avec mes enfants	Immédiatement
Une sortie en famille tous les dimanches	Immédiatement
Trois téléphones avec lignes distinctes	Trois mois
70 000 dollars de revenu net par an	Un an
M'assurer les services d'un conseiller financier	Un an
Devenir conseillère indépendante en décoration d'intérieurs	Trois ans
Apprendre à jouer du tambour	Un an
Aller au bal ou dans une discothèque une fois par semaine	Immédiatement
Emmener les enfants visiter Disneyland	Vacances de Noël
Perdre cinq kilos	Quatre mois
Laisser pousser mes ongles	Immédiatement
Monter une collection d'antiquités chinoises	Un an
Revoir mon portefeuille d'assurances	Immédiatement
M'inscrire à des groupes de développement personnel	Trois mois
Suivre un cours de yoga deux fois par semaine	Immédiatement
Terminer la lecture des oeuvres complètes de Shakespeare	Un an
Écrire un livre de psycho-pratique	Cinq ans
Donner de mon temps au centre communautaire	Trois mois

Ces listes ont été établies uniquement dans le but de vous donner une idée de ce qu'est une liste d'objectifs. Les vôtres sont sûrement très différentes de celles-ci.

N'en faites pas davantage pour l'instant en ce qui concerne vos listes. Jetez-y un coup d'oeil tous les matins et tous les soirs pendant quelques jours. Vous pourrez les modifier, ajouter ou retrancher certains éléments, revoir les échéances, etc. Lorsque vous serez assuré que ces listes expriment bien vos objectifs et ce que vous attendez de la vie, vous les fusionnerez, c'est-à-dire que vous dresserez une seule liste de tous vos objectifs. Vos désirs et vos besoins se retrouveront donc sur la même liste, mais cette liste sera conçue en fonction des échéances de ceux-ci. Inscrivez en tête de liste tous vos objectifs immédiats, puis vos objectifs à moyen terme et enfin vos objectifs à long terme. Votre liste devrait ressembler à celle-ci :

LISTE DE MES OBJECTIFS	ÉCHÉANCE
3 000 dollars par mois pour couvrir l'hypothèque	Immédiatement
Du temps pour écrire et méditer tous les jours (2-3 heures)	Immédiatement
Dîner au restaurant une fois par semaine	Immédiatement
Laisser pousser mes ongles	Immédiatement
Une semaine de vacances par an	Immédiatement
Des relations affectueuses avec mon conjoint	Immédiatement
Du temps pour faire de l'exercice	Immédiatement
Un vase bleu pour la salle à manger	Immédiatement
Un veston sport de chez Calvin Klein	Immédiatement
Des rapports harmonieux avec mes enfants	Immédiatement
Une sortie en famille tous les dimanches	Immédiatement
Aller au bal ou dans une discothèque une fois par semaine	Immédiatement
Revoir mon portefeuille d'assurances	Immédiatement
Suivre un cours de yoga deux fois par semaine	Immédiatement
Trois téléphones avec lignes distinctes	Trois mois
M'inscrire à des groupes de développement personnel	Trois mois
Donner de mon temps au centre communautaire	Trois mois
Une seconde auto pour mon usage personnel	Trois mois
Perdre cinq kilos	Quatre mois
Un manteau d'astrakan	Cet hiver
Devenir membre du club sportif de ma région	L'été prochain
Emmener les enfants visiter Disneyland	Vacances de Noël
70 000 dollars de revenu net par an	Un an
M'assurer les services d'un conseiller financier	Un an
Apprendre à jouer du tambour	Un an
Monter une collection d'antiquités chinoises	Un an
Terminer la lecture des oeuvres complètes de Shakespeare	Un an
Une nouvelle maison avec trois placards supplémentaires	Un an
Un diamant d'un carat	Deux ans
Deux mois de vacances par an	Trois ans
Des lithographies de Picasso et de Matisse	Trois ans
Devenir conseillère indépendante en décoration d'intérieurs	Trois ans
Écrire un livre de psycho-pratique	Cinq ans
Une Mercedes Benz	Cinq ans
Une maison dans un quartier chic	Six ans
Un portefeuille de 250 000 dollars en valeurs diverses	Sept ans

Il vous reste une dernière chose à faire : classer vos objectifs par ordre d'importance pour chacune des échéances. Autrement dit, les objectifs à court terme les plus importants, vous les placez en tête de liste et vous procédez de la même façon pour les objectifs à moyen et à long terme. C'est ainsi que les objectifs immédiats les plus importants précéderont ceux qui le sont moins, et ce sera le même classement pour les objectifs qui viennent à échéance dans trois mois, un an, etc.

Une fois votre liste au point, vous avez en main une liste d'objectifs précis à atteindre ; inscrivez-y ce titre : « Liste de mes objectifs », et ensuite signez-la.

Programmez votre cerveau

Vous chercherez désormais à imprimer vos objectifs dans les cellules de votre cerveau aussi souvent que possible. À force de les écrire, de les visualiser, de les formuler, de les entendre et d'y penser, votre subconscient comprendra le message. Il ne sert à rien d'écrire votre liste d'objectifs une seule fois et de l'oublier ensuite dans un tiroir.

Faites-en plusieurs exemplaires. Affichez-en une chez vous et placez-en une bien en évidence à votre lieu de travail. Conservez-en une dans votre porte-monnaie ou dans votre sac à main. Chaque fois que vous n'avez rien à faire (à l'arrêt d'autobus, sur le quai d'une gare ou quand vous faites la queue, par exemple), profitez de l'occasion pour relire votre liste.

Vos objectifs ne tarderont pas à s'inscrire dans votre mémoire et vous pourrez les réciter par coeur. Mais relisez-les au moins une fois par jour pour une meilleure programmation de votre cerveau. Une autre méthode efficace, pour obtenir cet effet, consiste à choisir tous les jours un objectif de votre liste et à l'écrire vingt fois. N'oubliez pas d'inscrire le délai que vous vous êtes fixé pour l'atteindre. Vous pourrez réécrire cet objectif pendant plusieurs jours ou même plusieurs semaines s'il est très important. Si, par exemple, vous devez vous présenter à une entrevue pour un emploi et que votre objectif est d'obtenir ce poste, vous pourriez l'écrire vingt fois par jour jusqu'à ce qu'il soit attribué à quelqu'un (vous, bien sûr). Vous pourriez formuler votre objectif de la façon suivante : « Moi (inscrire votre nom), je travaille pour (inscrire le nom de la compagnie) et je suis très satisfait de mon emploi. »

Vous pouvez également choisir un objectif de votre liste et l'écrire vingt fois ; le lendemain vous choisissez d'en écrire un autre et vous continuez selon ce principe d'alternance. Toutes ces méthodes sont efficaces. Faites votre choix. Mais assurez-vous d'écrire au moins vingt fois chacun des objectifs qui composent votre liste.

Imprégnez-vous de vos objectifs

Lorsque vous aurez lu le chapitre neuf, qui traite du fonctionnement du cerveau, vous comprendrez combien il est important de lire, d'écrire et de formuler ses objectifs très souvent. Pour le moment, je vous conjure d'agir ainsi. La répétition de vos objectifs créera en vous un état positif, un état d'attente. Sachez que vos objectifs se réaliseront. « Tout ce que l'esprit humain peut concevoir et croire est réalisable », écrivit Napoleon Hill. La conviction, la foi, est un facteur indispensable du succès. Lorsque vous avez foi en vos objectifs, votre esprit vous révèle les moyens qui vous permettent de les réaliser.

Si vous n'avez pas cette foi aujourd'hui, rien ne vous empêche de l'acquérir. Pour commencer, imprégnez-vous de vos objectifs : répétez-les par écrit et verbalement. Plus vous imprégnerez votre esprit de quelque chose, plus vous y croirez. Lorsque vous aurez acquis une foi solide, attendez-vous à de bonnes surprises. Préparez-vous à des miracles. Mais pour commencer, définissez vos objectifs !

2

Changez votre mode de vie

Selon le docteur E. Cheraskin de la faculté de médecine de l'Université de l'Alabama : « Notre mode de vie nous trahit. »

Même si nous avons réussi à éliminer la plupart des maladies les plus graves, le taux des maladies de dégénérescence, lui, ne cesse de croître. Les affections cardiaques, le cancer, l'artériosclérose, l'arthrite et l'emphysème sont en progression constante. En 1979, pour la première fois, le cancer devenait la maladie mortelle la plus fréquente chez les enfants. Dans un pays aussi riche que les États-Unis, cette situation est inquiétante et révoltante.

Les problèmes causés par notre environnement

Bien des maladies de dégénérescence sont causées par notre environnement, et la plupart des problèmes qui lui sont imputables découlent directement de notre mode de vie. Ce qui est alarmant, c'est que, avertis que nous sommes des dangers que représente notre mode de vie, bien peu d'entre nous soient prêts à le modifier. Lorsque les gens tombent malades, ils sont stupéfaits, furieux ou les deux à la fois. Ils ont l'impression d'avoir été agressés.

La façon dont ils en sont arrivés là est un grand mystère pour eux et ils s'en prennent à Dieu de ce qui leur arrive. Ils vont même jusqu'à le tenir responsable de leur malheur.

Or, entretemps, ils ont trop fumé et se sont mal alimentés, ils n'ont fait que rarement de l'exercice et n'ont pas su se reposer, et ils n'ont pratiquement rien fait pour réduire leurs tensions et leurs frustrations.

La santé, bonne ou mauvaise, n'est pas un accident. Bien sûr, nous avons tous, génétiquement, nos points forts et nos points faibles. Il y a des personnes qui sont nées dans un corps sain, dont les organes et les glandes ont du tonus. Mais ce phénomène est devenu de plus en plus rare au cours des dernières années, car il y a de moins en moins de parents qui s'alimentent correctement. Et comme la formation de nos tissus, cellules et organes dépend de notre alimentation, les femmes sont maintenant sujettes à mettre au monde des enfants moins bien constitués. Toutefois, quel que soit votre héritage génétique, vous pouvez contribuer à l'amélioration ou à la dégradation de votre état de santé selon votre mode de vie.

Un mode de vie malsain

Ça me renverse de voir des personnes qui continuent de fumer alors même qu'elles sont prises de quintes de toux, qu'elles halètent et étouffent. Ça me renverse de voir des femmes enceintes qui boivent du café, fument et se nourrissent d'aliments dont la valeur nutritive est très faible. Elles possèdent tout de même suffisamment d'informations sur les effets préjudiciables du sucre, du café et des cigarettes pour le foetus.

Le mode de vie pantouflard de tant de gens m'inquiète. À peine rentrés chez eux, ils ouvrent le téléviseur pour le reste de la soirée. Le seul exercice qu'ils exécutent consiste à se lever pour changer de canal (quand ils n'ont pas de commande à distance, et s'ils en ont une, alors ils ne font plus aucun exercice).

Pendant quelques mois, l'une de mes filles occupa un emploi après l'école dans un marché d'alimentation. Elle remarqua que les boissons gazeuses, les pâtisseries et les sucreries, les croustilles et le pain blanc semblent être les aliments préférés de nombre de gens. Ils choisissent rarement les aliments sains. Se peut-il que les gens ne lisent pas et ignorent les effets nocifs de la cigarette, du café, des boissons gazeuses et des aliments qui ont subi nombre de traitements et auxquels on a ajouté des additifs chimiques ? Se peut-il qu'ils soient si indifférents à leur alimentation ?

Oui, je le reconnais, cette attitude me surprend. Il n'est personne de mes connaissances qui souhaite tomber malade et pourtant, toutes s'accrochent à leurs mauvaises habitudes comme si leur salut en dépendait. Les gens n'ont pas pour deux sous de jugeote. Ils disent des choses comme : « Eh bien, si je ne peux pas vivre à ma façon, aussi bien mourir dix ans plus tôt ! » Or, s'il nous était donné de les revoir dix ans plus tard, ils chanteraient fort probablement sur une tout autre note ; et s'ils étaient bel et bien mourants, ils feraient des pieds et des mains pour survivre. Mais il est souvent trop tard. Un trop grand nombre de mauvaises habitudes peut être fatal. Dans la plupart des cas, toutefois, un changement dans notre mode de vie améliore nos chances de vivre plus longtemps et en meilleure santé.

La motivation personnelle est indispensable

Il est impossible pour quiconque de motiver qui que ce soit à apporter des changements dans sa vie. J'en ai fait la dure expérience. Quand je conseille mes clients et que je leur parle de diététique et de santé globale, j'y mets tout mon coeur. Je passe beaucoup de temps à leur donner toutes les raisons qui devraient les inciter à modifier leur mode de vie. Je vibre d'enthousiasme et la majorité des gens diraient certainement que je suis convaincante. Et pourtant, parmi toutes ces personnes qui m'écoutent et m'approuvent, il y en a bien peu qui sont disposées à modifier leur mode de vie. Elles disent des choses comme : « Oui, je crois bien que je ne devrais pas manger ceci » ou « Je sais bien que je ne devrais pas fumer », etc. J'ai finalement compris que la motivation ne peut pas venir de l'extérieur. Seule la motivation personnelle est efficace. Quand vous trouvez en vous-même votre motivation, vous prenez des décisions, vous vous fixez des objectifs et vous passez à l'action. Si c'est quelqu'un d'autre qui vous pousse à changer, votre conjoint, vos parents ou votre médecin, et que vous n'êtes pas prêt à le faire, il est peu probable que vous ayez la force de persévérer. Mon intention, en écrivant ce livre, est de vous inciter à vous motiver par vous-même ; et nul doute que cette motivation personnelle vous permettra de prendre en main votre vie.

Un mode de vie sain

Si on me demandait de faire le résumé des facteurs qui déterminent un mode de vie sain, voici ce que je dirais :

— Mangez des aliments naturels ; évitez les produits chimiques, les sucres raffinés et les amidons.

— N'utilisez pas de casseroles d'aluminium pour la cuisson de vos aliments.
— Ajoutez à votre régime alimentaire des vitamines, des sels minéraux et des enzymes, cela afin de faciliter votre digestion.
— Buvez de l'eau de source ou de l'eau distillée.
— Ne fumez pas.
— Si vous consommez de l'alcool, faites-le avec modération.
— Buvez des tisanes (certaines sont toxiques, alors limitez-vous aux herbes reconnues).
— Faites de l'exercice tous les jours, ou plusieurs fois par semaine tout au moins.
— Expérimentez un mode d'expression artistique : musique, danse, peinture, etc.
— Dormez suffisamment pour être frais et dispos au réveil.
— Préoccupez-vous de votre développement personnel.
— Faites des exercices de relaxation.
— Visualisez dans votre esprit les changements que vous souhaitez voir se produire en vous et dans votre vie.
— Ne perdez pas la foi, attendez-vous à ce que vos désirs se réalisent.
— Riez beaucoup, surtout à vos dépens.
— Adoptez de bonnes habitudes de travail.
— Évitez dans la mesure du possible toute exposition aux produits cancérigènes de votre environnement.
— Prenez le temps de vous détendre, de goûter à la vie.
— Abstenez-vous de consommer les drogues à la mode.

— Ne prenez des médicaments pharmaceutiques qu'en cas de nécessité.
— Exercez un métier que vous aimez.
— Veillez à votre hygiène et à celle de votre milieu.
— Donnez-vous souvent des petites tapes d'encouragement sur l'épaule ; faites-vous des compliments quand vous le méritez.
— Ayez une bonne opinion de *vous-même.*
— Suscitez des relations harmonieuses entre vous et votre entourage.
— Prenez des vacances une fois par an.
— Occupez-vous, cultivez votre intérêt pour la vie et pour autrui.
— Cherchez chaque jour une occasion de donner et de recevoir un surcroît d'amour.

Voilà le genre de vie qui assure la santé, le bonheur et le succès. Voilà le genre de vie qui favorisera votre épanouissement.

3

Prenez soin de votre santé

L'homme est plus qu'un simple corps. Nous avons tous, aussi, un psychisme et un esprit. Ces trois éléments composent la « trinité de la vie ». Pour être sain, pour former un tout, nous devons jouir de l'équilibre du corps, du psychisme et de l'esprit. Ces trois éléments sont d'importance égale et, dans une certaine mesure, ils s'influencent mutuellement.

Lorsque vous êtes en bonne forme physique, vos dispositions mentales sont nécessairement meilleures et vous communiquez mieux avec votre âme, votre esprit. Des techniques physiques comme le jeûne ou le contrôle de la respiration par la pratique du yoga, permettent d'atteindre à un niveau de conscience supérieur. Grâce à ces techniques et à ces exercices, votre santé physique et votre acuité mentale s'améliorent au rythme de votre progression spirituelle.

Par l'étude et la concentration, vous développez votre esprit et obtenez la détermination nécessaire au succès des programmes de développement personnel que vous adoptez. Par l'étude, vous discernez de mieux en mieux cette Puissance qui vous habite et vous éveillez davantage votre conscience. Comme vous le voyez, toutes les parties qui vous composent s'influencent mutuellement.

Nous avons la preuve scientifique que le corps d'une personne est affecté lorsque celle-ci se sent moralement abattue; par contre, lorsque la même personne recouvre sa foi et sa volonté, son corps est en mesure de récupérer plus facilement. Il est également prouvé qu'il nous est bien plus facile de penser positivement et d'espérer de grandes choses de la vie lorsque nous sommes physiquement en forme.

Sans doute avez-vous déjà entendu le mot « holistique ». C'est un terme très descriptif et assurément très significatif. Malheureusement on l'emploie souvent de façon abusive pour désigner en vrac tout ce qui s'écarte des thérapeutiques conventionnelles et orthodoxes. En fait, une chose n'est pas nécessairement bénéfique parce qu'elle nous est présentée comme étant holistique, et même il n'est pas du tout certain que cette chose soit vraiment holistique.

Le véritable sens de ce mot est « totalité » : il signifie que le corps, le psychisme et l'esprit d'une personne forment un tout. Les médecins qui s'inspirent de cette science sont appelés à considérer leurs patients dans leur globalité. Ces médecins doivent être aussi, le plus souvent, des pédagogues ; puisque vous êtes *vous-même* responsable d'une bonne part du « travail », ils doivent vous fournir les informations utiles concernant la médecine naturelle et les méthodes d'auto-thérapie.

L'une des idées maîtresses de la médecine holistique est que nous sommes tous personnellement responsables de notre santé. Même si vous consultez un médecin, c'est à *vous* qu'il revient de prendre, en dernier ressort, les décisions importantes. Il est donc essentiel que vous soyez informé des méthodes qui peuvent vous aider à prévenir la maladie, à protéger votre santé et à accélérer votre rétablissement lorsque vous tombez malade.

Un naturopathe ne s'inspire pas nécessairement de ces principes. Il recourt à une ou plusieurs méthodes naturelles : régimes, exercices, respiration, etc., de préférence aux médicaments et à la chirurgie. Il peut très bien ne pas s'intéresser dans ses traitements à la « totalité de la personne », tout en respectant, néanmoins, le point de vue holistique.

Un thérapeute holistique peut être un médecin qui utilise la diététique et préconise un programme de réduction du stress. Ce peut également être un chiropracteur qui modifie le régime alimentaire de ses patients et leur recommande des exercices physiques. Le psychologue qui vous conseille une modification de votre régime alimentaire et vous suggère un programme de conditionnement physique a, lui aussi, une approche holistique. Si vous allez chez un naturopathe qui ne s'inspire pas de cette science et que vous êtes satisfait de ses services, il est inutile que vous en consultiez un autre. Profitez de sa science. Mais veillez à prendre soin du « reste » de votre personne.

Tout vous affecte

Tout ce qui touche votre vie, de quelque façon que ce soit, exerce un effet, positif ou négatif, sur votre santé. Les aliments que vous mangez, l'air que vous respirez (et la *façon* dont vous respirez), votre manière de marcher, le genre d'exercices physiques que vous pratiquez, votre mode de vie (que vous fumiez ou non), vos vêtements (et leurs couleurs), l'emploi que vous faites de vos loisirs, le temps que vous passez au plein air, votre éclairage habituel, chez vous et au travail (naturel, tungstène ou néon), les relations que vous entretenez avec ceux qui vous entourent, les diverses formes de stress auxquelles vous êtes soumis, tout cela vous affecte d'une façon ou d'une autre.

Il existe un grand nombre de situations auxquelles nous ne pouvons échapper. Nos aliments contiennent des milliers d'additifs et de produits chimiques toxiques, l'air que nous respirons est pollué et l'eau que nous buvons est impropre à la consommation dans bien des régions. Nous nous lions et travaillons avec des fumeurs même si nous ne fumons pas. La pollution par le bruit devient à notre époque un problème très grave ; la surpopulation de nos villes et le trop grand achalandage de nos systèmes de transports publics exercent un effet très nocif sur les êtres humains. S'il est vrai que nous ne pouvons échapper à ces facteurs de stress, nous pouvons du moins vivifier notre corps, notre psychisme et notre esprit afin de mieux résister au stress et aux tensions engendrés par la vie moderne. Bien plus, nous pouvons apprendre à jouir d'une meilleure santé, d'un bonheur et d'un succès encore plus grands. Et nous pouvons commencer dès maintenant !

4

Surveillez votre alimentation

Les éléments indispensables à la vie sont la nourriture, l'eau et l'air. Ils fournissent au corps les éléments nécessaires à son alimentation. À chaque seconde de notre existence, environ un milliard de cellules de notre corps meurent et renaissent. Les cellules neuves se forment surtout à partir des aliments que nous consommons.

On nous a recommandé à l'école de prendre des repas équilibrés. Mais qu'est-ce qu'un régime alimentaire équilibré ? La majorité des médecins et des diététiciens n'arrivent même pas à s'entendre là-dessus.

Notre production agricole

Le régime alimentaire des Nord-Américains ne leur fournit plus les éléments nutritifs dont ils ont besoin. Il faut que nous comprenions ce qui est survenu à notre production agricole depuis quelques décennies. À compter des années quarante, époque où les milieux d'affaires mirent la main sur l'agriculture et la mise en marché de ses produits, la valeur nutritive de ces derniers n'a cessé de décroître. Ce phénomène est imputable à l'application de méthodes de culture inadéquates ainsi qu'à l'utilisation massive d'insecticides et d'engrais chimiques qui nuisent à la qualité des sols. En bien des régions, le sol ne contient plus ces substances essentielles que sont le chrome et le sélénium. On sait bien pourtant que le chrome est nécessaire à l'assimilation du sucre et que le sélénium est un oligo-élément qui pourrait jouer un rôle dans la prévention du cancer.

Les vitamines et les minéraux les plus courants comme le calcium, le magnésium, le fer, la vitamine A (entre autres), que l'on retrouve dans les aliments organiques, diffèrent grandement de ceux provenant d'aliments produits à l'aide d'insecticides et d'engrais commerciaux. Mais la production d'aliments organiques est plus difficile et extrêmement coûteuse ; aussi devons-nous compter sur les produits commerciaux, même si ceux-ci sont moins nutritifs et même s'ils présentent des traces, toxiques, d'engrais et d'insecticides.

Les végétariens trouvent leurs protéines dans les noix, les graines et les légumineuses, ainsi que dans les céréales. Dans les années quarante, un responsable d'International Harvester donnait une conférence sur les éléments nutritifs essentiels et sur les acides aminés (les protéines) en particulier. Il demanda à son auditoire s'il croyait que ces éléments pouvaient être présents dans les aliments. Il répondit aussitôt à sa question en disant qu'ils ne pouvaient s'y trouver puisqu'ils n'étaient même pas présents dans le sol. Même si on les récolte, ajouta-t-il, nos aliments ne contiennent pas davantage ces éléments nutritifs essentiels. Or, la situation ne s'est guère améliorée depuis. Non seulement nos aliments sont-ils de mauvaise qualité au départ, mais les nombreux traitements qu'ils subissent après la récolte tendent à réduire encore plus leur valeur nutritive.

Les aliments traités industriellement

Nos aliments sont raffinés, entreposés, expédiés et cuisinés. Ces aliments, à l'étape de l'entreposage, sont vaporisés d'insecticides. À l'étape du raffinage, de nombreuses substances, dont le complexe B, les oligo-éléments et la vitamine E, sont éliminés. En fait, le sucre raffiné n'a aucune valeur nutritive; quant à la farine, on lui retire vingt-quatre de ses éléments nutritifs pour ne lui en restituer que quatre (c'est ce qu'ils appellent de la farine enrichie !).

Lors d'une expérience, on nourrit des rats avec des céréales composées de grains raffinés; or, tous ces rats moururent. À un autre groupe de rats, on servi *l'emballage de carton* de ces céréales, moulu et additionné de lait : tous survécurent. Les scientifiques déclarèrent sans ambages que c'était là la preuve que les boîtes étaient plus nourrissantes que leur contenu. Les responsables de la compagnie, quant à eux, s'empressèrent de « rétablir les faits » en affirmant que cette expérience n'était pas scientifique parce que si l'on avait ajouté du lait aux céréales, les rats du premier groupe seraient restés en vie !

De nombreux éléments nutritifs disparaissent lors de l'entreposage et de l'expédition des aliments. À la cuisson, nous détruisons les enzymes et perdons dans l'eau de cuisson que nous jetons de précieuses vitamines solubles. La chaleur affecte grandement la teneur en vitamines et en protéines de la majorité de nos aliments. Les fours à micro-ondes rendent les acides aminés (les protéines alimentaires) inassimilables par notre organisme (sans compter l'exposition aux radiations auxquelles nous sommes soumis lorsque nous faisons usage de ces fours). Les restes que nous réchauffons perdent la plupart de leurs éléments nutritifs.

Trois mille produits chimiques sont ajoutés aux produits alimentaires de consommation courante, conserves et surgelés compris. La consommation d'additifs alimentaires a augmenté, depuis 1949, de 995 %. Ces produits chimiques sont tous inscrits au GRAS (liste officielle, aux États-Unis, des produits considérés comme non toxiques), mais rares sont ceux, parmi eux, dont l'innocuité a été vérifiée. Une seule de ces substances, prise en soi, peut aller, mais lorsqu'elle est ajoutée aux autres substances contenues dans un aliment, elle peut être nocive et même cancérigène. Quand on pense à l'alimentation de la majorité des gens, on s'étonne qu'ils ne soient pas plus souvent malades. Rendons grâce à la fantastique Puissance qui réside en nous de ce que nous soyons si nombreux à jouir de la santé en dépit de toutes ces choses nocives qui pullulent dans notre environnement.

Les sucres raffinés et les amidons

Que faire alors ? Priorité des priorités, il nous faut réduire et, si possible, éliminer complètement les sucres raffinés et les amidons. C'est-à-dire qu'il nous faut éliminer tous les aliments qui contiennent du sucre blanc et de la farine enrichie. Sans oublier le riz blanc. La liste des aliments peu recommandables est assez longue et comprend la plupart des pâtisseries et des sucreries, ainsi que les crèmes glacées, les boissons gazeuses, les gâteaux et les biscuits, les pâtes alimentaires, les jus de fruits édulcorés, les sauces à base de farine et nombre de jus de fruits et de légumes en boîtes qui sont artificiellement sucrés.

Mais qu'y a-t-il donc de si nocif dans le sucre ? Eh bien, en plus de favoriser la carie dentaire, il augmente le nombre de toxines dans votre corps, ce qui met à dure épreuve votre foie et vos reins. C'est une calamité pour votre peau.

Perturbateur biochimique, il est directement responsable du diabète et de l'hypoglycémie. Mais le pire méfait attribuable au sucre est sans doute celui de réduire le pouvoir défensif et offensif des globules blancs de notre sang : autrement dit, le sucre affaiblit nos défenses contre la maladie. Il est maintenant reconnu qu'un système immunitraire sain est nécessaire pour combattre le cancer ; les risques de cancer vont donc de pair avec les excès de sucre. Au cours de la première et de la seconde guerre mondiale, époques de rationnement du sucre, la santé publique allait sans cesse en s'améliorant.

Le café

Nous devrions réduire notre consommation de café. Je dis « devrions » parce que la majorité des gens boivent entre deux et dix tasses de café par jour. Il n'y a qu'une infime minorité de personnes (dont je fais partie) qui n'en boivent jamais ou à l'occasion seulement. Le café contient de la caféine (que l'on trouve aussi dans le thé, le cola, le chocolat et dans bien des médicaments que l'on peut se procurer en vente libre). La caféine affecte la coordination musculaire, stimule les glandes surrénales, perturbe le fonctionnement du cerveau et de la moelle épinière et enfin, elle augmente la production d'insuline. Le café est une calamité pour les gens souffrant d'hypoglycémie (cependant, les diabétiques le tolèreraient un peu mieux) et il est responsable de tumeurs du sein non cancéreuses chez les femmes.

Des recherches récentes nous révèlent que le café serait responsable de malformations chez les nouveau-nés. On recommande de nos jours aux femmes enceintes de renoncer au café et au tabac. Je ne peux vous conseiller le café décaféiné parce que le traitement chimique qu'il subit est tenu pour être mauvais pour la santé. Les tisanes et les succédanés du café offerts dans les boutiques d'alimentation naturelle sont excellents. La mélasse dissoute dans de l'eau bouillante est agréable au goût et je connais bien des amateurs de café qui ont un faible pour celle-ci. Il vous faudra sans doute vous armer d'un peu de courage pour renoncer au café ; si vous en êtes incapable, essayez tout au moins de réduire votre consommation.

La chimie et l'alimentation

Il faut également éliminer tous les aliments qui contiennent des substances chimiques, des agents de conservation, ainsi que des colorants et des saveurs artificielles. Pour identifier ces aliments, il vous suffira de lire la liste des ingrédients qu'ils contiennent. Un petit tuyau en passant : si vous n'arrivez pas à prononcer le nom des additifs, évitez de consommer ces denrées. Les produits frais, à l'exception des aliments cultivés organiquement, sont également contaminés par des produits chimiques, mais à un degré moindre cependant. (À vrai dire, il n'existe pas d'aliments naturels « purs » en Amérique du Nord parce que le sol est entièrement contaminé. Seuls les produits qui échappent aux engrais chimiques et aux insecticides peuvent être, à la rigueur, qualifiés de « purs ».)

Nos fruits et nos légumes sont saupoudrés de substances chimiques, nos viandes proviennent d'animaux traités aux hormones et aux antibiotiques. Nous ne pouvons, pour la plupart d'entre nous, trouver ni nous permettre tous les produits naturels ; il nous faut donc choisir, parmi les produits qui sont à notre disposition, ceux qui sont les moins nocifs. Il est heureux que notre organisme puisse éliminer, dans une certaine mesure, les substances toxiques, mais il nous faut éviter de surmener celui-ci en consommant plus de poisons qu'il ne peut en traiter.

Manger... mais quoi ?

Alors, que reste-t-il dans notre assiette ? Toute la gamme des aliments entiers, frais et naturels. Les fruits frais aussi (avec modération toutefois, si votre taux de glucose sanguin est trop élevé) et les légumes frais. Il faut le plus souvent les manger crus ou prestement passés à la vapeur dans le cas des légumes. Consommez des noix, des noisettes, etc., mais prenez soin de bien les mastiquer. Les noix d'acajou, les amandes et les pacanes sont préférables aux arachides. Les graines de tournesol, de citrouille et de sésame, pour ne nommer que celles-ci, sont délicieuses et nourrissantes.

N'abusez pas des fruits secs naturels. Ils flattent notre gourmandise et sont une excellente source d'énergie, certes, mais ils contiennent beaucoup de sucre. On peut en faire des friandises délicieuses en y ajoutant de la noix de coco, des graines et des noix, des noisettes, etc., hachés en menus morceaux. En guise de sucre, vous pouvez utiliser un peu de miel non raffiné (celui qui se cristallise), disponible dans les boutiques de produits naturels. Vous pouvez également faire de savoureux gâteaux à la mélasse naturelle ou au sucre de datte. La mélasse a un goût très fort, mais elle est riche en sels minéraux, en fer surtout.

Adoptez les graines entières, naturelles. Elles contiennent le germe et le son. Consommez du pain entier, de farine naturelle ; si vous ne pouvez vous en procurer, faites-le vous-même. Le pain de grains entiers commercialisé n'est guère recommandable, et cela même s'il provient d'une farine non raffinée. Ce dernier est traité avec des centaines de substances de plus que le pain blanc afin de le conserver plus longtemps et d'éloigner les insectes. (Les insectes sont plus sages que nous, ils ne mangent pas de farine raffinée !) C'est pourquoi je vous recommande de manger du pain entier naturel : le pain entier courant contient trop de substances chimiques.

Assaisonnements et autres aliments

Remplacez le sel par des herbes, du sel marin de France et du varech. Tous ces produits sont disponibles dans les boutiques d'aliments naturels. Essayez des graines ou céréales plus rares comme le millet, le couscous et le kasha. Si vous ne savez comment les préparer, consultez un livre de cuisine naturelle.

Achetez les « nouvelles » crèmes glacées à la crème, aux arômes naturels et au miel. Ce sont de « vraies » crèmes glacées et leur saveur provient de fruits véritables. Elles sont tellement meilleures. Goûtez aux yogourts vendus dans les boutiques de produits naturels, qui sont aromatisés aux fruits, au miel et au sirop d'érable. Ces yogourts sont des produits de qualité. Ou vous pouvez acheter le yogourt nature et y ajouter vous-même les fruits frais, le miel pur et les arômes naturels. La vanille, soit dit en passant, constitue un excellent arôme. Les délices alimentaires ne manquent pas et puis, en plus, ils sont bons pour vous !

La nomenclature des ingrédients

Je sais bien qu'il n'est pas facile de s'habituer à lire la nomenclature des ingrédients entrant dans la composition d'un produit, et à acheter des aliments frais et complets, si vous ne l'avez jamais fait auparavant. Avec le temps, cela deviendra une habitude, vous le ferez tout naturellement. Peut-être vous demandez-vous pourquoi il est si important d'éviter les aliments contenant des substances chimiques ; vous vous dites que si le gouvernement en autorise la vente, c'est qu'ils ne présentent aucun danger. Peut-être bien que oui dans certains cas, mais non dans la plupart d'entre eux.

C'est à votre organisme qu'il incombe de digérer, d'assimiler et de métaboliser les aliments ; il doit aussi éliminer les déchets et les substances toxiques. Votre foie, vos reins et autres organes d'élimination ont fort à faire, trop souvent. Bien des additifs alimentaires sont cancérigènes, les nitrates par exemple. L'État doit souvent décider s'il va autoriser un nouvel additif dans le seul but de contrer un autre problème de santé. Les nitrates furent ainsi autorisés afin d'éviter les empoisonnements alimentaires. Pourtant, s'ils sont congelés, le saucisson de Bologne, le salami et les saucisses de Francfort ne nécessitent pas l'adjonction de nitrates. Mais comment savoir si les magasins d'alimentation et les supermarchés conservent adéquatement ces produits ? Et si les congélateurs tombent en panne ? Il serait peut-être préférable de se procurer ces aliments dépourvus de nitrates dans les boutiques d'aliments naturels, car on peut logiquement espérer de celles-ci qu'elles aient un plus grand souci de leurs produits.

Tout déchet qui n'est pas éliminé de votre organisme déclenche des réactions chimiques et des modifications cellulaires. Ces modifications peuvent affaiblir votre organisme, abaisser votre seuil de résistance, perturber votre système immunitaire, sur-stresser votre organisme et vous exposer à des maladies de dégénérescence. Ce sont là quelques-unes des raisons qui me poussent à vous recommander de vous abstenir autant que possible des aliments contenant des substances chimiques. Ces substances abondent dans notre milieu et nous ne pouvons les éviter. En plus, nous en absorbons déjà suffisamment lorsque nous mangeons au restaurant ou chez des amis.

Des régimes alimentaires

Ici, aux États-Unis, on nous recommande toutes sortes de régimes : à base de fruits, végétariens, végétariens à tendance ovo-lacto, naturo-hygiéniques, aux aliments naturels, à faible teneur en hydrates de carbone, macrobiotiques (cuits, autrement dit), aux jus bruts, à faible ou à haute teneur en protéines. Ils prétendent tous être *le* régime par excellence. Enfin, c'est ce que voudraient nous faire croire les écrivains-avocats de ces ouvrages de diététique. Je ne doute pas que ces régimes peuvent leur réussir, à eux, ainsi qu'à d'autres personnes. Tous les régimes conviennent à *quelqu'un*, mais ceux-ci vous conviennent-ils ? Voilà la question.

Des graines et des noix

Les végétariens devraient veiller à ce que la combinaison de leurs aliments leur procure tous les acides aminés nécessaires. Qu'ils adoptent la règle suivante : noix et graines accompagnées de céréales, noix et graines accompagnées de légumineuses, et finalement, légumineuses accompagnées de céréales. Notons cependant qu'il est difficile de trouver dans les légumineuses et les céréales une source suffisante de protéines du fait de la pauvreté de nos sols. Les végétariens doivent aussi s'assurer qu'ils sont faits pour le végétarisme ; ce n'est pas le cas de tout le monde.

La majorité des gens ont besoin d'un minimum de protéines animales, à tout le moins celles contenues dans les oeufs et les produits laitiers. Les oeufs doivent être sains et avoir été pondus par des pondeuses de basse-cour auxquelles n'ont été injectés ni antibiotiques ni hormones. Le cholestérol y est équilibré par la lécithine. Les chercheurs disent que la consommation d'oeufs ne provoque pas une augmentation du taux de cholestérol, pas plus qu'elle ne favorise les affections cardiaques. De fait, depuis que les Américains ont réduit leur consommation d'oeufs, les crises cardiaques sont à la hausse. Si vous devez surveillez votre taux de cholestérol, prenez note que les yogourts, les aubergines, les oignons, l'ail et la lécithine contribuent à son élimination. Le cholestérol est nécessaire à votre organisme et en produit même si vous n'en consommez pas. Il semblerait que le métabolisme des matières grasses soit affecté par le sucre, qui serait le vrai coupable.

Les différents métabolismes

On s'interroge de plus en plus sur le fait de savoir si nous devons ou non consommer de la viande; si oui, quelles viandes et en quelle quantité. Les dernières recherches, inspirées par les travaux du docteur William Donald Kelley, indiquent que ce qui va pour une personne ne convient pas nécessairement à une autre, du fait des différences de métabolisme. Linda Clark, la journaliste spécialisée en diététique de la célèbre fondation Price-Pottinger, affirme que les recherches du docteur Kelley sur les divers types de métabolisme constituent l'une des grandes contributions aux progrès de la diététique moderne.

Le docteur Kelley a su démontrer que chaque personne est unique, autant par ses forces et ses faiblesses que par ses besoins alimentaires. Certaines personnes peuvent être végétariennes, d'autres ont besoin de viandes et d'autres enfin peuvent s'adapter à tous les régimes alimentaires.

Les compléments alimentaires

Du fait des nombreux facteurs qui nous empêchent pratiquement de trouver tous les éléments nutritifs essentiels dans la nourriture même, je suis tout acquise à l'idée de recourir aux compléments alimentaires. Ma famille et moi consommons compléments et concentrés alimentaires en abondance et quotidiennement. Il ne m'appartient pas toutefois de vous faire des recommandations sur ce point.

L'objet du présent ouvrage est de vous fournir les informations qui pourront vous aider à améliorer la qualité de votre vie. Je souhaite que votre curiosité sera suffisamment éveillée pour que vous soyez intéressé à en lire d'autres. Comme il existe nombre d'excellents livres qui traitent en détail chacun des éléments nutritifs essentiels, je ne m'étendrai donc pas trop sur ce sujet et m'en tiendrai au strict nécessaire.

Les vitamines

La vitamine A est essentielle à la santé de votre peau et de vos yeux. Elle est également indispensable à votre système respiratoire, c'est-à-dire vos sinus, vos poumons, vos amygdales, etc. Elle augmente votre résistance aux maladies infectieuses. Toutes vos membranes muqueuses ont besoin de vitamine A. Des recherches récentes démontrent qu'elle jouerait un rôle important dans la prévention et le traitement du cancer.

Le complexe B, pour sa part, est nécessaire au fonctionnement normal de l'ensemble de votre système nerveux. Tous les problèmes, physiques ou mentaux, qui relèvent de votre système nerveux (angoisses, fatigues, migraines, vertiges, dépressions, etc.) seraient dus à la carence d'une ou de plusieurs vitamines B. Lorsque vous êtes soumis au stress, vous avez besoin d'un supplément de vitamine B. De plus, le complexe B est excellent pour votre peau et vos cheveux. Comme il est nécessaire au métabolisme des hydrates de carbone, il est donc essentiel pour les diabétiques et les hypoglycémiques. Le complexe B se compose de plus de vingt vitamines B. Les deux dernières à être découvertes, la B15 et la B17, nous protégeraient contre le cancer. On trouve celles-ci dans les graines de fruits, dans de nombreuses céréales à grains entiers et dans les noix, aliments dont la consommation est généralement insuffisante.

La vitamine C mériterait le titre de « vitamine de la résistance ». Elle développe notre résistance contre les infections, dont le simple rhume. Elle est plus efficace lorsque prise à doses massives au tout début du rhume. Ce chercheur qu'est le docteur E. Cheraskin soutient que la vitamine C est utile à toutes les affections. Elle fortifie les membranes cellulaires, contribue à la purification du corps en éliminant ses déchets toxiques et, de pair avec l'acide pantothénique, elle est nécessaire aux glandes surrénales dans leur contrôle du stress. Les recherches du docteur Pauling indiquent qu'elle serait également efficace dans la lutte contre le cancer.

Quant à la vitamine D, elle est nécessaire à l'assimilation du calcium : la santé de nos os, de nos dents et de notre derme en dépend. Si vous passez assez de temps en plein air pendant les mois d'été, le soleil vous en fournit peut-être en quantités suffisantes. Ne vous lavez pas pendant les heures qui précèdent et suivent vos bains de soleil : cette vitamine est assimilée grâce aux matières grasses de la peau.

La vitamine E est surtout connue pour son effet bénéfique sur le système sanguin et le coeur. Elle tonifie tous les muscles du corps, y compris le muscle cardiaque. On a découvert récemment qu'elle contribue à accroître notre résistance. Elle transmet l'oxygène aux cellules, ce qui contribue à nous préserver du cancer. La vitamine E détoxifie et permet à l'organisme d'éliminer ou de neutraliser certains poisons. Certaines personnes affirment qu'elle stimule à merveille l'intérêt et l'activité sexuels. Elle accroîtrait par ailleurs la fécondité. L'usage interne et externe de cette vitamine est recommandé dans le cas de brûlures.

La vitamine F (acides gras insaturés), que l'on trouve dans les matières grasses polyinsaturées, est nécessaire à l'assimilation du calcium et à la croissance. Elle contribue également à la santé de la peau et au métabolisme des graisses.

Les minéraux

Le calcium, l'un des minéraux les plus nécessaires et l'un de ceux qui nous manquent le plus, est essentiel à la santé des nerfs, des os et des dents. Il contribue aussi au bon fonctionnement du coeur. Lorsque nous sommes soumis au stress, nous perdons beaucoup de calcium qu'il nous faut alors remplacer. Il joue également un rôle dans les contractions musculaires et la transmission de l'influx nerveux. Les crampes des muscles des jambes seraient dues à des déficiences en calcium ou à sa mauvaise assimilation par l'organisme. Pris au coucher, il faciliterait le sommeil.

Le magnésium est indispensable à la croissance et à la santé des artères, des os, du muscle cardiaque, des nerfs et des dents. Il joue aussi un rôle important dans le métabolisme du glucose sanguin et il contribue à maintenir l'équilibre acide-alcali dans le corps. Le magnésium a aussi son rôle à jouer dans le métabolisme de la vitamine C et du calcium.

Quant au potassium, il régularise le rythme cardiaque et est essentiel aux contractions musculaires et à la croissance, particulièrement celle du coeur, des reins, des muscles, des nerfs et de la peau. Les cancéreux ont souvent un taux de potassium très insuffisant.

Le phosphore se conjugue au calcium pour la formation des os et des dents. Il est également nécessaire au développement normal du cerveau. Il alimente le tissu cardiaque et est indispensable au bon fonctionnement des reins. Il contribue aussi à l'assimilation de nombreuses vitamines.

Le manganèse est nécessaire au bon fonctionnement du système nerveux. Il contribue à la santé du cerveau et des muscles. Il active plusieurs enzymes et est indispensable à la reproduction et à la restauration des tissus. Chez les animaux, les femelles qui souffrent de carence en manganèse ont tendance à perdre tous leurs instincts maternels.

Pour sa part, le fer est essentiel à la production du sang, au développement des os et de la peau. Pour véhiculer les substances nutritives, le sang doit être sain. C'est pourquoi la personne anémique souffre de malnutrition, que celle-ci soit clinique ou infra-clinique. Même si la malnutrition infra-clinique ne provoque pas de graves maladies carentielles, elle affecte néanmoins la santé. La vitamine C facilite l'assimilation du fer.

Le zinc est nécessaire à la production du sang et il favorise le développement du coeur et de la prostate. Il est essentiel à la reproduction, aux fonctions sexuelles et à la digestion des hydrates de carbone. La perte de l'odorat ou du goût tient parfois à une carence en zinc. Les compléments de zinc activent la guérison des plaies et des brûlures.

Le chrome et le sélénium ont déjà fait l'objet d'une mention. Ce sont deux oligo-éléments très rares dans les aliments que nous consommons à cause des carences de nos sols. Le chrome est nécessaire au métabolisme du sucre ; quant au sélénium, il oxygène les cellules et réduirait les risques de cancer, surtout celui du sein.

Les autres compléments

Outre les vitamines et les minéraux, il existe un grand nombre de concentrés alimentaires qui peuvent enrichir la valeur nutritive de nos repas : le germe de blé, par exemple, (qu'il faut conserver en permanence au réfrigérateur) ; le son qui renferme beaucoup de fibres ; la levure de bière qui est une source de vitamines B ; le foie déshydraté qui est très riche en vitamines A et B, et qui contient également du fer et d'autres éléments nutritifs ; la lécithine, pour sa part, contribue à la régulation du métabolisme des graisses et réduit le cholestérol (il nous faut cependant un surcroît de calcium lorsque nous consommons beaucoup de lécithine du fait de sa haute teneur en phosphore) ; il ne faut pas oublier la mélasse, dont la teneur en fer et en autres oligo-éléments est très élevée. Faites-vous un ami du gérant de la boutique d'aliments naturels de votre quartier : il pourra vous conseiller une foule d'aliments et de concentrés qui valent le détour.

Les enzymes

Question compléments, n'oublions pas les enzymes de la digestion et l'acide chlorhydrique. Votre estomac fabrique cet acide. Toutefois, passés les 35 ans et même avant, rares sont les individus qui en produisent suffisamment. Comme les symptômes de la sur-acidité et de la sous-acidité sont souvent les mêmes, il arrive que les personnes qui prennent des comprimés contre l'acidité détruisent le peu d'acide chlorhydrique qu'elles produisent. Or sans cet acide, on ne peut assimiler les minéraux ni digérer correctement les protéines. L'acide chlorhydrique et les enzymes sécrétées par le pancréas sont tous les deux essentiels à la digestion des protéines. Si vous ne digérez pas les protéines, non seulement prenez-vous de court votre organisme, puisque les cellules se forment à partir des protéines, mais vous favorisez l'accroissement de déchets toxiques qui peuvent provoquer de dangereuses modifications cellulaires. Le docteur Kelley estime que nous avons tous besoin d'un supplément d'enzymes parce que nos régimes riches en sucres raffinés et en amidons imposent une surcharge de travail à notre pancréas, et celui-ci ne peut alors en produire suffisamment. Les gens croient que le pancréas ne sécrète que de l'insuline, mais ce n'est pas vrai. Il sécrète aussi les enzymes qui digèrent les protéines. Ces enzymes traitent les protéines alimentaires et toute autre substance protéinique étrangère à l'organisme. À en croire le docteur Kelley, ce sont ces enzymes, de concert avec les globules blancs de notre système immunitaire, qui détruisent littéralement les cellules cancéreuses.

Il existe des compléments d'enzymes de la digestion qui digèrent également les graisses, les hydrates de carbone et les protéines. Notre organisme ne produit des enzymes que lorsque ses besoins en minéraux sont comblés. Mais comme notre alimentation nous fournit rarement assez de minéraux, rares sont les personnes qui fabriquent suffisamment d'enzymes. C'est un cercle vicieux : il nous faut des minéraux pour fabriquer les enzymes, et en premier lieu, il nous faut des enzymes pour assimiler les minéraux.

L'on sait aujourd'hui que l'équilibre en minéraux est très important et que, s'il y a carence, nous ne pouvons assimiler correctement les vitamines. Autrement dit, vous pouvez bien vous gaver de vitamines, si vous n'avez pas assez de minéraux, elles ne rempliront pas bien leurs fonctions. Si vous voulez savoir si vous souffrez d'une carence minérale, une analyse capillaire pourra vous être très utile. Cette analyse révélera également la présence, s'il y a lieu, de certains minéraux toxiques comme le plomb ou le mercure dans votre organisme. Cette méthode est fréquemment utilisée par les chiropracteurs et les médecins avertis des questions de diététique.

Les mauvaises habitudes alimentaires

N'allez pas croire que les compléments peuvent suppléer aux régimes alimentaires déficients. Il nous faut à tous une alimentation saine. Nous prenons des compléments pour compenser l'absence de certains éléments nutritifs essentiels. Nous avons trop souvent, nous les Occidentaux, de mauvaises habitudes alimentaires. Nous consommons trop de calories et mangeons trop de matières grasses. Ces dernières devraient être réduites de façon à se situer bien en dessous des 40 % actuels. Nous devrions également réduire notre consommation (ou même nous abstenir) de camelote alimentaire, d'aliments dénaturés par la chimie, de bouffe-toc, etc.; riches en calories, ces aliments ont toutefois une valeur nutritive très pauvre. Il nous faut manger davantage d'aliments fibreux : fruits, légumes et céréales de grains entiers. Le fait d'ajouter du son à nos aliments ne nous dispense pas de consommer des aliments riches en fibres. Réduisons notre consommation de sel car avec l'utilisation massive des engrais au sodium, le taux de salinité des sols est beaucoup trop élevé. Nos aliments contiennent déjà bien assez de sel pour que nous soyons tenus de les saler à table. Utilisez plutôt des herbes aromatiques. Lorsque vous devrez faire usage de sel, préférez le sel de mer à celui qu'on trouve dans le commerce en général car il contient des oligo-éléments et, contrairement au second, il n'a pas été traité au sucre.

L'eau

Aucun exposé sur l'alimentation ne saurait être complet sans que mention ne soit faite de l'eau potable. Il en sera abondamment question dans le chapitre qui porte sur l'environnement. Je veux simplement souligner le fait, pour l'intant, que l'eau est un élément essentiel. Certains diététiciens l'appellent un aliment, d'autres un détoxifiant ; en fait, elle est les deux à la fois.

On entretient sur l'eau plusieurs idées qui ne sont peut-être pas justes, par exemple qu'il faut en boire huit verres par jour et qu'il faut s'abstenir d'en boire pendant les repas. Si vous buvez plus de dix verres de liquides par jour, vous risquez d'éliminer de votre orgnaisme de nombreuses vitamines qui sont solubles dans l'eau. C'est pourquoi vous ne devez pas boire autant d'eau si vous faites une grande consommation de tisanes et de jus. Toutefois, si vous souffrez d'un rhume ou d'une affection aiguë, ou si vous suivez un régime amaigrissant, un surcroît d'eau s'impose afin d'éliminer les toxines de votre organisme (la digestion produit des toxines).

Je connais des gens qui n'ont presque jamais soif et qui s'efforcent sans raison de boire leurs huit verres d'eau quotidiens. Ceux qui suivent des régimes macrobiotiques boivent, par rapport à la moyenne des gens, très peu d'eau et nombre d'entre eux sont en excellente santé. S'il est vrai que l'eau est vitale, il faut nous en remettre, pour nous guider, à notre bon sens et à notre soif. Si vous souffrez de constipation, peut-être vous faut-il consommer plus de liquides ainsi que plus de fruits, de légumes crus, de yogourt et de fruits secs.

Quant à la consommation de liquide lors des repas, n'en buvez pas plus d'un verre de préférence, ni trop chaud ni trop froid, sinon vous risquez de détruire les enzymes nécessaires à la digestion. Une consommation légère d'eau pendant les repas permet, toutefois, d'amorcer la digestion.

Il est dommage que nos réserves en eau (en Amérique du Nord tout au moins) soient si contaminées. En 1980, les journaux et les émissions d'information à la télé ont attiré notre attention sur la question de la pollution. Ceux-ci ont parlé des déchets industriels et des micro-organismes mais n'ont fait aucune mention des fluorures et du chlore. Le chapitre sur l'environnement traite des problèmes relatifs à l'ajout de ces deux produits dans l'eau potable et il apporte des éléments de solution.

La détoxication

Quelques mots maintenant au sujet de la détoxication. Car une saine alimentation n'implique pas seulement l'absorption des éléments nutritifs, elle comprend aussi l'élimination des déchets. Il existe de nombreux produits sur le marché qui facilitent la détoxication. Même les personnes qui ne sont pas constipées ont souvent des toxines dans leur foie, leur colon et leur sang. Pour le foie, il existe maints produits merveilleux à base de pissenlits et d'hydrates du Canada. La formule au trèfle violet, quant à elle, purifie très efficacement le sang. La bentonite liquide, pour sa part, nettoie le colon. De nombreux produits sont disponibles à la boutique d'aliments naturels de votre quartier. Informez-vous. Mais assurez-vous que ceux-ci sont bien des produits naturels et respectez les instructions.

Quand les experts s'accordent...

Si les opinions sont très divisées chez les experts sur la question de savoir ce qu'est un bon régime alimentaire, ceux-ci s'accordent néanmoins sur les points suivants : il faut réduire ou éliminer les sucres raffinés, les amidons et les aliments contenant des produits chimiques, des agents de conservation et des additifs. Il faut adopter un régime alimentaire riche en aliments naturels : fruits, légumes, noix, graines, céréales entières et protéines de grande qualité. Que vous consommiez de la viande ou que vous soyez végétarien, les protéines sont absolument nécessaires à chacune des cellules de votre corps.

Je me suis pas proposé dans ce chapitre de vous communiquer « tout ce que vous devriez savoir sur l'alimentation » (c'est impossible !), mais plutôt de vous expliquer les raisons pour lesquelles nous devons, du moins la majorité d'entre nous, modifier nos habitudes alimentaires. Si vous désirez mieux vous informer — et les sources ne manquent pas — consultez votre libraire.

L'un des meilleurs services que vous puissiez vous rendre, c'est de surveiller de très près votre alimentation !

5

Soyez à l'écoute de votre corps

Quel miracle de perfection que le corps humain! C'est une machine d'une merveilleuse efficacité capable d'exécuter les mouvements les plus précis. Il renferme en outre son propre laboratoire de chimie, est muni de son système de défense personnel, et il est sa propre source de plaisir.

Notre corps peut se mouvoir de mille et une façons sophistiquées et il nous est possible d'en développer tel ou tel muscle ou d'en fortifier telle ou telle partie selon notre désir. On a parfois du mal à croire qu'un corps rayonnant de santé et d'un modelé ravissant, souple et sinueux, sans un gramme de trop et sans cellulite, appartient à la même espèce qu'un corps avachi, rouillé et ralenti par un excédent de dix kilos.

Votre véritable physique est à rechercher à mi-chemin entre la pin-up modèle *Playboy* ou le mâle façon *Playgirl*, et l'image que vous renvoie votre miroir!

Nous avons tous nos priorités dans la vie et, à moins de vouloir devenir danseur, culturiste, gymnaste ou athlète, il n'est pas nécessaire de consacrer trois ou quatre heures par jour au développement de notre corps ; mais il ne faut pas le négliger pour autant, comme le font trop de personnes. C'est avant la vieillesse qu'il faut commencer à se préoccuper de sa condition physique, bien avant que ne se manifestent l'arthrite, la rouille et le souffle court ; c'est avant de suer et de s'essoufler en grimpant les escaliers ou en traversant les rues, c'est avant de ne plus pouvoir entrer dans son pantalon ou d'apercevoir des rondeurs inesthétiques dans la glace.

« Qu'est-il arrivé, soupirez-vous, à mes délicieux contours (si vous êtes une femme) ou (si vous êtes un homme) à cette mâle vigueur qui était la mienne ? »

L'exercice physique

L'exercice physique est indispensable à la santé et à la beauté. Il s'impose si l'on veut perdre des kilos, ceux qui doivent disparaître, brûler les calories en nombre suffisant et atténuer, sinon effacer l'inévitable bourrelet.

L'exercice physique stimule la circulation, vous donne un coup de fouet physique et moral et permet à votre organisme d'éliminer les nombreux poisons qui se trouvent dans l'air, les aliments et l'eau. L'analyse des cheveux de personnes qui font de la course à pied, et ce même dans le sillage des vapeurs toxiques dégagées par les autos, révèle que les traces de plomb en présence dans leur organisme sont nettement inférieures à celles qu'on trouve dans celui des personnes qui ne font aucun exercice. L'exercice facilite grandement la digestion et empêche la constipation, assure votre souplesse et vous permet d'éviter les douleurs et malaises dus à l'âge. Une étude portant sur 17 000 diplômés de Harvard, effectuée en 1980, aboutit à la conclusion que la pratique quotidienne d'un exercice vigoureux réduisait les risques d'affections cardiaques de 64 %.

Une seule de ces raisons devrait vous inciter à faire régulièrement de l'exercice, mais celui-ci vous procure bien d'autres avantages. L'exercice est une source de détente et un stimulant : en plus d'accroître votre tonus musculaire, il fortifie les divers organes de votre corps. Pour certaines personnes, l'exercice, plus précisément le yoga ou la course à pied, devient une forme de méditation qui purifie et élève l'esprit. (Au risque de déplaire aux amateurs de course à pied, précisons que celle-ci ne constitue pas le meilleur type d'exercice, comme nous le verrons un peu plus loin.) À part l'exercice, connaissez-vous une seule chose qui, pour une si faible dépense, vous assure des profits aussi merveilleux ? La plupart des types d'exercice physique sont en effet gratuits ! Bien sûr, vous êtes libre de vous rendre à l'aréna ou de vous inscrire à un club de santé (il n'y a rien à redire à cela tant que vous ne vous contentez pas de faire faire de l'exercice aux appareils, mais aussi à votre corps), c'est à vous de décider. Certains types d'exercice peuvent nécessiter l'acquisition d'un mimimum d'équipement mais, je le répète, vous pouvez faire de l'exercice sans débourser un seul sou. Comme vous vous servez de votre corps pour vous déplacer vous êtes toujours en mesure d'en faire, que ce soit chez vous ou à l'autre bout du monde.

Le nombre de personnes faisant régulièrement de l'exercice augmente depuis quelques années, il est vrai, mais ce n'est malheureusement pas encore le cas de la majorité. Mais pourquoi donc ? Manque de temps ? De motivation ? Trop de bobos pour s'y mettre ? Épreuve du miroir décourageante ?

Si vous souffrez de bobos petits ou grands, un programme raisonnable d'exercices pourra probablement vous aider. Au pis-aller, vous pouvez marcher, non ?

Même les paralytiques ont des kinésithérapeutes qui exercent des tractions sur leurs bras et leurs jambes, parce que le mouvement est essentiel à la vie. Dieu n'a pas créé nos corps pour qu'ils restent immobiles!

Personne ne peut adopter un programme d'exercices à votre place. Si cette idée ne soulève pas votre enthousiasme, évitez alors de vous fixer des objectifs trop ambitieux que, vous le savez bien, vous ne pourrez atteindre. Choisissez plutôt un programme adapté à vos goûts et respectez-le.

Quoi, ai-je bien entendu, aucun programme ne vous tente? Alors, pour vous ce sera la marche. Les types d'exercice les plus populaires sont la course à pied rapide ou lente (jogging), la corde à sauter, la bicyclette, le yoga, la callisthénie, la natation, les poids et haltères, la danse aérobique, la danse du ventre, etc. Sans compter toutes les autres formes d'exercice que vous pouvez découvrir par vous-même. Pour obtenir de meilleurs résultats, adonnez-vous à ces exercices au moins cinq ou six fois par semaine.

La natation est un excellent exercice parce qu'elle sollicite tout le corps. Mais si, comme la plupart d'entre nous, vous ne disposez pas d'une piscine où pratiquer régulièrement la natation, il serait excellent que vous décidiez de nager trois fois par semaine, à votre centre sportif ou dans un club de santé, quitte à partiquer un autre genre d'exercice les deux ou trois autres jours. Si vous êtes de ceux qui ont besoin de l'encadrement et de l'atmosphère d'un club de santé, veillez à y aller plusieurs fois par semaine, ajoutez à cela quinze à vingt minutes d'exercices indépendants deux ou trois fois par semaine et vous aurez là un programme d'exercices plus que satisfaisant. Dans très peu de temps vous sentirez la différence : vous jouirez alors d'une santé, d'une vitalité et d'une apparence de beaucoup supérieures.

La mini-trampoline

Si vous réunissez les avantages de tous les bons exercices, éliminez les désavantages inhérents à certains d'entre eux et réduisez de moitié le temps requis pour en tirez profit, vous obtenez alors l'exercice-miracle : la mini-trampoline. Cet exercice profite à chacun, peu importe l'état de santé de la personne, et surtout aux gens très occupés parce qu'il n'exige, pour porter ses fruits, que quelques moments d'exercice quotidien. Les médecins affirment que c'est sans doute là le type d'exercice le plus efficace.

Ses mouvements s'apparentent tout autant à ceux du saut en hauteur et de la course lente qu'à ceux exigés par l'utilisation des trampolines de gymnase, sauf que vous ne sautez pas aussi loin ni aussi haut. Le guide qui accompagne ce système vous indique plusieurs types d'exercice possibles, ensuite libre à votre imagination d'en créer de nouveaux.

Avant la Seconde Guerre mondiale, les forces armées américaines se sont servies de trampolines pour développer le sens de l'équilibre et l'adresse chez les soldats, ainsi que le sens de la coordination, le rythme et les réflexes. Mais l'utilisation de celles-ci visait surtout à développer des corps résistants, vigoureux et solides. Comme on ne peut évidemment pas utiliser la trampoline conventionnelle chez soi, je suis donc ravie que quelqu'un ait eu l'intelligence de créer la trampoline de salon. Ces mini-trampolines sont fabriquées par plusieurs compagnies. Ce type d'exercice donnera du tonus à vos muscles, purifiera votre système lymphatique (qui est comme « l'aspirateur » de votre organisme), fortifiera votre coeur en accroissant la circulation sanguine, améliorera votre respiration, stabilisera votre poids et sollicitera pratiquement tous les organes et toutes les cellules de votre corps, ce à quoi ne peut prétendre aucun autre type d'exercice.

Si vous faites des bonds durant une période de trois à cinq minutes après votre lever, vous accroîtrez votre énergie et l'efficacité de votre système cardio-vasculaire en plus d'améliorer votre circulation lymphatique pour toute la journée.

Vous perdrez aussi quelques kilos parce que cette forme d'exercice permet aux cellules de votre organisme de brûler plus de calories durant la journée. En d'autres termes, l'un des meilleurs services que vous puissiez vous rendre, c'est de commencer la journée par des bonds. Cet exercice régularisera aussi votre pression artérielle et ralentira votre pouls, même si ce dernier connaît une forte accélération durant et après la séance de bonds. L'effet aérobique de cet exercice est de fournir plus d'oxygène à vos cellules et celles-ci, pour leur part, font une meilleure utilisation de cet oxygène.

La course à pied lente et rapide

L'exercice pratiqué sur la mini-trampoline est nettement supérieur à la course lente pour la simple raison que les surfaces dures ne vous permettent pas de rebondir. Le docteur J. E. Smidth estime, dans son article « Le jogging peut vous tuer ! », que ce type d'exercice est inutile et dangereux, qu'il éprouve bien plus le corps qu'il ne le vivifie. Le docteur George Shehan, cardiologue, déclare qu'il rend inévitables le stress structurel et les blessures. Il précise que les muscles faibles de la partie antérieure des jambes et des pieds risquent de souffrir de foulures, d'entorses, d'élongations et de déchirures ; les risques de fractures ne sont pas à écarter. Les douleurs dorsales, les blessures aux tendons, les périostites tybiales, les douleurs aux chevilles et à la cambrure du pied, les fractures du pied, les douleurs dans les muscles des jambes, des hanches, des cuisses et dans les os des jambes sont le prix que doivent payer les amateurs de course lente ou rapide. Il existe aussi un grave problème appelé néphroptose qui est l'effet direct des courses de longue durée sur des surfaces dures. On trouve parfois du sang dans l'urine des coureurs.

Toutefois, si vous éliminez tous les mauvais côtés de la course à pied, soit les traumatismes causés par le contact violent sur une surface dure, et n'en conservez que les bons côtés, vous obtenez alors le meilleur type d'exercice possible : le bond, qui offre bien d'autres avantages. Toutes les cellules de votre corps sont simultanément stimulées par l'accentuation de la force de gravitation qui s'exerce sur elles, ce qui a pour effet de les fortifier. Comme les organes sont constitués d'un ensemble de cellules et comme les systèmes se composent d'un ensemble d'organes, c'est donc dire que ces bonds fortifient tout votre organisme.

Ce qui est merveilleux dans la pratique de cet exercice, c'est qu'il ne nécessite que très peu de temps. Cinq minutes, deux fois par jour, suffisent à vous maintenir en bonne santé et à fortifier votre corps. Bien qu'il soit préférable de s'y livrer sur une période de sept à dix minutes, vous en retirerez néanmoins beaucoup d'avantages.

Les bonds font des merveilles pour les convalescents qui se rétablissent d'une crise cardiaque. Il va de soi que ceux-ci doivent s'y livrer progressivement et sous surveillance médicale. Il existe également des exercices destinés aux personnes confinées à leur fauteuil roulant. Certains de ces exercices améliorent la vue, d'autres ont été conçus à l'intention expresse des enfants handicapés ou perturbés. Le docteur Alfchild de Houston au Texas recommande la pratique de cet exercice aux élèves qui ont des difficultés d'apprentissage. Les kinésithérapeutes, les éducateurs spécialisés, les psychiatres et les entraîneurs sportifs reconnaissent tous l'exceptionnelle valeur du bond. Il produit des résultats physiologiques et neurologiques absolument merveilleux.

C'est à une expérience étonnante menée par le docteur Giddeon Ariel, un spécialiste de la biomécanique, que l'on doit la découverte suivante : lorsque des joueurs de tennis pratiquaient la précision de leurs tirs sur une mini-trampoline, leurs performances étaient de 100 % supérieures à celles des joueurs qui ne s'exerçaient pas sur la « mini ». Cette découverte a valu à l'exercice du bond l'approbation de l'Association de tennis professionnel des États-Unis. Bien plus, tous les sportifs qui s'entraînent sur la mini-trampoline admettent que celle-ci améliore leurs performances.

C'est à croire que l'exercice du bond est la panacée universelle à tous les maux. Dans son ouvrage, *Miracle of Rebound Exercice*, Albert E. Carter cite des histoires de cas qui semblent incroyables. Des cardiaques, des personnes atteintes d'hypoglycémie et d'emphysème, des mal voyants, des patients affligés de problèmes neurologiques (comme la paralysie cérébrale), des gens souffrant de constipation, de bursite, d'arthrite et de bien d'autres affections, toutes ces personnes ont vu leur état de santé s'améliorer grâce à la pratique de cet exercice. Nul besoin d'un équipement spécial (à l'exception de la mini-trampoline bien sûr) pour vous y adonner, vous pouvez même le faire en regardant la télé.

J'ai l'air enthousiaste ? Eh bien oui, je le suis ! J'ai toujours su qu'il est important de faire de l'exercice, mais cette idée ne m'enthousiasmait guère. Je n'étais pas motivée et je devais me forcer à faire de l'exercice. Depuis que j'ai découvert la mini-trampoline, j'ai maintenant hâte de me lever le matin pour bondir et courir sur ma trampoline. C'est agréable ! Je sais que mon corps sera en forme tout le reste de la journée, qu'il brûlera mieux ses calories et que je pourrai donc mieux contrôler mon poids. Pendant que je saute sur ma « mini », je me dis et me répète que cet exercice est excellent pour ma forme (ce qui en améliore encore l'efficacité). Je vous recommande de vous procurer cet équipement compact et pratique, et de vous mettre sans tarder à ce merveilleux programme d'exercices.

La réflexologie

La réflexologie est une thérapeutique très utile que vous pouvez utiliser sur vous-même. En ce qui me concerne, je lui fais une place dans mon programme de santé. Il existe sur vos mains et sur vos pieds (à vrai dire, sur tout votre corps, mais ce sont vos mains et vos pieds qui nous intéressent pour l'instant) des zones sensibles qui correspondent à tous les organes de votre corps. En stimulant ces zones, on stimule le bon fonctionnement de ces organes et de ces glandes. Mildred Carter a écrit deux excellent ouvrages sur le sujet : *Reflexology for the Hands* et *Reflexology for the Feet.* Les deux illustrations indiquent les zones des mains qui correspondent aux organes et aux glandes de votre corps.

La réflexologie de la main

La méthode réflexologique est fort simple. Lorsqu'on trouve des points sensibles sur ses mains (ou sur ses pieds), cela signifie que certains organes ou systèmes de l'orga-

RÉFLEXOLOGIE DE LA MAIN DROITE

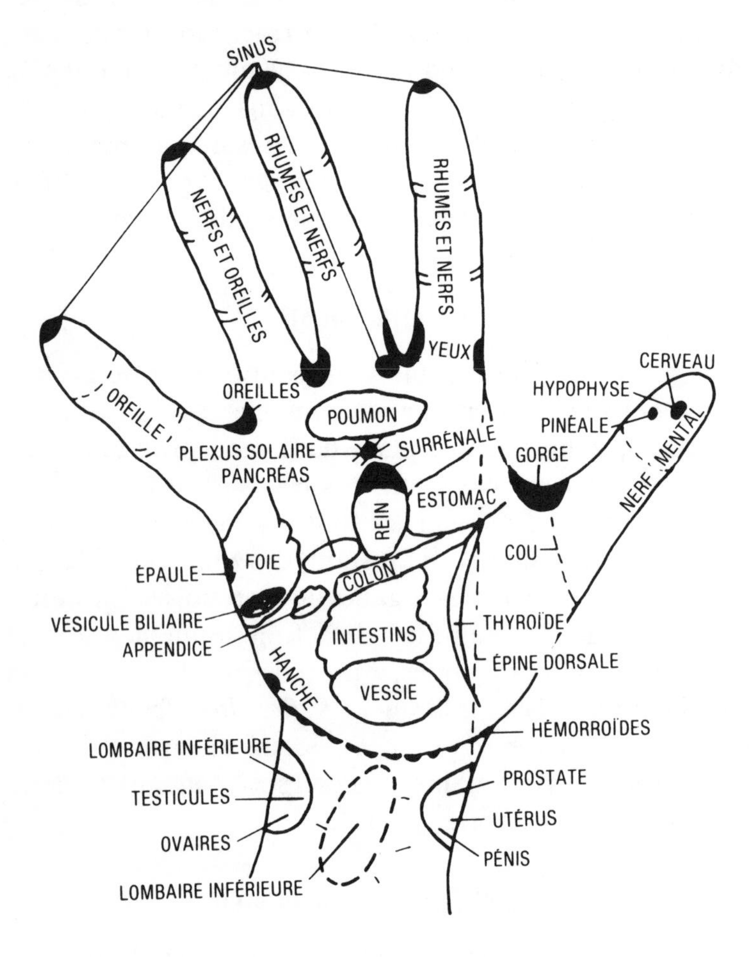

RÉFLEXOLOGIE DE LA MAIN GAUCHE

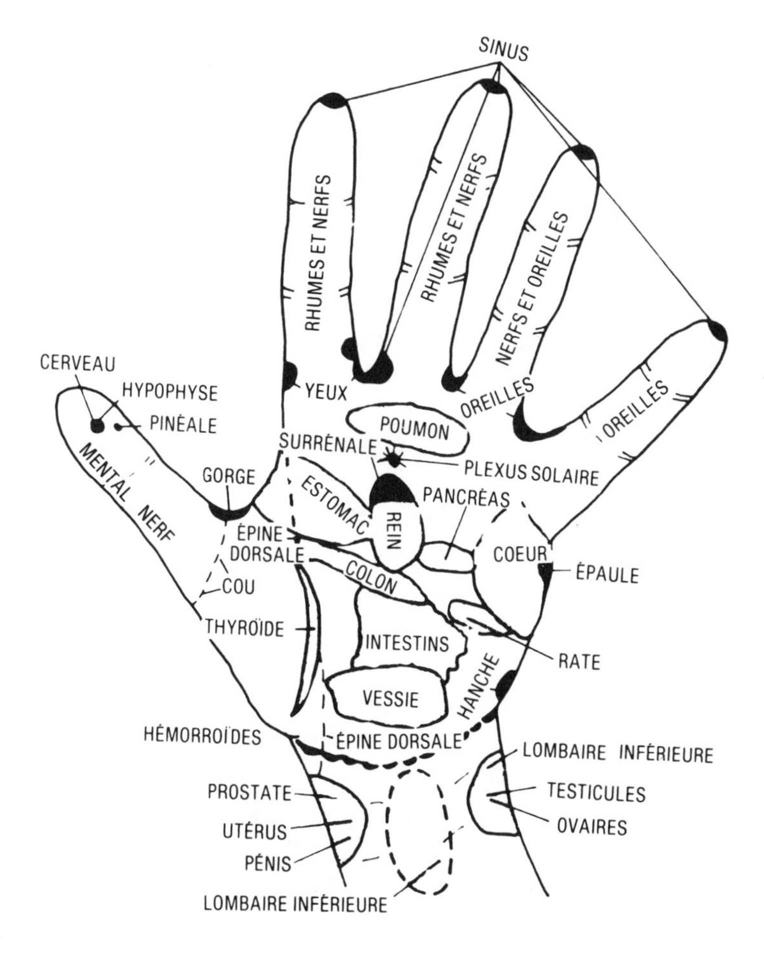

nisme ne fonctionnent pas aussi bien qu'ils le devraient (ou sont congestionnés) et ont sans doute besoin d'être stimulés. Pour repérer ces points sensibles, placez votre main droite, tournée vers vous, sur la paume de votre main gauche ; votre pouce gauche devrait se trouver directement en contact avec la paume de votre main droite. Observez maintenant l'illustration représentant la main droite et pressez le bout de votre pouce gauche sur les zones de votre main droite qui correspondent à celles de l'illustration. Exercez une pression suffisante pendant quelques secondes. Quand vous aurez trouvé un point sensible, maintenez la pression en comptant jusqu'à cinq. En regardant ces illustrations, il vous sera facile de repérer les parties de votre corps que vous stimulez. Refaites cet exercice sur les points sensibles que vous avez repérés sur vos deux mains à plusieurs reprises au cours de la journée.

Si vous n'en trouvez aucun, c'est peut-être que vous ne pressez pas suffisamment fort. Avant de vous mettre à fond à la réflexologie, je vous conseille de lire au moins un des ouvrages de M. Carter ou d'autres livres qui traitent de cette question. La réflexologie est une merveilleuse méthode, très utile aussi car vous pouvez l'utiliser en tout temps et en toutes occasions. Lorsque je suis dans une auto (et bien sûr, que je ne suis pas au volant) ou que je fais la queue, je me mets automatiquement à me palper les mains. Vous pouvez également faire bouger vos doigts en leur imprimant un mouvement de rotation de droite à gauche et de gauche à droite tout en exercant une légère pression. Occupez-vous aussi des zones des poignets, des chevilles et de la partie postérieure du genou. Ces zones sont généralement assez sensibles.

La réflexologie du pied

La recherche des réflexes sur vos pieds ressemble à celle que vous avez effectuée sur vos mains : utilisez également votre pouce en pressant assez fort pour sentir de l'inconfort. Explorez les zones de vos pieds afin de découvrir les points sensibles et, comme vous l'avez fait pour vos mains, exercez une pression sur ces zones.

Votre thymus

Une autre méthode que j'aimerais vous présenter s'appelle le « tempo du thymus ». Je sais bien que cette expression évoque plus les discothèques qu'une méthode thérapeutique, pourtant je peux vous garantir qu'elle est très efficace. Mais auparavant, je voudrais brièvement faire son historique.

Le « tempo du thymus » a été inventé par le docteur John Diamond, psychiatre renommé, à la suite de longues recherches sur le thymus. Cette glande se trouve juste au-dessus de la partie supérieure de votre sternum, au milieu de votre poitrine. C'est un élément essentiel de votre système immunitaire, car c'est là que les globules blancs (les globules T, du mot thymus) viennent à maturité. Ces globules sont les défenseurs de votre organisme : ils détruisent les organismes étrangers et les cellules anormales. Le thymus doit être sain pour que votre système immunitaire puisse jouer son rôle dans la prévention des maladies graves et des maladies de dégénérescence. Les dernières recherches sur le cancer indiquent qu'un bon système immunitaire est important dans la prévention du cancer et lors de la convalescence. Le docteur Diamond constate qu'il y a beaucoup de facteurs dans notre milieu, physiques, mentaux et émotionnels, qui peuvent affecter le thymus. Nous pouvons, heureusement, intervenir. Le rire et le bonheur fortifient le thymus tandis que le stress l'affaiblit.

On croyait encore il n'y a pas longtemps qu'il était normal que le thymus se contracte avec l'âge. La médecine savait que le thymus jouait un rôle capital dans la croissance des enfants mais elle croyait qu'une fois l'âge adulte atteint, il ne jouait plus aucun rôle. On sait aujourd'hui que le thymus contribue à la prévention des maladies. Hélas, bien des médecins croient encore que cette glande est sans intérêt.

Le docteur Diamond insiste sur le fait qu'il nous est extrêmement difficile d'éviter toutes les choses qui affectent le thymus. C'est pourquoi il nous faut apprendre quelques techniques simples pour le fortifier. La plus facile, qui est aussi la plus efficace, est le « tempo du thymus ».

Faites galoper quatre doigts de l'une ou l'autre de vos mains sur votre thymus (pas *trop* fort, tout de même) sur le tempo d'une valse. Ce rythme est *1*, 2, 3, *1*, 2, 3, etc., l'accent étant toujours mis sur le 1. Répétez entre 10 et 12 fois.

Vous devriez faire ce « tempo du thymus » plusieurs fois par jour, surtout lorsque vous êtes stressé par une situation, cet exercice vous soulagera vraiment. Si vous êtes déprimé ou irrité, si vous recevez un coup de téléphone désagréable, si vous devez faire la queue trop longtemps, si vous faites une crevaison, si vous découvrez que vous avez un découvert à la banque, si vous renversez votre café sur vos plus beaux vêtements, faites le « tempo du thymus ». Ça ne changera rien à la situation, mais votre organisme réagira beaucoup mieux.

Lorsque vous devez subir la musique rock ou disco d'un adolescent, faites le « tempo du thymus ». Lorsque vous préparez un examen ou une entrevue, faites le « tempo du thymus ». Toutes ces situations sont stressantes et le stress affaiblit votre thymus, mais cet exercice le fortifie.

Je ne vous présente ici que très brièvement cette méthode. Si vous voulez en apprendre davantage sur celle-ci, lisez l'ouvrage du docteur Diamond, *Your Body Doesn't Lie* ; il contient toutes les informations utiles concernant le thymus et l'énergie vitale. Il y est question de plusieurs excellentes méthodes permettant de stimuler cette glande. À notre époque, avec tous ces facteurs de stress qui affaiblissent notre thymus et, par le fait même, notre système immunitaire, nous devons nous informer sur les meilleurs moyens qui sont susceptibles de nous aider.

La perception de votre corps

Avant de terminer ce chapitre, je voudrais apporter une autre précision au sujet de votre corps. Celui-ci sera un meilleur serviteur si vous en avez une meilleure perception et si vous apprenez à l'aimer. Sachez reconnaître que vous êtes fatigué ; sachez reconnaître que vous êtes tendu ; sachez reconnaître que vous ne vous sentez pas bien ; sachez reconnaître que vous n'êtes plus vous-même. Votre corps est une merveilleuse oeuvre d'art et de science. Merveilleuse, même si vous êtes trop mince, même si vous êtes trop gros. Représentez-vous votre corps par l'imagination, votre corps tel que vous souhaitez qu'il soit : fonctionnant avec toute la liberté que lui permettent la santé et la vitalité.

Collaborez avec votre corps. Soignez-le ! Vous allez sans doute vous rendre compte que les changements que vous souhaitez apporter à votre apparence ne nécessitent pas une somme considérable d'efforts ; votre corps embellira et deviendra plus harmonieux aussitôt que vous commencerez à en prendre soin, aussitôt que vous vous mettrez à son écoute.

Votre santé, votre force et votre charme grandiront lorsque vous serez à l'écoute de votre corps!

6

Apprenez à mieux respirer

Rares sont les personnes qui respirent correctement. Rares sont celles qui se rendent compte combien il est important de bien respirer. Nous savons tous que la nourriture assure notre alimentation, mais combien parmi nous comprennent que l'air est notre aliment le plus important ; qu'il est, en fait, la vie.

Nous pouvons vivre un certain temps sans eau ni nourriture, mais non sans air. Nous respirons une quinzaine de fois par minute. Une inspiration normale représente l'inhalation d'environ un litre d'air. Si nous forçons un peu en inspirant profondément, cela représente l'inhalation de trois litres d'air de plus. Si nous nous exerçons à inspirer profondément, nous pouvons multiplier par sept la quantité normalement inhalée d'oxygène et d'énergie vitale. Les habitants de l'Inde appellent « parna » cette énergie vitale, à savoir l'essence même de la vie.

Votre voix et votre respiration

Voici un excellent exercice pour accroître votre énergie et améliorer la projection de votre voix. Inspirez normalement et essayez de monter un escalier en l'espace d'une seule expiration. Cela paraît peut-être difficile à première vue, mais persévérez et en très peu de temps vous pourrez grimper les marches sans souffler ni tirer la langue. Une bonne respiration vous permettra de mieux projeter votre voix et de lui donner, de ce fait, autorité et magnétisme. Votre voix pourrait être l'un de vos meilleurs atouts. Une voix agréable attire les clients, les amis ; un homme, grâce à elle, peut faire tourner la tête des demoiselles. Une voix mal projetée semble écorchée ou inquiète, nasale ou geignarde, elle est parfois irritante parce qu'inaudible, et elle est souvent horripilante même si la personne en cause, homme ou femme, est séduisante. Ce sur quoi s'appuie votre voix, c'est sur votre respiration.

Inspirez normalement, sans forcer et produisez comme un sifflement tout en expirant lentement. Comptez pendant l'opération. Au début, vous pourrez à peine vous rendre à 30, mais vous parviendrez bientôt à 70 et même plus. Un autre exercice consiste à inspirer normalement et à compter aussi vite qu'on peut tandis qu'on expire. Comptez : un, deux, trois... vingt ; un, deux, trois... trente, etc. Vous pourrez atteindre un nombre de plus en plus élevé. Pratiquez l'un ou l'autre de ces exercices, seulement cinq minutes par jour, et la qualité de votre choix s'en trouvera considérablement améliorée : une belle surprise à faire à votre famille, à vos amis et à vos collègues de travail (et, bien sûr, à vous-même !). Je voudrais remercier ici Dorothy Sarnoff pour son livre *Speech Can Change Your Life*, ouvrage dans lequel ces exercices sont présentés.

Si vous faites abondamment usage de votre voix, il est capital de savoir respirer. Une voix mal appuyée peut être littéralement détruite : polypes, enrouements, irritation des cordes vocales, et pire encore, voilà le prix que doivent payer maints conférenciers et chanteurs pour ne pas avoir appris à respirer correctement.

Posture, exercice et respiration

Bonne posture et respiration adéquate vont de pair. Sans compter qu'une bonne posture : tête droite, menton bien dégagé et abdomen rentré, réduit votre âge d'une bonne dizaine d'années (si vous avez plus de trente ans, bien sûr). Au fait, *n'imposez pas* à un enfant de moins de neuf ans de rentrer son ventre. Donnez à ses muscles la chance de se développer.

Lorsque vous faites de l'exercice, veillez à respirer régulièrement : inspirez et expirez, inspirez et expirez. Si vous pratiquez la callisthénie, inspirez lorsque vous faites un mouvement et expirez au mouvement suivant (l'inspiration et l'expiration sont associées à des mouvements précis dans chacun de ces exercices). Vous gaspillez une somme incroyable d'énergie en ne respirant pas correctement, ce qui finit par affaiblir votre organisme.

Observez-vous lorsque vous mangez. Mastiquez-vous lentement ou rapidement ? Si c'est rapidement, il y a fort à parier que vous mastiquez toute votre bouchée sans même inspirer une seule fois. En ce cas, vous n'êtes rien d'autre qu'une « machine à mastiquer » qui fait des heures supplémentaires. Ralentissez et respirez régulièrement tout en mastiquant. Vous digérerez mieux les aliments, vous récupérerez votre énergie, l'acide chlorhydrique et les enzymes seront sécrétés dans votre estomac et votre appareil digestif, et votre nourriture sera ainsi mieux assimilée.

La respiration est un facteur d'équilibre

Votre respiration est comparable à un pivot, à un balancier. Mes enfants s'adonnaient à un jeu il y a de cela plusieurs années. Ce jeu comprenait un petit homme, une baguette et quelques anneaux. On plaçait le petit homme au sommet de la baguette. Chacun des joueurs devait lancer un anneau de façon à encercler le bonhomme sans que celui-ci ne tombe. Si l'équilibre était rompu, si le bonhomme tombait, la personne responsable de sa chute avait perdu. Lorsque votre équilibre est rompu, vous êtes perdant. Selon le docteur John Diamond, une respiration harmonieuse fortifie votre système immunitaire et équilibre vos hémisphères cérébraux.

Notre cerveau est constitué de deux hémisphères qui remplissent chacun des fonctions distinctes. L'hémisphère droit gouverne la créativité, l'inspiration et l'intuition. L'hémisphère gauche est le domaine de l'intellectualité, de la logique et des mathématiques. Les personnes équilibrées se servent des deux hémisphères simultanément, et bénéficient tout autant de leur pensée créatrice que de leur pensée objective, et ce dans un même temps. Une respiration incorrecte rend cette simultanéité impossible. On peut donc affirmer sans crainte de se tromper qu'une respiration correcte nous permet de fonctionner plus efficacement, plus brillamment et plus créativement.

L'une des fonctions les plus importantes de la respiration est d'oxygéner le sang. De la richesse de votre sang dépend votre santé. Or votre sang n'est riche que s'il contient suffisamment d'oxygène et d'éléments nutritifs. Ces éléments vous les prenez dans vos aliments, mais c'est l'oxygène du sang qui les apporte à toutes les parties de votre organisme.

Les yogi recourent à des techniques respiratoires pour se disposer à la méditation et accroître leur état d'éveil et de conscience.

Les femmes enceintes se livrent à des exercices respiratoires pour atténuer les traumatismes et les douleurs provoqués par le travail lors de l'accouchement. De fait, bien des femmes accouchent avec un minimum de souffrances grâce aux exercices respiratoires mis au point par le docteur Lamaze.

Nous pouvons tous recourir à la respiration rythmique pour nous soulager du stress et nous détendre (voir le chapitre relatif au stress). Si vous respirez doucement et régulièrement, vous pouvez vous endormir comme en vous berçant, alors qu'une respiration profonde au grand air vous donnera un coup de fouet.

Voici quelques excellents exercices respiratoires. Pratiquez-en quelques-uns quotidiennement : ils vous rendront plus énergique et amélioreront la santé et l'efficacité de votre organisme. Les explications sont claires et précises. Je remercie l'Institut international de la santé de les avoir compilés.

Les exercices respiratoires

Posture : Il suffit d'être assis. Il est important que la colonne vertébrale soit bien droite et la poitrine bien dégagée afin de ne pas aller à l'encontre de la tendance naturelle du corps qui est de se dilater lors de l'inspiration, sinon cela aurait pour effet de créer un effort ou une torsion. Conservez votre buste droit, immobile et détendu, vos mains posées sur vos genoux ou sur vos cuisses.

Durée : La durée de ces exercices peut varier d'un individu à l'autre ; il importe toutefois de se fier à son bon sens et aussi de tenir compte de ses limites.

Prudence : Comme nous avons à faire à des organes aussi délicats que les poumons, le coeur et les centres nerveux, veillez à ne pas forcer la note, à ne pas en faire trop. Quand ces exercices sont exécutés selon les instructions, ils jouent un rôle utile dans le traitement de l'asthme, des allergies, des sinusites et de l'hypertension ; de plus, ils assurent une santé, une énergie, une paix et une force nettement supérieures.

Avantages : En plus de mieux alimenter votre organisme en oxygène et en éléments nutritifs, la respiration consciente, vous le constaterez, vous permettra de mieux résister au stress, à l'angoisse, à la colère ou à la peur.

1. La respiration profonde : Asseyez-vous confortablement, dos bien droit mais sans tension. Expirez par le nez lentement. Inspirez ensuite lentement par le nez. Ce faisant, dilatez votre ventre puis votre poitrine pour y faire entrer le maximum d'air. Vous pouvez élever aussi les clavicules. Les muscles abdominaux se contracteront automatiquement lorsque la cage thoracique sera remplie. Alors, sans retenir votre souffle, expirez lentement. Abaissez les clavicules dans un premier temps ; contractez ensuite la poitrine, puis le ventre dans un mouvement enchaîné. À l'inspiration comme à l'expiration, le souffle devrait être d'un seul tenant, un flux continu. Répétez cet exercice lentement et de façon régulière. Cette méthode permet de remplir les poumons à pleine capacité et de les vider complètement. Répétez l'exercice de 10 à 30 fois.

Conseil : Imaginez le trajet de votre respiration comme étant celui d'un ascenceur. Chaque inspiration commence au rez-de-chaussée (le ventre), atteint le premier étage (la cage thoracique) pour aboutir au troisième étage (la partie supérieure de la cage thoracique) et chaque expiration redescend de l'étage supérieur au rez-de-chaussée. Imaginez que votre corps est un ballon qui se remplit lorsque vous inspirez (expansion) et qui se vide de son air quand vous expirez.

2. La respiration rapide : Cette méthode ne s'applique qu'à une partie de l'organisme, ce qui la distingue de la respiration profonde qui, elle, concerne les trois parties (ou étages). Nous ne faisons ici qu'une inspiration vers le ventre, nous inspirons et dilatons celui-ci, puis d'une brève et forte contraction du ventre, nous expirons par le nez avec un bruit qui ressemble à un éternuement. Continuez d'alterner ces inspirations et ces expirations rapidement à la manière d'un soufflet. Commencez par une ronde comprenant quelques inspirations et expirations, puis augmentez le nombre de celles-ci selon vos capacités. Faites d'une à trois rondes par séance ; reposez-vous entre chaque ronde et à la fin de chacune, faites une inspiration profonde et une expiration lente. À faire 30 fois. Ne jamais faire après les repas.

Conseil : Il vous sera utile lors des premiers exercices de poser votre main sur votre ventre pour bien sentir ce mouvement de soufflet. Lorsque vous serez familier avec ce mouvement, il sera préférable de poser vos mains sur vos genoux pour bien conserver votre position. On est porté à imprimer un mouvement vertical aux épaules et à la poitrine, mais seul l'abdomen devrait bouger. Si la tête vous tourne, arrêtez, faites une respiration lente et profonde et continuez cet exercice plus lentement après un temps de repos. Cet exercice purifie nettement l'organisme, il élimine les impuretés des poumons et du nez tout en provoquant une douce chaleur qui contribue à brûler et à éliminer les toxines de votre organisme.

3. Alternance des narines : Cet exercice est presque identique à celui de la respiration profonde, mais il s'agit ici de respirer en pratiquant l'alternance des narines ; autrement dit, inspirez par une narine à la fois en bouchant l'autre à l'aide du pouce ou de l'index. Bouchez-vous la narine droite et expirez par la narine gauche. Puis inspirez par cette même narine gauche : respirez lentement, régulièrement et profondément. Changez alors de narine : bouchez la narine gauche. Expirez lentement et régulièrement. Inspirez, changez de narine, expirez, inspirez, changez de narine. Vous pourrez compter tout en respirant ; votre expiration sera deux fois plus longue que votre inspiration. Cet exercice facilite la digestion et fortifie le système nerveux. Exemple : inspirez en comptant jusqu'à 3, retenez votre respiration en comptant jusqu'à 1, expirez en comptant jusqu'à 6 ; inspirez en comptant jusqu'à 4, retenez votre respiration en comptant jusqu'à 2, expirez en comptant jusqu'à 8 ; etc. Répétez cet exercice de 10 à 20 fois.

Avancez la tête haute, fièrement, et respirez mieux.

7

Améliorez la qualité de votre environnement

« Oh, belle pour tes vastes cieux, pour les vagues ambrées de tes champs de blé », c'est par ces mots que commence « America the Beautiful », ce magnifique chant patriotique américain. Des chants similaires ont été composés dans le monde entier par des gens soucieux de louer leur chère patrie.

Comme il est désolant de constater que l'air, l'eau et la terre soient devenus si pollués. Dans sa soif de progrès industriels et matériels, le genre humain a attenté à son environnement. Les animaux ne sont même pas à l'abri dans leur habitat naturel à cause des poisons de l'homme.

Voilà ce qui devrait tous nous concerner directement. Même si nous ne militons pas pour des « causes », que nous n'adhérons pas à des mouvements de protection de l'environnement, nous devrions tous reconnaître qu'il est vital de protéger notre milieu de vie personnel.

Cette eau que nous buvons

Fraîche, claire, non pulluée, sans la moindre trace de chlore et de fluorures, l'eau est essentielle à la vie. Elle nous approvisionne en minéraux et nettoie notre organisme. Hélas, cette eau-là n'existe pratiquement plus.

Voilà des années que je sais que les fluorures sont dangereux et provoqueraient, entre autres affections, le cancer. Les fluorures sont des sous-produits de l'aluminium et ils sont également des poisons à rats qui ont fait leurs preuves. La fluoration des eaux et les campagnes d'opinion destinées à persuader la population que les fluorures artificiels sont miraculeux constituent sans doute les mensonges les plus éhontés dont nous ayons jamais été victimes.

S'il est vrai que les fluorures naturels fortifient les dents, les fluorures artificiels eux, ne font que ralentir la progression de la carie dentaire. Au bout du compte, les habitants des zones de fluoration ont autant de caries que ceux des zones qui échappent à celle-ci.

Les fluorures sont des poisons et des inhibiteurs d'enzymes. On ne saurait trop insister sur l'importance des enzymes. Sans les enzymes, il n'y aurait pas de vie. Dans des conditions normales, notre organisme produit des millions d'enzymes différents. Toutes les réactions chimiques qui ont lieu dans notre organisme dépendent d'eux ; or les fluorures affectent la capacité de production d'enzymes de notre organisme.

De nombreux travaux de recherches ont abouti à la constatation que la proportion des cancers dans les zones de fluoration est bien plus élevée que dans les zones où le fluor est absent. Ces recherches ont porté sur plusieurs villes comparables par la taille et la population, ayant les mêmes taux de pollution et les mêmes types d'industries, et constituées de groupes sociaux similaires.

Alors qu'une grande partie des États-Unis et du Canada est traitée au fluor, de nombreuses régions de l'Europe ne le sont pas. Le plus souvent, lorsque les populations sont consultées, elles se prononcent contre. En 1979, à Pittsburgh, un juge d'État (Pennsylvanie) a refusé d'autoriser la fluoration de l'eau dans sa région. Il a précisé que les résultats des recherches sur le fluor lui donnaient tout lieu de penser que les fluorures sont nettement cancérigènes.

De surcroît, les fluorures sont nocifs pour le muscle cardiaque et ne sont pas étrangers au pourcentage élevé du syndrome de Down (mongolisme) chez les bébés nés dans les zones de fluoration. Il est également très difficile aux gens qui vivent dans ces zones de perdre du poids parce que leur organisme ne produit pas les enzymes nécessaires à la métabolisation de leur graisse.

On a appris récemment que le chlore est également cancérigène. Les rapports rendus publics ne sont pas aussi élaborés que ceux relatifs aux fluorures, mais en 1980, le *New York Times* a associé dans un article le chlore au cancer. À l'origine, le chlore fut ajouté à l'eau pour détruire de nombreux micro-organismes qui y sont présents. Malheureusement, le chlore, en se combinant avec les matières organiques en suspension dans l'eau, se transforme en chloroforme et nous savons que ce dernier est cancérigène.

Autre problème, le chlore prend la place de l'iode dans la glande thyroïde, or l'iode est essentielle à la santé de cette glande. Outre qu'elle vous assure un métabolisme normal, la glande thyroïde est essentielle à la santé du coeur. Lorsque le chlore prend la place de l'iode dans votre thyroïde, il affecte nécessairement le coeur. Ce fait a été vérifié au cours de la guerre de Corée lors de l'autopsie pratiquée sur les jeunes soldats d'une base militaire morts au combat. Le coeur de ceux-ci était affecté par des problèmes de dégénérescence comparables à ceux que connaissent les gens âgés de 60 à 70 ans. On soupçonna le chlore d'être responsable de ces problèmes quand on se rappela que d'énormes quantités en avaient été déversées dans l'eau afin de prévenir la pollution. On étudia alors ses effets sur des rats et les résultats montrèrent que le chlore endommageait le muscle cardiaque. Des recherches ultérieures indiquèrent que cela était dû au fait que le chlore prenait la place de l'iode dans la glande thyroïde.

Malgré l'addition de chlore et de fluorures à l'eau que nous consommons, nous avons toujours des caries dentaires et, qui plus est, dans certaines régions, nos réserves en eau sont dangereusement polluées.

Que faire ?

La solution ? Purifier son eau ou acheter de l'eau en bouteille. Certaines eaux de sources sont encore propres à la consommation ; en tout cas elles ne contiennent pas de fluorures ni de chlore. À celles-ci, le docteur William Donald Kelley préfère cependant l'eau distillée, et ce parce que nombre de nos sources sont maintenant polluées. Si vous achetez votre eau, recherchez les bouteilles de verre et non de plastique parce que l'eau peut dissoudre certaines substances chimiques contenues dans le plastique des bouteilles. Obtenez si possible un rapport d'analyse de l'eau que vous achetez. À la place des sodas, recherchez les eaux de sources gazeuses comme le Perrier ou l'eau de Vichy.

Certaines personnes font bouillir leur eau dans le but d'éliminer les impuretés. Elles croient qu'elles éliminent également le chlore et les fluorures. Le chlore, oui, mais pas les fluorures. Pour être franc, la concentration des fluorures est plus élevée dans l'eau bouillie. Évitez les cafés chauds, les soupes et les thés préparés avec de l'eau qui contient du fluor.

Si vous vivez dans une région qui échappe à la fluoration vous pouvez acheter un purificateur et filtrer votre eau. Il existe plusieurs bons appareils sur le marché. Informez-vous, documentez-vous sur l'efficacité des divers modèles et optez pour celui qui s'adapte facilement à votre robinet.

La distillation est la seule méthode pouvant éliminer les fluorures. Il existe plusieurs excellents appareils sur le marché. Ici encore, informez-vous et faites le tour des magasins avant de fixer votre choix, car c'est là un achat important et assez coûteux. Faites attention au type de procédé permettant la distillation : son efficacité, les pertes d'eau qui en résultent, le temps requis pour distiller vingt litres d'eau et sa facilité d'entretien. L'idée de devoir acheter ou de distiller mon eau m'indignait à l'époque, mais j'ai compris, depuis, que ma santé et celle de ma famille en dépendaient.

Cet air que nous respirons

Lorsque je veux respirer un air pur et frais, je me rends à la montagne ; mais même en altitude les déchets industriels et les gaz toxiques des voitures et des camions ont affecté la pureté de l'air. Pourtant, la respiration est essentielle à la vie (voir le chapitre qui traite de la respiration). Fait intéressant, les personnes qui font de l'exercice peuvent mieux supporter la pollution atmosphérique que celles qui n'en font pas. L'analyse capillaire des adeptes de la course à pied révèle que l'organisme de ceux-ci contient généralement moins de plomb, et ce même s'ils courent le plus souvent dans des rues encombrées de voitures et de camions qui dégagent de grandes quantités de plomb dans l'air.

Outre la pollution chimique dont sont responsables les grandes entreprises, la fumée de nos cigarettes empoisonne l'air et, hélas, même les non-fumeurs ont à souffrir de cette situation.

Les ionisateurs

Contrairement à ce qu'on croit, les climatiseurs ne sont pas vraiment bons pour la santé, sauf s'ils sont utilisés lors des périodes de grandes chaleurs, quand il faut littéralement empêcher de graves malaises (ce qui fut le cas dans certaines régions des États-Unis à l'été 1980). Les climatiseurs qu'on retrouve dans les automobiles, les maisons et les bureaux retirent les ions négatifs de l'air. On prend de plus en plus conscience que les ions négatifs sont bons pour la santé et qu'il est par conséquent souhaitable de se servir d'ionisateurs. Toutefois, les informations publiées sur le sujet sont si compliquées qu'il est difficile de savoir au juste pourquoi leur utilisation est souhaitable.

De façon très succincte, nous pouvons dire que les ionisateurs négatifs permettent d'équilibrer le champ électromagnétique d'une pièce en y injectant des millions d'ions négatifs. Les climatiseurs et les chaufferettes dégagent des ions positifs, tout comme les tissus synthétiques dont sont faits certains de nos vêtements, lesquels tissus entrent également dans la fabrication de bon nombre d'objets faisant partie de nos ameublements. Les ionisateurs négatifs éliminent également la fumée du tabac et les autres agents polluants (attention, ça ne veut pas dire que je donne ma bénédiction au tabac !).

Certains hôpitaux se servent d'ionisateurs afin d'accélérer la cicatrisation des plaies externes de leurs patients, réduisant ainsi les risques d'infections. Dans un hôpital mexicain employant des ionisateurs dans les chambres des malades victimes de brûlures du second et du troisième degré, le nombre des infections (risque important chez ces patients) fut réduit de 20 %. Les ionisateurs sont particulièrement utiles aux gens qui souffrent d'asthme, d'emphysème et de troubles respiratoires divers. Si vous estimez comme moi qu'un air pur et propre est un atout de plus pour une meilleure santé, vous admettrez que l'utilisation des ionisateurs négatifs est absolument indispensable à la salubrité de notre environnement. Il existe plusieurs modèles sur le marché dont le prix oscille entre 80 et 120 dollars. Ils sont petits et n'occupent pas plus de 15 centimètres sur un comptoir. Tant pour leur volume que pour leur coût, leur achat est justifié.

Les éclairages

L'ouïe et la vue sont également concernées par notre environnement. Les lumières et les couleurs de celui-ci jouent un grand rôle. Le docteur John Ott fut, dans son ouvrage *Light and Health*, l'un des premiers à souligner l'importance d'un éclairage complet, un éclairage qui se rapproche le plus possible de celui du soleil. Il y a des années, on attribuait bien des guérisons à la lumière du soleil et au plein air. C'était à l'époque où il ne s'était pas encore produit de changements biochimiques dans notre organisme (lesquels sont sans doute attribuables au grand nombre de remèdes artificiels et de substances chimiques en présence dans notre corps), époque où le soleil n'était pas tenu responsable de certains cancers.

Un éclairage complet comprend toutes les couleurs de l'arc-en-ciel. Il semble que les êtres humains aient besoin du spectre complet des couleurs. Nous absorbons celui du soleil dans notre corps, surtout par les yeux. Il y a des récepteurs dans nos yeux qui les communiquent à nos organes et à nos glandes, lesquels peuvent être littéralement nourris par la lumière.

Le docteur Ott travaillait comme photographe aux studios Walt Disney. Il y découvrit que l'effet de la lumière solaire sur les plantes et les animaux qu'il photographiait était fort différent (et d'un effet bien plus sain) de celui de la lumière artificielle. Mais avant de découvrir l'effet bénéfique de cette lumière sur les humains, il lui a fallu vivre une curieuse expérience.

Le docteur Ott souffrait d'arthrite, qui lui causait de graves douleurs le plus souvent. Alors qu'il se trouvait en Floride, où il s'était rendu dans l'espoir que le soleil le soulagerait, ses lunettes se brisèrent. En attendant qu'elles fussent réparées, il sortit en pleine lumière. Il se rendit compte qu'il se sentait nettement mieux pendant tout ce temps. Lorsqu'il rechaussa ses lunettes, quand celles-ci furent réparées, il fut à nouveau tourmenté par ses douleurs. Il y vit une relation et se mit à pratiquer des expériences, sortant avec ou sans ses lunettes. Il s'aperçut que ses douleurs s'atténuaient lorsqu'il sortait sans lunettes, ce qui l'incita à pousser ses recherches sur le spectre complet de la lumière et à écrire son excellent livre (qui mérite d'être lu). Cet ouvrage passe en revue les effets des divers types de lumière sur les organismes vivants.

Les lunettes, surtout les lunettes de soleil et les lentilles cornéennes, filtrent certains rayons du soleil. Si vous portez des lunettes, pensez à des verres qui laissent passer tout le spectre de la lumière. N'oubliez pas, par ailleurs, de sortir à l'extérieur plusieurs minutes par jour sans lunettes, même si ce n'est que pour quelques instants. Les rayons pénètrent à travers les paupières, et il n'est donc pas nécessaire de diriger son regard vers le soleil. Quant à votre domicile, munissez-vous d'éclairages dont le spectre de lumière est complet; évitez l'utilisation du néon, à moins que le spectre de lumière de celui-ci ne soit complet. L'éclairage au tungstène est nettement préférable à l'éclairage au néon ordinaire, même si ce dernier vous fait épargner des sous sur votre note d'électricité.

Les couleurs

Nous savons tous que les couleurs exercent un effet sur notre esprit et nos émotions. Certaines couleurs nous détendent alors que d'autres nous stimulent. Des couleurs spécifiques sont associées à certaines activités. Certains tons sont déprimants, d'autres nous réjouissent. Par les journées mornes et pluvieuses, nous pouvons nous remonter le moral en portant des couleurs vives. Lorsque vous êtes malade ou déprimé, ne portez pas de noir ou de gris. Les couleurs nous réchauffent ou nous rafraîchissent aussi. De plus, les couleurs peuvent être utilisées afin de créer des illusions d'optique quant aux dimensions ; nous pouvons ainsi modifier notre apparence, celle de notre maison ou celle de notre bureau, et ce de façon notable.

Bien plus, les couleurs ont une valeur thérapeutique. Cela tient au fait que tout dans l'univers est énergie et donc vibrations. Les couleurs sont vibratoires, oui, et certaines vibrations sont thérapeutiques.

Il y a des siècles qu'on étudie la chromothérapie. Malheureusement, et c'est le cas de bien d'autres thérapies non toxiques, elle est interdite aux États-Unis, ce qui ne signifie aucunement qu'elle ne soit pas valable. Linda Clark, dans son ouvrage *Color Healing*, présente maints cas curieux et fascinants de rétablissements attribuables aux couleurs. La couleur qui paraît toujours produire des effets favorables, c'est le vert pré, et les roses auraient des vibrations rajeunissantes. En plus de porter des couleurs et de s'en entourer, il existe bien d'autres façons de les utiliser. Pour en savoir davantage, lisez le livre de Linda Clark.

Les sons

Les sons et la musique ont toujours exercé une profonde influence sur les êtres humains. Nous savons aujourd'hui qu'ils affectent toutes les créatures, plantes et organismes compris. Les plantes poussent mieux dans les pièces où l'on fait jouer de la musique classique. Des expériences ont été effectuées sur des champs de blé ; celles-ci ont démontré que la production du blé était nettement supérieure dans les champs où l'on faisait jouer de la musique classique. Peut-être avez-vous vu des réclames vantant les mérites de certaines « musiques qui font pousser les plantes ». Ceci n'est pas un canular ; ces musiques sont vraiment efficaces. Dans le livre *The Power of Prayer on Plants* du révérend Franklin Loehr, un chapitre est consacré aux effets de la musique sur les plantes. Il y a les sons harmonieux et les sons dissonants. Apparemment, ceux que nous préférons, du moins au niveau conscient, ne sont pas nécessairement ceux qui profitent le plus à notre corps et notre esprit. Le docteur Diamond affirme que le rock et le disco affaiblissent notre thymus et perturbent notre système immunitaire. Rappelez-vous que celui-ci doit être sain pour détruire les bactéries et les autres agresseurs étrangers qui envahissent notre organisme. Mais ce n'est pas tout, ces musiques sapent votre énergie et votre vitalité. Dans son ouvrage *Your Body Doesn't Lie*, le docteur Diamond recommande que les fanatiques de rock et de disco pratiquent le « tempo » du thymus » avant, pendant et après l'écoute de ces musiques (il est rarement possible d'empêcher un adolescent de les écouter). Le volume élevé auquel ces « musiques » sont le plus souvent jouées accentue encore plus leurs effets négatifs. Nos adolescents sont frappés d'une perte de l'ouïe qui résulte des sons qu'ils écoutent.

La pollution par le bruit est une menace certaine pour la santé de tous les êtres vivants. Les bruits de la circulation, les klaxons agressifs, les avions qui volent à basse altitude, les marteaux-piqueurs et autres machines à l'oeuvre sur les chantiers de construction, toutes ces voix fortes et désagréables, la télé et ses stridences, ses cacophonies, voilà autant de stress excessifs, de pollutions par le bruit.

Ces bruits peuvent être évités dans bien des cas. Si nous ne pouvons éviter tous les sons qui pullulent dans notre environnement, nous pouvons assurément en atténuer les effets. Nous pouvons changer de canal ou de station (nous pouvons même fermer notre radio ou notre télé) ; nous pouvons parler moins fort ; nous pouvons baisser le volume, et nous pouvons décider de nous détendre en écoutant de la musique douce, apaisante, thérapeutique.

La majorité des gens savent d'instinct que la musique douce apaise l'esprit et les nerfs et ils préfèrent l'entendre jouer en sourdine après une journée stressante. Toutefois, comme nous l'avons indiqué, les effets de la musique dépassent largement la simple détente, car la musique a le pouvoir de nous fortifier ou de nous affaiblir. La musique la plus thérapeutique est, à en croire le docteur John Diamond, la musique classique ou néo-classique, et surtout la valse.

Des particuliers et des entreprises ont mis sur le marché des cassettes et des disques de musique thérapeutique. Vous aurez tout avantage à prendre le temps de détendre votre corps et de faire le vide dans votre esprit grâce à l'écoute de cette musique.

Peut-être ne goûterez-vous pas particulièrement ce type de musique, mais elle sera profitable à votre corps et votre esprit à cause de ses vibrations thérapeutiques. Comme il n'est pas nécessaire de les entendre pour profiter de leur effet, vous pourrez baisser le volume autant qu'il vous plaira. Les mal-entendants réagissent tout aussi bien aux vibrations de ces musiques que les personnes qui entendent bien.

Les solutions

Bien que nous soyons entourés de nombreux facteurs préjudiciables à notre santé et qu'il nous soit impossible de les contrôler tous, nous disposons tout de même de certaines solutions qui nous permettent d'en atténuer les effets. Nous pouvons boire de l'eau pure et respirer un air plus pur (au moins chez nous), nous pouvons choisir nos couleurs et passer du temps à la lumière naturelle ou sous un éclairage dont le spectre de lumière est complet, et nous pouvons écouter les sons de notre choix. Cela est bien peu, direz-vous, mais si vous ne prenez que quelques initiatives sous ce rapport, vous aurez fait un grand pas en avant dans l'amélioration de la qualité de votre environnement !

8

Maîtrisez votre stress

Une vie sans stress, ça n'existe pas. Le stress n'est pas une mauvaise chose en soi, de fait, il est nécessaire. Car le corps et l'esprit se développent grâce à une alternance continue entre la tension et la relaxation. Que vous développiez votre musculature ou que vous vous exerciez à devenir un esprit éclairé, il vous faut effectuer ce va-et-vient constant entre ces deux formes d'énergies.

Serrez votre poing. Encore plus fort. Sentez la tension, puis décontractez-le. Contractez les muscles de votre ventre. Maintenez cette contraction, puis décontractez-les. Sentez-vous la différence ? D'excellents exercices, qu'on appelle exercices isométriques, reposent sur ce principe de la tension et de la relaxation.

Rappelez-vous un moment de votre vie où vous avez dû prendre une décision capitale ou résoudre un problème très difficile. Il vous a fallu mobiliser toute votre énergie mentale dans l'examen des options qui s'offraient alors à vous. Vous vous êtes creusé les méninges, vous avez peut-être fait un sérieux examen de conscience. Il vous a peut être fallu effectuer des recherches supplémentaires. Certaines de vos activités courantes ont cessé de retenir votre attention parce que vous vous êtes concentré sur le seul et unique problème qui vous occupait. Vous étiez sous tension. Quand ce moment fut passé, vous avez probablement poussé un soupir de soulagement et vous vous êtes détendu. Enfin, j'espère que vous l'avez fait, de façon à assurer du repos à votre corps et votre esprit.

Il nous arrive parfois, en période de stress intense, de décider fort sagement : « Quand j'aurai fini, je prends une semaine de vacances, une semaine à ne rien faire ; je m'étends sur la plage et je me repose. » Je n'appelle pas ça de la paresse. C'est que vous recevez de votre conscience un message qui vous dit que vous avez littéralement *besoin* de récupérer votre énergie pendant quelque temps afin de conserver votre santé.

Lorsque le stress menace votre vie

Vous est-il déjà arrivé de vous trouver dans une situation où vous sentiez que votre vie était menacée ? Prenons un exemple archi-classique. Imaginons que vous marchez dans une rue déserte, tard la nuit. Vous entendez des pas derrière vous. Vous vous mettez à marcher plus vite ; derrière vous, les pas redoublent : vous savez maintenant qu'on vous suit. Vous vous retournez ; vous voyez un homme à l'aspect rébarbatif. Vous vous mettez à courir ; il court après vous. En désespoir de cause, vous bifurquez dans une ruelle. Haletant, vous attendez, mains moites, une sueur glacée sur le front ; muet, vous priez. Grâce à Dieu, il poursuit sa course et disparaît.

Que se passait-il en vous ? Vos glandes surrénales ont sécrété une puissante hormone dans votre organisme : l'adrénaline. Votre coeur battait la chamade, votre pouls s'emballait. Votre foie lâchait ses réserves de glucose dans votre sang pour vous donner de l'énergie et votre tension

s'est élevée afin de propulser ce glucose dans vos muscles et votre cerveau. Vous avez couru plus vite que vous ne l'auriez jamais cru possible. Vous avez vécu le syndrome de « la fuite ou l'attaque ».

Maintenant c'est fini ; votre réaction naturelle est de pousser un profond soupir de soulagement et de vous détendre. Sans que vous en ayez conscience, un long, un profond soupir s'échappe de vos lèvres. En fait, il vient de loin, du fond de vos entrailles. Votre organisme s'est tendu dans le danger et maintenant il se détend, automatiquement, parce que le danger est passé. Voilà ce qu'on appelle une réaction saine, adaptée au stress. Votre organisme subit des transformations afin de réagir au stress, puis il reprend ses fonctions normales par la suite. Tant que vous ne vous ferez pas régulièrement poursuivre dans les rues sombres par des personnages effrayants, votre santé ne court aucun danger.

Ce qui est *assurément* dangereux pour notre santé et ce à quoi le stress doit sa mauvaise réputation, c'est que nous nous trouvons jour après jour dans maintes situations où notre organisme se prépare à réagir au stress avec toutes les réactions physiologiques précitées mais, parce qu'aucune situation vraiment menaçante pour notre vie ne se présente, notre organisme ne se détend pas, il ne reprend pas automatiquement ses fonctions normales.

Il faut vous détendre après le stress

Les gens ne sont pas suffisamment à l'écoute de leur corps pour percevoir les changements qui s'y produisent lors d'une période de stress, à moins bien sûr que la situation vécue menace leur vie. Aussi, une fois ce moment de tension disparu, ils ne le font pas suivre d'une période de transition consacrée à la détente, à la relaxation. Certaines personnes n'ont même pas assez de bon sens pour prendre du repos alors même qu'elles *savent* qu'elles viennent de vivre une expérience intense, stressante.

Si vous voulez conserver votre santé, vous devez faire suivre toute période de stress par sa contrepartie, c'est-à-dire qu'une période de relaxation doit obligatoirement suivre une période de stress. Celle-ci permet à votre organisme d'atteindre un état d'équilibre qui s'appelle l'homéostase. Sans cette relaxation, cet équilibre n'est pas atteint et nous demeurons en état de stress, ce qui affaiblit notre résistance devant les maladies.

Par bonheur, on peut apprendre à contrôler le stress. Si vous ne l'apprenez pas, vous ne serez pas en mesure de prendre votre vie en main.

Le syndrome de l'adaptation générale

Selon le docteur Hans Selye, l'autorité en matière de stress, notre organisme, sous l'effet d'une période de stress prolongée, passe par une série spécifique d'opérations physiologiques. Il appelle cette série d'opérations du nom de « syndrome de l'adaptation générale ». Ce syndrome se manifeste toujours dans les situations où intervient le stress, quelle que soit la nature des autres symptômes qui y sont associés. Il y a, pour commencer, une dilatation notable du cortex des glandes surrénales accompagnée d'une réduction de volume ou d'une atrophie du thymus, de la rate, des ganglions lymphatiques et des autres organes lymphatiques, c'est-à-dire tout ce qui constitue le système immunitaire. Il se produit ensuite une disparition presque totale des phagocytes, lesquels sont les globules blancs qui jouent un rôle important dans les réactions immunitaires de notre organisme. Enfin, apparaissent des ulcères à l'estomac ou au duodénum.

Selon le docteur Selye, le syndrome d'adaptation générale est constitué de trois étapes : l'alarme, la résistance et l'épuisement. La phase de l'alarme est la première réaction, et la plus violente, à un agent stressant. Tout le mécanisme de réaction au stress de l'organisme est mobilisé : c'est l'apparition du syndrome de « la fuite ou l'attaque ». Les glandes stimulées injectent alors des hormones à haute dose dans l'organisme pour le préparer à l'action. Les hommes primitifs réagissaient aux agents stressants en se battant ou en fuyant et leur organisme était capable de reprendre ses fonctions normales par la suite.

Nous activons dans bien des cas la réaction fuite ou attaque, mais sans toutefois passer à l'acte. Nous pouvons paraître calme, en apparence, mais notre organisme n'en est pas moins affecté par le stress, même si nous n'en avons pas conscience. Il est important que nous apprenions à faire face au stress parce qu'un stress généralisé, prolongé et ininterrompu éprouve considérablement l'organisme et provoque un effondrement du système immunitaire, ce qui nous rend vulnérables à tout un éventail de maladies et de désordres.

Les maladies associées au stress

L'asthme, les affections cardiaques, l'artériosclérose, les affections rénales, l'hypertension, le cancer, les ulcères, l'alcoolisme, la migraine, les problèmes dermatologiques, bref, toutes les affections chroniques ou presque sont associées au stress.

Le taux de glucose sanguin dépend du stress, ce qui nous dispose au diabète ou à l'hypoglycémie. À vrai dire, des infections aiguës risquent davantage de se produire après une situation stressante. À partir du moment où les résistances de l'organisme sont entamées, nous courons tous les risques.

Le docteur Selye nous dit que nous sommes en situation de stress chaque fois que nous devons nous adapter à une situation nouvelle qui se présente dans notre environnement, notre vie personnelle ou sociale ; peu importe que la situation soit positive ou négative. Il décrit le stress comme une épreuve pour l'organisme et affirme que cela se produit chaque fois que nous devons nous adapter à une nouvelle situation.

En ce qui concerne votre organisme, peu importe que la situation ou l'événement soit agréable ou désagréable. Ce qui compte, c'est l'intensité des efforts requis lors de l'adaptation. Le degré de stress que vous subissez ne dépend pas seulement de la nouvelle situation auquelle vous devez vous adapter, il dépend également de la perception que vous en avez et de la manière dont vous l'abordez.

Les docteurs T. Holmes et R. Rajha de la faculté de médecine de l'Université de Washington ont mis au point une méthode systématique de mise en corrélation des événements de l'existence avec la maladie. Ils ont vérifié leur hypothèse de départ auprès de 5 000 patients et celle-ci s'est avérée incroyablement exacte. Ils ont créé « une échelle de réadaptation sociale » qui assigne une valeur numérique aux événements typiques de la vie humaine : mariage, divorce, décès d'un membre de la famille, blessure ou maladie, début de la retraite, grossesse, naissance, départ des enfants, difficultés professionnelles, changement de domicile, changement d'activités sociales, vacances, période des fêtes, difficultés financières, etc. Les événements heureux sont classés avec les événements déplaisants parce qu'ils éprouvent tout autant la faculté d'adaptation de l'organisme.

Holmes et Rajha ont découvert que plus le compte est élevé, plus grands sont les risques qu'une maladie se déclare dans l'année. Plus une personne devait s'adapter sur une courte période de temps, plus elle risquait de tomber malade. Cette échelle fut testée sans que les patients en soient avertis, aussi ne pouvons-nous pas la contester sous le prétexte qu'elle serait une réalité fille du désir. Holmes était persuadé que ces événements de l'existence sont susceptibles de multiplier les risques de maladies parce que ceux-ci entament les résistances de l'organisme.

Regardez le tableau. Si vous avez vécu quelques-uns de ces événements récemment, il est important que vous preniez bien soin de votre santé parce que votre résistance est affaiblie.

Dans ce tableau ne sont inscrits que les événements importants. Il n'en demeure pas moins qu'il ne se passe pas une seule journée sans que nous ne subissions plusieurs formes de stress, et toutes portent atteinte à notre santé. Passons en revue quelques-uns des stress qui font partie de notre quotidien.

Les différentes formes de stress

Vous vous réveillez alarmé par la sonnerie de votre réveille-matin, ce qui en soi est stressant. Vous allez prendre une douche : ce n'est pas de l'eau, c'est de la glace ; voilà qui est très stressant. Vous faites votre café, vous en renversez un peu : encore un stress. Direction voiture, dont un des pneus est à plat : nouveau stress. Vous devez

ÊTES-VOUS EN DANGER ?

Multipliez-vous vos risques de tomber malade en donnant le feu vert au stress ? Pour répondre à cette question, passez l'examen suivant.

Le docteur Thomas H. Holmes, psychiatre, et ses collègues de la faculté de médecine de l'Université de Washington ont créé un « test du stress » qui peut vous aider à déterminer votre niveau de stress. Après une étude portant sur 10 000 patients, l'équipe a adopté les cotes suivantes qui correspondent aux divers types de stress. Voici donc l'échelle de Holmes :

Événement	Cote
Décès du conjoint	100
Divorce	73
Séparation des conjoints	63
Incarcération	63
Décès d'un proche parent	63
Blessure ou maladie	53
Mariage	50
Congédiement	47
Réconciliation conjugale	45
Retraite	45
Ennuis de santé d'un membre de la famille	44
Grossesse	40
Troubles sexuels	39
Nouvelle naissance	39
Réorganisation au travail	39
Changement de situation financière	38
Décès d'un ami	37
Changement de carrière	36
Variation du nombre de scènes de ménage	36
Hypothèque ou prêt de plus de 10 000 dollars	31
Saisie d'une hypothèque ou d'un prêt	30
Responsabilités différentes au travail	29
Départ des enfants	29
Ennuis avec la belle-famille	29
Succès exceptionnels	28
Début ou fin d'emploi du conjoint	26
Début ou fin de l'année scolaire	26
Changement de mode de vie	25
Modification des habitudes	24
Difficultés avec le patron	23
Changement des conditions ou de l'horaire de travail	20
Changement de domicile	20
Changement d'école	20
Changement de loisirs	19
Changement d'activités religieuses	19
Changement d'activités sociales	18
Hypothèque ou prêt de moins de 10 000 dollars	17
Modification des heures de sommeil	16
Variation du nombre des réunions de famille	15
Modification des habitudes alimentaires	15
Vacances	13
Période des fêtes	12
Infraction mineure à la loi	11

Faites la somme des points correspondant aux événements que vous avez vécus l'an dernier. Plus votre score sera élevé, plus vous risquez de tomber malade. Près de la moitié des gens dont le score s'élevait à 300 ou plus, se sentaient malades, alors que seulement 9% des gens ayant un score inférieur à 200 sont tombés malades au cours de la même période, d'après le docteur Holmes.

prendre le métro et cela peut être très stressant pour vous. Comble de malchance, la rame se fait attendre et vous êtes bon pour arriver en retard au bureau, stress encore. Vous arrivez au bureau et vous vous rappelez que vous avez absolument besoin d'un rapport important ; pas moyen de le trouver : stress. Votre secrétaire a téléphoné : elle est malade, double ration de travail pour vous. Dîner d'affaires à midi, un échec. Vous retournez au bureau en taxi : embouteillages. Nouveau retard, le patron vous fait venir dans son bureau pour vous passer un savon : voilà qui est assurément stressant. À votre retour à la maison, vous découvrez que la machine à laver est en panne : les vêtements de votre fille qui s'y trouvaient sont en mauvais état. À table ! Non, coup de téléphone irritant. Vous épluchez le courrier de la journée : trois comptes inattendus et vous vous demandez si vous avez assez de fonds à la banque pour les acquitter, etc. Journée typique, stress à la pelle, n'est-ce pas ?

Personne ou presque n'échappe à ces tensions quotidiennes. La tension exercée par le temps et ses échéances est une très grande source de stress ; ainsi en va-t-il de l'obligation de se trouver en un lieu donné, à un moment donné, pour y faire telle ou telle chose ; il en est de même des agendas si bien remplis qu'il nous faut courir contre la montre d'un endroit à l'autre et d'une chose à l'autre.

Les pressions dues à l'argent sont la source de beaucoup d'inquiétudes. Celle, par exemple, de maintenir son train de vie afin de ne pas déchoir aux yeux des voisins ; celle de vivre au rythme des cartes de crédit pour obtenir ce qu'il vous semble indispensable de posséder, vous et votre famille (les réclames à la télé vous ont *clairement dit* quoi !). Si vous perdez votre emploi, cette pression devient écrasante. Vous êtes vendeur et les ventes ne sont pas excellentes, voilà une pression supplémentaire. Autrement dit, toute modification de votre situation financière, vers le plus ou le moins, est une forme de stress.

La dynamique des relations personnelles et les difficultés de communication sont probablement de grandes sources de stress pour beaucoup de gens. Après tout, nos vies dépendent de la qualité de nos relations avec les autres : parents, amis, collègues, etc. Les tensions familiales sont particulièrement difficiles à surmonter. Lorsque l'harmonie ne règne pas parmi les membres d'une famille, l'atmosphère est à la colère, à l'agressivité, à la jalousie, à l'envie, etc., autant de sentiments difficiles à vivre, autant de tensions permanentes. Les relations humaines et la communication sont si importantes que nous y avons consacré tout un chapitre.

Les adolescents subissent la pression des camarades. Ils doivent adopter tel comportement, tel habillement et participer à telle ou telle activité. Le jeune qui est réticent à fumer du tabac ou de la marijuana, ou à boire de l'alcool, passe pour un demeuré aux yeux de ses copains. Il cédera peut-être sous leurs pressions, mais ses tensions et son stress redoubleront à cause des sentiments de culpabilité que lui inspireront ses actes, lesquels vont à l'encontre de sa vraie nature.

Le stress causé par le bruit peut s'avérer un grave problème. Nos adolescents écoutent leurs stétéos à un volume si élevé qu'il en devient un facteur de stress. D'ailleurs, bien des adolescent connaissent des problèmes de surdité dus à cette situation. Si vous habitez près d'un terrain d'aviation, vous êtes sur-stressé par le bruit. Si vous prenez le métro pour vous rendre au travail, vous subissez encore les effets de cette forme de stress ; il en va de même si des travaux de construction sont en cours près de l'endroit où vous habitez ou travaillez. (Je vous renvoie au chapitre qui porte sur l'environnement.)

Nous souffrons aussi du stress de la sur-information ; celle-ci est une surcharge pour notre cerveau. Combien de lettres circulaires recevez-vous par jour ou par mois ? Votre cerveau ne peut en recevoir et en absorber qu'un certain volume. Je reçois toutes les semaines des dizaines de circulaires et revues diverses que je n'ai souvent pas le temps de lire.

Si vous êtes de ces personnes qui veulent à tout prix gagner, être au sommet ou toujours avoir raison, vous subissez une pression supplémentaire. Cette attitude combative peut être très stressante pour vous et votre entourage.

Autres sources de stress

Il existe bien d'autres irritations quotidiennes qui sont des facteurs de stress : faire la queue à un guichet ou à une caisse ; tomber en panne sèche sur l'autoroute à 2 h du matin ; avoir des ennuis mécaniques et être coincé dans son auto en plein orage ; passer trois heures à préparer un repas spécial et celui-ci brûle au four ; devoir passer un examen surprise en classe ; la plomberie qui lâche ; une dépense imprévue de 250 dollars ; ne pas être invité à une importante soirée ; avoir des relations épineuses avec son patron ; minou fait une poussée de fièvre et vous devez courir chez le vétérinaire ; vous vous habillez pour une occasion spéciale et voilà votre bas qui file ; votre cigarette tombe sur votre corsage préféré et y fait un trou ; vos valises s'égarent entre San Francisco et Hong Kong lors de vos vacances ; vos réservations dans un hôtel de luxe se sont elles aussi égarées et, bien sûr, tous les hôtels sont complets ; etc. Je pourrais continuer longtemps comme ça, mais je suis sûre que vous trouverez des centaines d'exemples de votre côté.

Rappelons-nous qu'une bonne part de notre stress est due aux exigences excessives que nous imposons à autrui et à nous-même. Nous pouvons espérer que les autres nous rendent heureux, comme nous pouvons nous croire responsable du bonheur d'autrui. Mais dans un cas comme dans l'autre, nous exigeons trop de nous-même et des autres.

En Amérique du Nord, dans ce système économique où les incroyables problèmes de société et d'environnement exigent sans cesse que nous nous adaptions à de nouvelles situations, il est capital que nous apprenions à reconnaître les effets du stress sur notre organisme ; il est tout aussi essentiel que nous prenions le temps et fassions les efforts requis pour utiliser certaines techniques de réduction du stress.

Même si vous croyez que votre existence échappe au stress (ce qui est impossible, soit dit en passant), vous devriez pratiquer des exercices de relaxation. Ceci parce que vous êtes peut-être affecté par des agents stressants dont vous n'avez absolument aucune conscience. Nous percevons tous de façon subliminale (en deçà de notre seuil de conscience) des choses anxiogènes, productrices d'angoisse, dont la cause nous échappe. Certains sons et certaines odeurs, des photos à sensation aperçues dans le journal, les films d'horreur, les histoires déprimantes que nous raconte quelqu'un, tout cela nous affecte. Nous pouvons ne pas nous rendre compte que nous souffrons d'angoisse et nous ne faisons alors rien pour régler le problème. Au bout d'une journée normalement stressante, votre organisme va fonctionner comme si votre vie était en danger, mais vous n'atteignez pas la phase de la détente parce que votre vie n'est pas, dans les faits, immédiatement menacée. Comme votre organisme ne peut ni identifier les agents stressants ni récupérer, il demeure stressé.

Nous sommes nombreux à nous livrer à des exercices de détente qui ne réduisent en rien les réactions et les changements physiologiques négatifs qui ont lieu dans notre corps. En effet, pendant que nous jouons au tennis ou que nous lisons un suspense, que nous regardons la télé ou que nous voyons un mélo au cinéma, ou même lorsque nous nous concentrons sur un échiquier, nos organes et nos systèmes souffrent du « syndrome de l'adaptation générale ». Mais que pouvons-nous y faire ?

Comment faire face au stress

Avant tout, il vous faut admettre que vous ne pouvez pas plus éliminer le stress de votre existence que la pluie ou la nuit (pour certaines personnes, même ces événements sont une source de stress). Ce que vous *pouvez* faire, par contre, c'est d'identifier les facteurs de stress qui vous affectent, pour être alors en mesure de modifier vos réactions à ceux-ci. Plus facile à dire qu'à faire, je l'admets. Nous pouvons toutefois réduire une bonne part du stress de type émotionnel en modifiant nos attitudes. Il nous faut en finir avec l'idée que les choses « doivent être » comme ci ou comme ça. Une fois libérés de certaines de nos « obligations » et de quelques-uns de nos « interdits », nous sommes alors capables de vivre la vie de façon bien plus décontractée.

Il nous faut apprendre, lorsque cela s'avère nécessaire, à nous adapter aux situations. Il y a une forte vérité dans ces mots : « Seigneur, donne-moi la force d'accepter ce que je ne peux changer, de changer ce que je peux changer, et la sagesse qui me permettra de les différencier. » La force de faire face à une situation habituelle de stress sans qu'elle nous perturbe est un mécanisme vital, car il y a dans notre vie des facteurs de stress auxquels nous ne pouvons échapper et que nous devons apprendre à contrôler.

Maîtrisez votre stress en pratiquant des exercices spécifiques de détente, de relaxation. Vous pouvez vous y livrer avant, pendant ou juste après une situation stressante donnée, ou à la fin de la journée. Il vous soulageront de tensions dont vous n'avez même pas conscience. Il faut que vous appreniez à maîtriser le stress, sinon vous ne serez pas en mesure d'assumer votre vie.

Voyons rapidement certaines des techniques de relaxation qui ne demandent que quelques minutes de votre temps, quel que soit l'endroit et le moment.

Techniques de relaxation

Si vous sentez la tension monter, inspirez-vous de la réaction automatique de votre organisme et poussez un profond soupir. Inspirez, inspirez profondément. Expirez en vous vidant de toute votre énergie. Recommencez deux ou trois fois. La respiration régulière, mesurée, est une autre technique de relaxation. Vous avez été perturbé, bouleversé à l'instant même ? Respirez doucement, lentement, régulièrement. Comme vous inspirez et expirez doucement et que vous vous concentrez sur votre respiration, votre corps se détend automatiquement. Continuez pendant deux ou trois minutes. Ces deux techniques peuvent être pratiquées à tout moment. Vous faites la queue ?

On vous dérange alors que vous parlez au téléphone ? Respirez de l'une ou l'autre façon, elles sont toutes deux très efficaces.

Si vous êtes furieux, prêt à exploser, *exploitez* cette énergie. Sautez, courez, frappez un coussin, tapez (*pas* sur quelqu'un, tout de même !). Faites quelque chose de défoulant, c'est essentiel pour votre santé. L'exercice est aussi excellent pour réduire le stress. Il ne fait pas que réduire la tension en utilisant cette énergie qui cherche un exutoire, il accélère aussi la circulation, ce qui assure une meilleure distribution des substances nutritives dans tout votre corps. Ce qui est très important car un grand nombre de ces substances sont détruites sous l'effet du stress.

Vous pouvez aussi apprendre à exprimer votre colère de façon saine. Il en sera question aux chapitres douze et treize.

Le rire

La bonne vieille méthode du rire constitue une des meilleures façons de se libérer de son stress. Norman Cousins a échappé à une grave maladie de dégénérescence grâce au rire et à la vitamine C. On a parlé de lui dans des articles et il a écrit un livre : *Anatomy of an Illness*. Il donne maintenant des conférences où il raconte son expérience.

Alors qu'il souffrait d'une grave maladie, il en est venu à la conclusion que le rire stimule les réactions immunitaires de l'organisme. Ce qui est bel et bien vrai ! Le rire élimine sans délai certains des effets physiologiques négatifs du stress. Suivez l'exemple de Cousins : lisez des livres drôles, écoutez des cassettes drôles, regardez des films et des émissions drôles à la télé. Apprenez à rire de certaines situations qui ont plutôt tendance à vous déprimer habituellement. Et surtout, apprenez à rire de vous-même !

Autres exercices

Tout le monde devrait se réserver quelques minutes par jour pour pratiquer des exercices de relaxation. Que vous soyez une maîtresse de maison surmenée ou un cadre très occupé, vous pouvez ménager un peu de votre temps pour une pause-relaxation (ça vaut bien mieux que les pauses-café !). Pratiquez quelques-uns de vos exercices préférés en alternance. On peut les faire en tout temps ou presque, le jour et le soir.

L'exercice de la poupée molle, que nous avons appris lorsque nous étions jeunes à l'école, est très efficace. Détendez-vous complètement en vous penchant vers l'avant. Votre tête et vos bras doivent être ballants. Il faut que vous soyez si décontracté que si quelqu'un vous poussait, il pourrait vous faire tomber sans exercer le moindre effort. Avant de vous mettre dans cette position, « représentez-vous » l'image d'une poupée de chiffon qui bascule et tombe. Cette image mentale vous aidera à mieux l'incarner. Respirez deux ou trois fois profondément pendant que vous êtes dans cette position. Cet exercice est absolument merveilleux.

Pour vous libérer des tensions accumulées, faites donc des exercices de relaxation du cou. Tournez votre tête en larges cercles. Pour commencer, inclinez la tête vers l'arrière de façon à regarder le plafond et déplacez votre cou vers la droite ; puis penchez votre tête vers l'avant de façon à regarder le sol ; tournez ensuite votre tête vers la gauche. Répétez cet exercice les yeux fermés. Tournez votre tête vers l'avant, la droite, l'arrière et la gauche. Répétez cela quelques fois puis recommencez dans l'ordre inverse : arrière, gauche, avant, droite. Votre cou est généralement soumis à de grandes tensions et ce petit exercice vous aidera à les chasser.

Recherchez sur votre corps les autres zones de tension. Les épaules sont souvent tendues. Abaissez-les et massez-les alors. Puis vos mollets, vos fesses et votre ventre. Relâchez les muscles de votre ventre (personne ne vous regarde !). Détendez les muscles de vos fesses : ne les serrez pas l'une contre l'autre. Faites mentalement l'examen de toutes les parties de votre corps ; lorsque vous percevez une zone de tension, placez-y la main et dites-vous qu'il vous faut vous « décontracter ». Votre corps va obéir.

Une autre technique de relaxation très simple consiste à vous frotter rapidement les mains l'une contre l'autre pour, ensuite, les secouer. Frottez-les encore et secouez-les. Répétez cet exercice au moins cinq fois. Cela chasse la tension de vos mains, de vos bras et même, pour une raison quelconque, de votre esprit.

Détendre ses yeux, c'est aussi détendre tout son corps. À cette fin, le « paumage » est une excellente technique. Arrondissez légèrement vos paumes et placez-les sur vos yeux de manière à ce que la lumière ne puisse passer entre vos doigts. Ne touchez pas à vos yeux. Fermez-les doucement sans contracter les paupières et comptez jusqu'à dix. Retirez alors lentement vos mains et ouvrez-les. Un autre exercice oculaire consiste à contracter et à détendre ses yeux : ouvrez grand les yeux puis fermez les paupières, ouvrez grand les yeux et fermez les paupières encore. Faites cet exercice plusieurs fois.

Nous sommes nombreux à nous sentir très stressés lorsque nous faisons la queue. Si vous faites la queue devant un cinéma ou un restaurant, ou attendez dans votre voiture que le mouvement de la circulation reprenne, jonglez avec votre matière grise ; parlez-vous, dites vous que vous n'y pouvez rien, que la contrariété, l'irritation et la colère ne feront pas bouger les choses plus rapidement. Employez ce temps à récapituler les événements de la journée ou bien utilisez-le pour formuler ou reformuler de nouvelles ou d'anciennes pensées positives dans votre esprit. Pour ma part, j'ai toujours un livre dans mon sac si bien que, lorsque je suis contrainte d'attendre, au lieu de m'ennuyer ou de m'irriter, je reprends ma lecture. Je ne vous conseille pas de lire, toutefois, si vous attendez dans votre voiture lors d'un embouteillage, parce que vous devez être constamment en alerte lorsque vous êtes sur la route.

La relaxation créatrice

Il est extrêmement sain et apaisant d'avoir un violon d'Ingres. C'est bien plus sain que de regarder la télévision (du moins vous n'êtes pas exposé aux radiations). Faites quelque chose qui vous plaise vraiment et qui ne soit pas inspiré par le désir de briller. Il n'est pas nécessaire que vous excelliez dans ce domaine, vous vous y livrez uniquement pour le plaisir. Ce peut être, par exemple, la musique, la danse, la poésie ou la composition musicale, le chant ou le dessin, la peinture (même avec ses doigts). La relaxation par la création après une journée difficile fera des merveilles pour tout votre organisme.

La musique classique ou néo-classique est particulièrement apaisante. Étendez-vous à la fin de votre journée de dur labeur pendant quelques minutes ou même, si c'est possible, au milieu de la journée. Ouvrez alors votre stétéo ou votre radio et écoutez cette musique. Elle est si saine que les plantes qui y sont exposées croissent bien mieux que celles qui n'y sont pas. D'ailleurs, si on fait jouer plutôt du rock ou du disco, elles sont loin de s'épanouir, ce qui confirme que ces musiques n'ont aucun effet positif. Si, au bout de quelques mois, les plantes ne sont pas mortes, on peut les considérer comme d'authentiques survivantes. Profitez de ce que vous écoutez de la musique pour vous étendre sur votre planche à bascule. Vous ferez d'une pierre deux coups : vous pourrez vous mettre en forme par la même occasion.

Les bains chauds sont excellents pour la détente de tous vos muscles. Pour que ceux-ci soient vraiment efficaces, restez-y au moins vingt minutes.

Si l'un de vos amis est disposé à vous écouter lorsque vous avez envie de vous vider le coeur, téléphonez-lui, mais pas trop souvent, simplement pour « jaser ». Expliquez-lui bien que vous n'êtes pas à la recherche de sa sympathie, de ses conseils ou de son assentiment, vous voulez simplement avoir une oreille qui vous écoute. Assurez-vous que la personne est assez forte pour ne pas devenir la proie de vos émotions. Souvent, lorsque quelqu'un parle de ses sentiments ou de ses expériences de façon négative, la personne au bout du fil se sent concernée et devient elle aussi stressée. En échange, faites-lui part d'une technique de relaxation que vous connaissez.

Il y a un chapitre intéressant dans *Le matin des magiciens*, de Louis Pauwels et Jacques Bergier. Il y est question d'un psychiatre qui était tenu pour être l'un des meilleurs de France. Les gens venaient de loin pour le consulter. Son emploi du temps était très chargé et son taux de succès exceptionnel. On découvrit à sa mort qu'il était sourd. Surprenant, n'est-ce pas ? Il semble bien que c'est une oreille accueillante que les gens recherchent par-dessus tout, et non quelqu'un qui leur donne son opinion, ses conseils ou ses suggestions. Ils ont besoin d'une oreille attentive.

Vous réduirez considérablement votre stress si vous utilisez la formule A.B.C., telle que décrite au chapitre douze. Considérez une situation qui vous a stressé et réévaluez-la. Vous vous apercevrez peut-être qu'elle n'était pas si terrible que vous le pensiez. N'oubliez pas que le niveau de stress que vous subissez ne dépend pas seulement de ce que vous vivez dans les faits, mais il dépend aussi de la perception que vous en avez et de la façon dont vous y réagissez. En réévaluant les situations et en recourant à des techniques de relaxation, vous atténuez grandement les effets négatifs dus aux situations stressantes.

L'alimentation et le stress

On ne saurait sérieusement traiter du stress sans parler du rôle de l'alimentation. Lorsque vous êtes stressé, votre organisme a besoin d'un plus grand apport nutritif. Chaque élément nutritif est important et un surplus de vitamines, de minéraux, d'oligo-éléments, de protéines, etc., devient nécessaire. La pire des choses à faire lorsqu'on est stressé, c'est de manger de la « bouffe-toc » (ce que la majorité des gens ont envie de manger). Les légumes et les fruits, les noix et les graines, les céréales à grains entiers et le yogourt (riche en complexe B) et les protéines de qualité supérieure sont des aliments excellents pour réduire le stress. Bien des diététiciens respectés recommandent également de prendre des compléments de complexe B, de vitamine C et de calcium. Un corps sain est capable de résister aux effets physiques du stress. Et la santé du corps repose avant tout sur l'absorption de matériaux bruts sains.

La relaxation totale

Voyons maintenant quelques techniques de relaxation qui prendront environ vingt minutes de votre temps. La pratique quotidienne de ces techniques de relaxation durant vingt minutes transformera littéralement votre vie. En plus de détendre votre corps et votre esprit, cette pratique vous permettra de communiquer avec votre dimension spirituelle la plus profonde.

La méthode de relaxation totale est une technique de base qui a fait l'objet de beaucoup de recherches. Le docteur Benson a écrit un excellent livre sur le sujet, intitulé *The Relaxation Response.*

Pour vous relaxer complètement, allez vous asseoir dans un fauteuil confortable ou étendez-vous sur le plancher dans une pièce tranquille. Veillez à assurer le maximum de confort à votre corps. Vous ne devriez avoir ni trop froid ni trop chaud. Débouclez votre ceinture si vous en portez une. Couvrez-vous avec une couverture si vous avez froid ou bien retirez quelques vêtements si vous avez trop chaud. Fermez alors les yeux et dites-vous que vous allez vous détendre. Commencez par une respiration régulière et lente. Concentrez toute votre attention sur votre respiration et ignorez tout ce qui vous passe à l'esprit. Vous allez recourir à l'auto-suggestion pour détendre tout votre corps. Vous allez littéralement suggérer à chacune des parties de votre corps de se détendre.

En commençant par vos pieds, dites-vous : « Mes pieds et mes orteils sont très détendus ; ils sont lourds et détendus. » Passez alors à vos chevilles et dites-vous : « Mes chevilles sont très lourdes et détendues. » Passez ensuite à vos mollets : « Mes mollets sont très lourds et détendus. » Dites ceci à propos de toutes les parties de votre corps : chaque partie est lourde et détendue. Passez de vos mollets à vos genoux, à vos cuisses, à votre bassin, à vos hanches, à vos fesses, à votre ventre, à vos doigts, à vos mains, à vos avant-bras, à vos bras, à vos épaules, à votre poitrine, à votre cou, à votre visage, à vos yeux, à votre tête, etc. Chaque partie de votre corps est très lourde et complètement détendue. Elle est si lourde que vous ne pouvez pas la bouger. Votre respiration doit toujours être régulière. Si vous faites porter toute votre attention sur ce que vous êtes en train de faire, vous allez vous sentir très détendu. Demeurez dans cet état tout en fixant votre attention sur votre respiration. Vous êtes maintenant en mesure, si vous le désirez, de recourir à d'importantes techniques dont les effets dépassent de beaucoup la simple relaxation puisqu'elles ont également une valeur thérapeutique. En effet, la méditation, la visualisation et l'auto-suggestion sont des techniques qui peuvent remédier à tout problème, qu'il soit d'ordre physique, émotionnel ou spirituel.

L'auto-suggestion

S'auto-suggestionner, c'est se dire exactement ce qu'on attend de soi. Vous avez pratiqué l'auto-suggestion lorsque vous avez détendu votre corps. Maintenant que vous avez atteint un certain niveau de relaxation, *dites-vous* que vous êtes détendu, que toutes les fonctions de votre corps s'exercent au ralenti, que votre coeur bat moins vite, que votre pouls est lent, que votre appareil circulatoire est détendu, que tout fonctionne au ralenti, que tout se revitalise. Tous vos systèmes, tous vos organes se revitalisent tandis que vous vous trouvez dans cet état de détente. Dites-vous tout cela d'une voix calme et lente et concentrez-vous sur ce que vous dites. Vous pouvez également vous dire que vous perdez du poids, que vous réussissez mieux, que vous avez plus confiance en vous-même, etc. C'est le meilleur moment pour reformuler certains de vos buts ou certaines de vos pensées positives.

La méditation

La méditation produit de merveilleux effets sur votre corps et votre esprit. Elle fait plus que détendre votre corps ; lorsque vous la pratiquez régulièrement, elle vous fait atteindre à un état de conscience supérieur. Il existe des centaines de livres et d'articles qui traitent des changements qui se produisent lors de la méditation. Vingt minutes de méditation vous rendent plus frais et dispos que toute une nuit d'un profond sommeil. Votre coeur passe de 72 battements à la minute à 24, votre respiration ralentit aussi atteignant quatre ou six inspirations à la minute. Ce sont les ondes alpha qui prédominent dans votre cerveau, autrement dit votre esprit s'est apaisé. En cours de méditation, on ne se laisse généralement pas distraire par l'extérieur.

On suscite par la méditation un état qui est, tant du point de vue psychologique que physiologique, aux antipodes du syndrome de « la fuite ou l'attaque ». On est ainsi mieux armé pour faire face aux pressions de la vie quotidienne et on peut mieux récupérer après les périodes de stress. Les personnes qui méditent régulièrement semblent également fortifier leur système immunitaire et elles jouissent donc d'une meilleure santé.

La méditation est l'une des techniques les plus simples permettant l'accès à l'intériorité ; il est alors possible de se voir de l'intérieur et, par le fait même, de modifier les réactions et pensées négatives qui apparaissent en cours de stress ou qui en sont la cause. Considérées collectivement, les personnes qui méditent sont moins sujettes que les autres à la colère, la crainte, la critique, la haine et l'angoisse.

Par ailleurs, il est intéressant de noter que les personnes qui méditent semblent rencontrer moins d'obstacles sur leur route ; de plus, celles-ci cherchent davantage à atteindre leurs objectifs. La pratique quotidienne de la méditation exerce donc un effet puissant sur le cours d'une vie.

La visualisation

La visualisation consiste à se voir en esprit exactement tel qu'on souhaiterait être ou à voir, toujours dans son esprit, les situations comme on voudrait qu'elles soient. La visualisation, ou l'imagerie mentale, se réalise mieux lorsque nous sommes dans un état de relaxation. Vous pouvez vous y livrer après une relaxation totale ou après la méditation. Le chapitre dix, qui traite de l'imagination, aborde tous les aspects de ce phénomène. Vous pouvez recourir à cette technique pour corriger toute situation, que celle-ci soit physique, mentale ou émotionnelle. Vous pouvez l'utiliser pour voir se produire des changements au niveau de vos relations sociales ou même pour vous voir en possession de tout ce que vous désirez obtenir.

La visualisation est bien plus qu'un exercice de relaxation, car cette méthode nous fait atteindre au coeur même de notre être où elle libère la Puissance divine qui demeure en nous, en lui faisant savoir exactement ce que nous désirons. On ne peut efficacement diriger cette Puissance intérieure que lorsque nous sommes détendus.

Nous savons maintenant que le stress est normal, et qu'il fait partie de la vie. Apprenons donc à en faire un usage positif. Vous aurez une meilleure prise sur votre existence aussitôt que vous commencerez à maîtriser votre stress.

9

Utilisez les ressources de votre subconscient

Les ordinateurs nous émerveillent, certes, mais avez-vous songé que si nous devions en construire un qui s'acquitterait de toutes les fonctions exercées par le cerveau humain, le volume de celui-ci serait tel que sa hauteur équivaudrait à celle de l'Empire State Building et sa superficie serait similaire à celle de l'État du Texas? C'est que votre cerveau est le maître absolu de votre corps et de votre esprit. Vous ne pouvez en effet ni remuer le petit doigt, ni vous gratter le bout du nez, ni penser à la moindre chose, ni même cligner de l'oeil sans qu'un message commandant ces gestes n'ait été, au préalable, émis par votre cerveau. Tous les organes et toutes les glandes de votre organisme responsables d'une fonction physique ou mentale quelconque, sont régis par votre cerveau.

Votre cerveau peut se comparer à un ordinateur d'une incroyable complexité ; et comme tous les ordinateurs, il est « programmé ». Il contient une multitude de « rubans ». Nos habitudes de tous les jours résultent de cette programmation du cerveau au moyen de rubans. Toutes nos habitudes et toutes les choses que nous accomplissons automatiquement, sans même y penser, sont le produit des impressions inscrites dans les cellules de notre cerveau. L'association de certaines de ces impressions constitue ce que l'on appelle un « concept » ; et les concepts peuvent être comparés aux rubans servant à programmer les ordinateurs. Bien sûr, le cerveau humain ne fonctionne pas exactement comme un ordinateur, mais pour mieux comprendre le fonctionnement de notre esprit, il est avantageux de se servir de cette comparaison.

Les habitudes

Afin de mieux comprendre le fonctionnement de votre cerveau, dressez une liste de tous vos automatismes, c'est-à-dire de toutes ces choses que vous faites sans même y penser. Toutes vos habitudes, bonnes ou mauvaises (consommation de tabac et de café, excès de table, etc.), devraient être incluses dans cette liste. Veillez à être très précis et tenez compte des détails. Par exemple, il se peut que vous allumiez une cigarette après le dîner et que vous n'en fumiez que la moitié ou peut-être buvez-vous toujours votre première tasse de café au saut du lit. Il se peut que vous ayez l'habitude de vous tortiller les cheveux ou de vous gratter le nez lorsque vous êtes nerveux. Vous pouvez prendre un verre avant le dîner, lire le journal à table ou ouvrir la télé aussitôt que vous rentrez du travail, etc. Tous ces menus gestes sont des automatismes du comportement.

En guise d'exemple, je me permets de vous présenter la liste de quelques-unes de mes habitudes (celles que je veux bien vous faire connaître) :

Me promener avec des lettres affranchies et oublier de les glisser dans la boîte aux lettres. (Ça ne ratait jamais, maintenant je les confie à mon mari.)

Dire à mes enfants d'être prudents chaque fois qu'ils quittent la maison.
Tous les matins, boire un verre d'eau au lever.
Me sentir irritée chaque fois que mon mari rentre en retard.
Essayez de dormir encore quelques minutes alors que la sonnerie du réveil se fait entendre.
Toujours emprunter le même trajet lorsque je me rends à mon bureau. (Voilà un bel exemple d'automatisme ! On peut penser à toutes sortes de choses sans même se concentrer, ne serait-ce qu'une seule fois, sur la direction que l'on emprunte. Malgré tout, on arrive bel et bien à destination.)
Dépouiller le courrier que le facteur vient tout juste de livrer. (Sinon, je me sens sur des charbons ardents pour tout le reste de la journée.)
Chausser le pied droit avant le pied gauche.
Prendre des compléments vitaminiques à tous les repas.
Prendre mon poids toutes les fois que je vois une balance.
Conserver les programmes de spectacles.
Fredonner un air qui m'est familier chaque fois que je l'entends à la radio.
Allumer, tous les soirs, l'éclairage extérieur.

Voilà des exemples d'automatismes. Tous ces gestes sont pré-programmés et il ne m'est donc pas nécessaire d'y penser pour les exécuter. Au contraire, si je veux en faire *disparaître* un (par exemple, prendre mon poids à plusieurs reprises au cours de la journée), je dois *m'efforcer* d'y penser.

Car tous les gestes que vous exécutez régulièrement et sans même que vous soyez obligé d'y penser, sont des gestes qui relèvent de la programmation de votre cerveau. Vous êtes « programmé » par un certain nombre de « rubans » à agir, à penser, à fonctionner et même à sentir de telle ou telle façon. Tous les domaines de votre activité sont régis par un plus ou moins grand nombre de « rubans », de « programmes ». Certains de ceux-ci déterminent le type de vêtements que vous portez ou le type d'aliments que vous consommez ; d'autres déterminent le genre de distractions que vous aimez, le type de personnes que vous fréquentez ou le type de maison que vous habitez ainsi que la sorte de voiture que vous possédez ; d'autres enfin régissent l'usage que vous faites de votre argent (dépenses, épargnes, placements, etc.) ou de vos loisirs (vos émissions de télé favorites, le type de conditionnement physique que vous avez adopté, les livres que vous préférez lire, etc.). Bien plus, même les choses qui vous irritent ou vous amusent dépendent elles aussi d'un certain nombre de « rubans ». (À titre d'exemple, vous est-il déjà arrivé de rire d'une situation et de vous rendre compte que votre réaction mettait les autres en colères ? C'est que *ceux-ci* n'étaient pas programmés pour percevoir l'aspect amusant de cette situation.) Et il en va ainsi pour tous les secteurs de votre activité : votre degré d'efficacité au travail, votre façon de faire (ou de ne pas faire) le ménage, etc.

Malgré cette programmation, il vous est tout de même possible d'exercer votre liberté de choix dans chacun des secteurs de votre activité. Il est vrai que vous êtes programmé pour consommer certains aliments. Votre « ruban alimentaire », si l'on peut dire, est plus ou moins long, et peut contenir un grand nombre d'aliments ou quelques-uns seulement ; et par conséquent ce seront les seuls aliments que vous consommerez, à moins bien sûr, que vous ne vous écartiez de votre programme. Il n'en demeure pas moins que vous devez faire un choix parmi cette liste d'aliments. Vous devez, par exemple, choisir entre un bifteck ou un rôti de boeuf pour votre dîner. Si vous êtes végétarien, il vous faudra choisir entre le zucchini au four ou la casserole de patates douces. Il en va de même pour le « ruban vestimentaire » qui détermine le type de vêtements que vous portez : votre choix devra se faire entre deux costumes pour une sortie donnée. Le « ruban distractions » comprend la liste de toutes les formes de divertissements que vous préférez, mais vous devez choisir entre une comédie musicale, un dîner dans un restaurant ou une soirée dans une discothèque.

Les catégories fondamentales dans lesquelles vous choisissez les éléments qui vous conviennent sont déterminées par vos concepts. Le mot « concept » est un équivalent du mot « ruban ». Toutes vos activités, votre façon de penser et de sentir, votre comportement et vos habitudes sont sous l'entière dépendance de vos concepts ; ce sont eux qui les contrôlent. Évidemment, cette dépendance ou ce contrôle varient selon les dimensions de vos « rubans », c'est-à-dire selon la quantité d'informations que ceux-ci contiennent. C'est votre subconscient qui crée vos concepts et cela à la suite d'un processus mental très complexe dans lequel interviennent vos croyances, vos pensées et vos talents innés, ainsi que votre expérience de vie et votre formation personnelle.

Les concepts hérités

Nous nous distinguons tous les uns des autres par nos talents, nos aptitudes, nos valeurs et nos penchants personnels. Certains d'entre eux sont innés, nous sommes nés avec, ils font donc partie de notre bagage génétique ou héréditaire. Les activités auxquelles nous nous livrons dès la plus tendre enfance et qui nous procurent un vif plaisir, sont généralement des activités qui font appel à nos talents innés. C'est ainsi que tel enfant adore jouer du tambour, tel autre dessine aussi souvent qu'il le peut, alors qu'un autre chante tout le temps. Certaines personnes sont nées avec un talent vraiment exceptionnel. Il peut arriver, par exemple, qu'un enfant de cinq ans puisse composer de belles mélodies sans avoir reçu la moindre leçon.

Un pianiste au talent exceptionnel pourra même s'exprimer par sa musique, et ce sans même connaître les rudiments du piano, alors que la personne moins douée devra étudier ferme pour espérer s'exécuter convenablement. L'être doué, formé et entraîné pourra donner une touche magique à sa musique, touche que la personne moins douée sera incapable de produire. Et pourtant, ces deux musiciens sont tout aussi « programmés » l'un que l'autre pour jouer du piano !

Nous sommes également programmés dès la naissance par tout un ensemble d'instructions permettant à notre organisme de fonctionner adéquatement. Ces instructions permettent à notre coeur de battre ; à nos poumons de respirer ; à notre estomac de digérer ; à notre foie et à nos reins d'éliminer les déchets. Ces instructions font partie des concepts génétiques reçus en héritage à notre naissance. Votre subconscient est ainsi programmé pour veiller à la bonne marche des milliards de processus chimiques complexes qui ont lieu toutes les minutes dans votre organisme. Il semblerait que certains traits de la personnalité soient aussi d'ordre génétique. C'est pourquoi les infirmières qui sont préposées aux pouponnières, dans les hôpitaux, notent des différences chez les nouveau-nés dès leur naissance.

La formation des concepts

Mais notre programmation n'est pas uniquement basée sur nos concepts génétiques. D'autres concepts entrent en jeu et ceux-ci sont le fruit de nos perceptions et de notre expérience de vie. Car nous nous servons avant tout de nos cinq sens pour recevoir les informations de notre environnement, du monde extérieur qui nous entoure. Tout ce que nous voyons, entendons et touchons, tout ce que nous goûtons et sentons est alors imprimé dans les cellules de notre cerveau. Par ailleurs, nous enregistrons également tout ce que nous vivons intérieurement, c'est-à-dire toutes nos pensées et tous nos sentiments. Pour des raisons que même les psychologues ne peuvent expliquer, nous associons toutes ces informations enregistrées en des réseaux spécifiques qui deviennent des concepts.

Comme ces informations nous sont transmises par nos cinq sens, il va de soi qu'elles proviennent surtout des personnes et des media qui exercent la plus grande influence sur nous : c'est-à-dire nos parents, nos frères et nos soeurs, nos amis et nos voisins, les médecins, les prêtres et, bien sûr, les films, la télé et la radio, ainsi que les journaux et les revues. Toutes les informations provenant de ces sources peuvent être acceptées sans que nous les remettions en question ; elles peuvent également faire l'objet d'un examen pour être rejetées ou acceptées par la suite. Mais comme nos perceptions ne sont pas toujours justes lorsque nous sommes de jeunes enfants, il arrive que nous acceptions pour vraies des choses qui ne le sont pas en réalité ou que nous rejetions comme étant fausses des choses qui sont vraies. (Voilà qui explique pourquoi notre perception des choses n'est pas toujours juste, même lorsque nous sommes adultes, car celle-ci se base généralement sur les faux concepts que nous avons acceptés comme vrais lorsque nous étions enfants.)

Afin d'illustrer la façon dont nous pouvons créer un concept qui ne repose sur aucun fait véridique, je me permets de vous raconter l'anecdote suivante. Une jeune mariée était en train de préparer un jambon pour le repas de Pâques. Elle déposa le jambon dans un grand plat émaillé et elle en coupa l'extrémité. Son mari lui ayant demandé pour quelle raison elle avait fait ceci, elle répondit : « C'est de cette façon que maman prépare le jambon. » Et celui-ci de demander : « Pourquoi ? » Et elle de répondre : « Je ne sais pas, je ne le lui ai jamais demandé. » Elle téléphona donc à sa mère : « Pourquoi coupes-tu toujours l'extrémité du jambon lorsque tu le prépares ? » Et sa mère de répondre : « Je ne sais pas, c'est de cette façon que ma mère procédait. » La jeune mariée téléphona à sa grand-mère : « Pourquoi coupiez-vous toujours l'extrémité du jambon avant de le mettre au four ? » Et la grand-mère répondit : « Parce que mon plat était trop petit. »

Je ne sais si cette anecdote est vraie ou non ; on m'affirme toutefois qu'elle est véridique. Chose certaine, elle démontre fort bien qu'une chose tout à fait erronée peut être tenue pour vraie et être adoptée par un grand nombre de personnes. C'est ainsi que nos comportements et nos attitudes proviennent dans une large mesure des êtres qui nous entouraient lorsque nous étions jeunes. Et on ne peut les blâmer : ils n'ont fait que nous inculquer les attitudes et comportements qu'ils tenaient eux-mêmes de leurs parents. Nous ne pouvons pas davantage nous en prendre à nous-mêmes. Heureusement, nous sommes en mesure de remédier à la situation et de nous débarrasser de tous ces concepts, attitudes et comportements farfelus que nous véhiculons. Comme le dit si bien le dicton : « Aujourd'hui est le premier jour de notre nouvelle vie. »

Si vous voulez connaître la nature de vos concepts, vous n'avez qu'à regarder ce qu'est votre vie. Exercez-vous un métier ou une profession qui vous plaît ? Appréciez-vous la compagnie de vos amis ? Gagnez-vous suffisamment d'argent ? Votre apparence vous plaît-elle ? Votre vie personnelle vous satisfait-elle ? Vos relations avec votre conjoint sont-elles harmonieuses ? Êtes-vous en excellente santé ? La vie vous apparaît-elle intéressante, excitante ? Ou bien vous semble-t-elle morne et ennuyeuse ? Vous seul pouvez répondre à ces questions. Si votre vie ne vous apporte pas toutes les satisfactions que vous en attendiez, si elle vous déçoit, et que vous aimeriez y apportez des changements, c'est là le signe irréfutable que certains de vos concepts devraient être remis en question. Notre vie n'est que le reflet de nos concepts. Et si nous voulons y changer quoi que ce soit, nous devons d'abord modifier nos concepts.

La Puissance présente dans votre subconscient

Afin de comprendre pourquoi votre vie est le reflet de vos concepts, vous devez avant tout vous faire une idée plus précise de ce qu'est votre subconscient et vous devez connaître les relations que celui-ci entretient avec ce que l'on appelle souvent l'Esprit universel. L'Esprit universel n'est que l'un des nombreux noms de cette fameuse Puissance que la plupart des gens appellent Dieu.

Les théologiens affirment que Dieu a créé l'univers et tout ce qu'il contient à partir de lui-même ; ce qui est une façon de dire que l'univers entier est issu de Dieu. Ils disent également que Dieu est omniprésent, qu'il est tout-puissant et que, si nous sommes avec lui, tout peut devenir possible.

Par ailleurs, les hommes de science nous apprennent que l'énergie est partout présente et qu'elle est d'une incroyable puissance. Les scientifiques qui se sont penchés sur l'esprit humain affirment, quant à eux, que notre subconscient recèle une Puissance capable de réaliser des exploits tout à fait inimaginables.

Même si ces deux formes de savoir, la science et la théologie, peuvent sembler être à l'opposé l'une de l'autre, il n'en demeure pas moins qu'elles parlent en fait de la même chose. Seul le vocabulaire est différent.

J'aimerais, à ce moment-ci, vous faire part de l'admiration que je porte au docteur Thurman Fleet, le fondateur de la thérapie conceptuelle. Une bonne part des idées que j'expose dans le présent chapitre trouve son origine dans ses enseignements. Ses idées constituent une philosophie « vivante » qui, à mon humble avis, concilie mieux que toute autre philosophie les sciences et la théologie.

En fait, les enseignements du docteur Fleet ont tout à fait modifié le cours de ma vie. C'est en suivant un cours sur la thérapie conceptuelle que j'ai appris le fonctionnement de mon esprit et, par la même occasion, j'ai compris que la Puissance créatrice de l'univers me traverse et que, si je le voulais, il m'était possible d'apprendre à vivre en harmonie avec ses lois.

Le nom que vous donnez à cette formidable Puissance importe bien moins que les relations que vous entretenez avec elle. Adorez-la. Le mot « adoration » signifie « qui vaut d'être observé ». Observez cette Puissance dans toutes choses, car elle est présente en tout. Cette adoration « réelle » qui a lieu dans votre coeur est bien différente de celle que l'on retrouve dans les rites religieux. Car pour adorer cette Puissance, il est essentiel de vivre en harmonie avec elle et de respecter ses lois. Mais où nous enseigne-t-on ses lois ?

Les scientifiques étudient l'énergie depuis les molécules jusqu'aux atomes, ils vont même jusqu'aux électrons, aux protons et aux neutrons, et encore, ils sont en mesure de l'étudier dans des particules beaucoup plus petites. Ils nous apprennent que toutes ces particules d'énergie vibrent en permanence et qu'elles peuvent être, selon leur nature, positives, négatives ou neutres. Ils affirment également que cette énergie est électromagnétique, c'est-à-dire qu'elle attire et repousse tout comme un aimant. Et l'univers entier est constitué de ces particules d'énergie. Tout ce qui existe est le produit de l'union de cette énergie positive et négative, laquelle est en mouvement perpétuel. Ce « tout », c'est également vous, votre corps et vos vêtements, les aliments que vous consommez et l'air que vous respirez, c'est aussi l'ameublement de votre maison et votre maison elle-même, votre voiture ainsi que tout ce qui se rapporte à votre vie. Ce « tout » comprend toutes vos pensées, tous vos sentiments, toutes vos idées et toutes les images que vous pouvez créer au moyen de votre imagination. « Tout » provient de cette énergie et « tout » est dans un état de vibrations constantes. Cela vous semble incroyable ? Mais ça ne l'est pas, car l'énergie se manifeste sur trois plans distincts : les plans physique, mental et spirituel.

C'est au plan physique que sont situées toutes les « choses » matérielles et toutes les activités auxquelles notre corps est en mesure de s'adonner : exercices et mouvements. Au plan mental, nous retrouvons nos pensées et nos sentiments. Ceux-ci sont bien réels et sont une source d'énergie. C'est pourquoi vous vous sentez bien lorsqu'il vous vient une pensée positive, par exemple lorsque vous pensez à un voyage prochain et que vous vous dites : « Comme ce sera merveilleux d'être aux Bermudes ! » Cette pensée agit sur votre organisme et celui-ci se met à produire des hormones et des substances chimiques qui ont pour effet d'augmenter votre bien-être. (Voilà pourquoi les personnes heureuses sont généralement en meilleure santé que les autres.) Par contre, lorsque vous avez une pensée négative dans le genre : « Je risque bien de me faire mettre à la porte », votre organisme réagit, bien sûr, mais cette réaction risque d'être désagréable ; vous ressentez même des nausées et des palpitations.

Le même phénomène se produit lorsque vous vous mettez en colère. Vous avez sans doute remarqué que vous vous sentez alors plutôt mal physiquement. Il peut même vous arriver d'avoir envie d'exploser. Cela est dû au fait que votre organisme, lorsqu'il ressent une émotion ou un sentiment négatif, sécrète des substances qui doivent être utilisées aussitôt. Votre organisme doit absolument réagir. Car il est littéralement prêt à combattre. Mais comme vous ne vous battez pas, il lui faut trouver un exutoire. Voilà pourquoi vous devez sauter, courir, frapper sur quelque chose ou même crier ; chose certaine, vous devez agir afin de libérer toute cette énergie négative accumulée. Il ne fait aucun doute, les pensées et les sentiments sont une source d'énergie et celle-ci relève du plan mental.

Enfin, nous en arrivons au plan spirituel. Et ce dernier n'est pas le moindre. Bien sûr, nous ne pouvons le voir des yeux, ni l'entendre des oreilles, pas plus que nous ne pouvons le toucher, le goûter ou le sentir. Mais attention, l'énergie que recèle le plan spirituel est la plus puissante ! C'est elle qui fait en sorte que les choses se réalisent ! L'imagination appartient au domaine de l'énergie spirituelle. De la même façon que Dieu a créé l'homme à son image, l'homme crée son univers à partir des images produites par son esprit.

Puisque l'énergie est électromagnétique, tout dans l'univers est dans un constant rapport d'attraction et de répulsion. C'est ainsi que les personnes, les situations et les événements ne cessent de s'attirer et de se repousser. Or la Puissance dont tout est fait (cette Puissance qui gouverne l'univers, qui connaît tout et qui est omniprésente) se manifeste à nous par l'intermédiaire de *nos concepts.* C'est donc dire que notre vie est le reflet de ceux-ci ; car cette Puissance, laquelle s'exprime sous la forme de l'énergie électromagnétique, attire à nous tous les événements, toutes les situations et toutes les personnes qui sont conformes à nos concepts. Nous émettons des vibrations vers le monde extérieur et celles-ci attirent à nous tous les éléments qui constituent ce que nous appelons notre vie. En quelques mots, voici comment s'élabore ce processus (voir tableau ci-dessous). Nous commençons par vivre notre vie au plan mental : nous pensons (ou du moins, nous pensons que nous pensons) et en pensant, il nous vient une idée. (Les idées appartiennent au plan spirituel.) Notre idée devient alors un objectif et nous en voyons très bien l'image grâce à notre imagination ; pour ce faire, nous utilisons l'énergie spirituelle au maximum de sa puissance. Nous devons maintenant planifier les moyens qui nous permettront de réaliser cet objectif ; nous avons alors recours à l'énergie mentale. Il ne nous reste plus qu'à réaliser cet objectif, grâce à l'action, laquelle relève de l'énergie physique.

Début →	Spirituel	2. Idée	3. Image
	Mental	1. Penser	4. Plan
	Physique	6. Réalisation	5. Action

La « formule »

Le tableau ci-haut contient la « formule » qui vous permettra de modifier vos concepts actuels. Je remercie le docteur Thurman Fleet et l'Institut de thérapie conceptuelle de m'avoir communiqué cette formule ainsi que bon nombre des principes que j'expose dans le présent chapitre. J'ai enseigné la thérapie conceptuelle pendant de nombreuses années et je vois toujours en elle l'une des meilleures formes d'éveil de la conscience qui puissent exister.

Il faut prendre garde, toutefois, de respecter la formule dans sa totalité : nous devons nous faire une image mentale de l'objectif, planifier les moyens qui nous permettront de l'atteindre, et enfin, nous devons passer à l'action. Sinon, nous ne faisons que bâtir des châteaux en Espagne. Car modifier quelque chose dans notre vie, c'est comme construire une maison. L'architecte qui en fait les plans doit savoir exactement ce que nous voulons, à quoi ressemblera la maison. Lorsque les plans de celle-ci sont dessinés, les ouvriers peuvent passer à l'action. L'architecte qui est *en vous* doit savoir ce que vous désirez, lorsqu'il s'agit de votre objectif. Les plans doivent alors être dressés et formellement suivis par la suite. Si vous ne respectez pas toutes ces étapes, vous ne pourrez obtenir ce que vous désirez, aussi glorieux votre objectif soit-il.

Pour illustrer ceci, considérons un objectif donné : supposons que vous souhaitez faire un voyage en Europe. De quelle façon procéderez-vous ? Tout d'abord, vous fixerez la date du départ et déterminerez l'endroit où vous souhaitez aller. Ceci fait, vous songerez à vous adresser à une agence de voyages, ou même déciderez-vous d'en consulter plusieurs. Tout ceci relève de la planification de votre voyage. C'est au moment où vous vous rendez à l'agence que vous passez à l'action. Vous devrez aussi songer aux vêtements que vous emporterez ; peut-être vous faudra-t-il en acheter de nouveaux. Ceci relève de votre plan, de votre planification. Vous passerez à l'action lorsque vous irez faire l'achat de ces nouveaux vêtements. Il se peut que vous songiez à trouver quelqu'un pour prendre soin de votre chat ou de votre canari durant votre absence. Cela fait également parti de votre plan. Lorsque des arrangements auront été conclus en ce sens, vous aurez passé à l'action. Vous devrez vraisemblablement songer à mille et un détails comme ceux-ci. Vous les écrirez méthodiquement, car ceux-ci font partie de votre planification, et ensuite vous les réglerez tous en prenant les initiatives qui s'imposent.

Il se peut que l'état de vos finances ne vous permette pas d'effectuer ce voyage. Vous devrez donc vous fixer un nouvel objectif, lequel peut être d'économiser, d'augmenter vos revenus ou d'emprunter. Vous devrez choisir la solution qui vous convient le mieux et décider du montant qui vous est nécessaire. Vous dresserez ensuite les plans qui vous permettront d'obtenir cet argent, et vous poserez les gestes qui s'imposent. Comme vous êtes en mesure de le constater, la réalisation de ce premier objectif qu'est votre voyage en Europe, nécessite la création d'un second objectif. Il vous arrivera souvent de constater, lorsque vous ferez les plans en vue de la réalisation d'un objectif, qu'un second objectif doit être atteint afin de permettre la réalisation du premier.

Considérons un autre objectif. Supposons que vous occupiez un poste de gestionnaire dans une entreprise et que votre objectif soit d'en augmenter les bénéfices. Pour atteindre cet objectif, il vous faudra d'abord analyser l'organisation de l'entreprise pour ensuite déterminer les changements qui s'avèrent nécessaires. C'est l'étape de la création de l'image de l'objectif. Il vous faudra ensuite réfléchir très sérieusement aux divers moyens qui vous permettront d'effectuer ces changements. Vous en êtes à l'étape de la planification. Vous faudra-t-il organiser un programme de motivation pour votre personnel des ventes ? Ou un séminaire de gestion du temps ? De nouveaux contacts doivent-ils être noués ? Si oui, de quelle façon devrez-vous vous y prendre ? L'entreprise est-elle vraiment efficace ? Votre système de classement est-il adéquat ? Votre secrétaire est-elle une perle ? Conservez-vous suffisamment de graphiques et de dossiers ? Organisez-vous régulièrement des réunions avec votre personnel ? Se produit-il une trop grande perte de temps au téléphone ? L'image du personnel de bureau devrait-elle être refaite ? Faut-il réorganiser le service du personnel ? Vous devez vous poser ces questions et bien d'autres encore, afin de déterminer les moyens qui vous permettront d'atteindre votre objectif.

Lorsque vous aurez repéré tous les facteurs qui sont susceptibles d'influer sur les bénéfices de l'entreprise pour laquelle vous travaillez, vous devrez arrêter des plans précis en ce qui concerne ce que vous allez faire, vous, en tant que gestionnaire ; il vous faudra également dresser des plans qui détermineront ce que les autres membres de l'entreprise devront effectuer.

Éliminez tout plan qui semble irréaliste ou impossible de mener à bien. Éliminez également toute mesure que vous êtes réticent à adopter. Par exemple, ne décidez pas de rester une demi-heure de plus au bureau tous les soirs, à moins d'être certain que cela ne vous occasionnera pas de problèmes. Une fois que vos plans sont dressés, il ne vous reste plus qu'à passer à l'étape suivante qui est, bien sûr, l'action.

Il est très important que vous vous fixiez des objectifs qui soient logiques. Il serait tout à fait illogique, par exemple, qu'un employé de banque se fixe l'objectif d'en devenir le président au cours de la présente année. (À moins bien sûr que celui-ci soit le fils de l'actuel président.) Il ne serait guère logique qu'une femme adulte se fixe l'objectif de mesurer 1 m 75, alors qu'elle ne fait que 1 m 65. (La seule façon d'y parvenir serait de porter des talons hauts de 10 cm.) Il ne serait guère plus logique qu'une personne se fixe l'objectif de perdre un excédent de 25 kg en un mois, du moins sans devenir très malade.

Renoncer à ses habitudes

Veillez toujours à ce que vos projets soient réalisables. Si ceux-ci intéressent d'autres personnes que vous, assurez-vous que celles-ci sont disposées à mener à bien ces projets. Assurez-vous que les gens, les conditions et les circonstances vous sont favorables, de sorte que tout aille comme sur du velours. Et surtout, demandez-vous si vous êtes vraiment prêt à faire tous les sacrifices que nécessitent la réalisation de vos objectifs.

Car le sacrifice fait toujours partie du tableau. Vous ne pouvez espérer modifier votre vie et atteindre vos objectifs sans en payer le prix. Dans cette vie, tout a un prix. Vous achetez une voiture, il vous faut dépenser de l'argent. Vous vous mariez, vous devez renoncer à votre indépendance. Voilà le prix que vous devez payer. Vous faites des études dans l'espoir de devenir médecin ou avocat, vous devez alors renoncer à des années et des années de liberté et de vie sociale. Mais tous ces renoncements deviennent justifiés lorsque des buts plus vastes et plus importants sont atteints.

Si l'objectif que vous vous êtes fixé en est un d'épanouissement personnel et de plénitude, il vous faudra, pour l'atteindre « renoncer » à des tas de choses. Vous devrez faire beaucoup de sacrifices et vous ne marcherez pas toujours sur un tapis de roses.

Vos sentiments et vos attitudes négatives, ainsi que la colère, la jalousie et les irritations mesquines, sont au nombre des choses auxquelles vous devrez renoncer si vous souhaitez élever votre niveau de conscience. De prime abord, ce renoncement peut vous sembler facile, mais dans les faits, il est très difficile d'y parvenir. Si vous voulez vraiment atteindre un niveau de conscience supérieur, vous allez devoir payer le prix fort, côté renoncement, à tous ces traits de personnalité auxquels vous vous êtes tellement attaché, alors même qu'ils ne vous sont pas nécessairement agréables.

C'est ici le moment de souligner que si la transformation de nos habitudes (et il faut à tout prix transformer nos habitudes si nous voulons atteindre de nouveaux objectifs) n'est pas chose facile, c'est tout simplement parce que nous nous sentons en sécurité avec celles-ci. Le mot « sécurité » n'implique pas nécessairement que nous aimons nos habitudes ou que celles-ci nous conviennent ; il signifie plutôt que celles-ci sont, pour nous, des réflexes conditionnés. Elles nous sécurisent parce qu'elles sont devenues des automatismes. Nous pensons et nous fonctionnons toujours de la même façon parce que notre corps et notre esprit sont conditionnés à penser et à fonctionner de cette façon. Et pour faire disparaître ces réflexes conditionnés, nous devons avoir recours aux ressources de notre conscience, ce qui n'est pas chose facile.

Les réflexes conditionnés

Nous possédons tous un grand nombre de réflexes conditionnés. C'est ainsi que nous nous arrêtons lorsque nous voyons un feu rouge ; que nous nous levons quand notre réveil se fait entendre ; ou que nous nous pesons lorsque nous voyons une balance. Chaque fois que nous posons un geste sans que nous soyons tenus d'y réfléchir, nous avons affaire à un réflexe conditionné, à un automatisme. Si depuis dix ans vous empruntez toujours le même trajet pour vous rendre au travail et que votre compagnie déménage, vous allez sans doute vous surprendre, du moins au début, à adopter automatiquement le même sempiternel trajet, car vous êtes conditionné à emprunter celui-ci. Lorsque vous montez dans votre voiture et que votre esprit dit : « Je vais au travail », un ruban commence à se dérouler dans votre tête et vous vous soumettez au modèle qui vous est si familier.

Il est difficile de se libérer des réflexes conditionnés. Et cette entreprise peut avoir des effets positifs ou négatifs sur notre vie. Négatifs, parce qu'il nous est difficile de rompre avec nos anciens modèles de comportement, mais positifs parce que si nous prenons le temps et faisons les efforts requis pour l'acquisition de nouveaux modèles auxquels nous aspirons, ils deviendront à leur tour des réflexes conditionnés et nous n'aurons plus à faire des efforts pour nous y soumettre.

Jetons un nouveau coup d'oeil à la formule exposée dans le tableau des pages précédentes. Vous remarquez sans doute que le mot « penser » est précédé du numéro

1 ; le mot « idée » du numéro 2 ; le mot « image » du numéro 3 ; le mot « plan » du numéro 4 ; le mot « action » du numéro 5 ; et enfin le mot « réalisation » du numéro 6. Ces numéros indiquent l'ordre dans lequel doit se dérouler ce processus. Si vous adoptez cet ordre, nul doute que vous parviendrez à réaliser votre objectif (quelle que soit la teneur de celui-ci). Je vous recommande de reproduire cette formule en plusieurs exemplaires et d'en conserver un sur vous. Placez-en un autre chez vous, un autre à votre lieu de travail et enfin, un autre dans votre portefeuille. Vous pourrez consulter cette formule chaque fois que les choses n'iront pas comme vous croyez qu'elles devraient aller. Regardez-la et demandez-vous si vous l'avez appliquée dans cet ordre. Vous vous rendrez souvent compte que vous avez omis, en tout ou en partie, une étape importante du processus.

Lorsque je prononce des conférences, mes auditeurs me demandent souvent de quelle façon ils pourront savoir si leurs choix sont conformes à la volonté de Dieu ou s'ils s'en écartent.

Voilà une question à laquelle il n'est pas facile de répondre. Tout ce que je puis dire, c'est que plus vous éveillez et développez votre conscience, plus il vous sera facile de savoir si vous faites ce que vous devriez faire. Le meilleur conseil que je puisse vous donner, c'est celui-ci : si après avoir fait tout ce qui était en votre pouvoir pour réussir en déterminant vos objectifs, en dressant vos plans et en les suivant, et que, malgré tout, vous rencontrez obstacle après obstacle sur votre route (dont certains sont pratiquement insurmontables), et si vous connaissez des frustrations et des déceptions permanentes, c'est qu'il vous faut peut-être chercher le sens de votre vie dans une autre direction.

Mais je ne veux pas que vous en veniez à la conclusion que l'objectif authentique, celui qui est « à votre mesure », est un objectif dont la réalisation ne présente aucun obstacle. Ce n'est pas la vérité. Car la vie est faite de positif et de négatif. Et votre objectif devient une énergie positive projetée dans l'univers tandis que les obstacles, eux, représentent l'énergie négative. Toutefois, je préfère qualifier ces obstacles de défis. Comme toute création nécessite une part de positif et une part de négatif, chaque fois qu'un défi se présente sur votre route, ne vous laissez pas abattre. Sachez qu'en le relevant vous vous rapprochez de la réalisation de votre objectif.

La foi

L'un des facteurs les plus importants qui entrent en jeu dans la réalisation de vos objectifs, c'est l'acquisition de la foi, de la certitude que vous pouvez les réaliser. Je dis « acquérir », parce que je sais bien que si vous aviez la foi, vous auriez déjà réalisé vos objectifs. Heureusement, la foi peut s'acquérir. Il n'est pas nécessaire que vous la possédiez depuis la naissance. Et se répéter constamment que l'on est en mesure de réaliser ses objectifs est l'une des clés permettant d'acquérir cette foi. Travailler sans cesse pour atteindre à ce qu'on veut en est une autre. Lorsque vous faites des efforts constants votre esprit comprend que vous êtes sérieux, que votre désir est réel et que vous voulez que votre objectif, quel qu'il soit, se réalise.

Lorsque vous ne faites pas tous les efforts requis et que vous ne comptez que sur la seule création de l'image et peut-être aussi sur celle des plans, et que vous ne passez pas à l'action, votre esprit en vient à la conclusion que vous ne voulez pas vraiment la réalisation de vos objectifs. Pour lui, ils ne sont que des *souhaits*, des rêves. La Puissance qui demeure en vous attire alors des situations et des circonstances similaires à celles que vous avez toujours vécues par le passé. Ce n'est que lorsque vous choisissez de fonctionner différemment que vous imprimez vraiment dans votre subconscient le message disant que vous êtes sérieux.

La Puissance présente en notre subconscient est parfois qualifiée de *Père*. Cela n'est pas sans analogie avec notre Père céleste mais aussi avec notre père terrestre. C'est ainsi qu'un enfant dit à son père : « Papa, je veux une bicyclette. » Et son père répond : « D'accord, tu tiens ta chambre en ordre, tu fais ce que tu dois faire à la maison, et dans trois mois je te donne une bicyclette. » Imaginons maintenant que l'enfant ne respecte pas les conditions imposées par son père et qu'il n'obtienne pas, à l'expiration des trois mois, sa bicyclette. Il se plaindra peut-être, criera, grognera, gémira, mais son père lui dira tout simplement : « Désolé, fiston, je t'ai donné du travail à faire et tu ne l'as pas fait, alors tu n'auras pas ce que tu veux. » Il en va de même pour nous ; nous devons faire notre travail.

Ne vous attendez pas à ce que ce processus de transformation soit facile ; il ne l'est pas. Vous reprendrez souvent vos modèles de conduite familiers et vous vous surprendrez à dire des choses comme : « M'y voilà encore, voilà que je recommence. » (Et vous vous laisserez aller à dire des choses bien plus cinglantes encore !) Ne tombez pas dans ce piège tout à fait négatif qui consiste à se sentir coupable et à se mettre en colère contre soi-même lorsque l'on retombe dans ses vieilles habitudes. Félicitez-vous plutôt d'avoir l'esprit éveillé et de pouvoir ainsi vous observez vous-même. Pensez-y, vous auriez pu reprendre vos vieilles habitudes sans même vous en rendre compte. Vous ne pouvez changer que si vous êtes éveillé et en mesure de prendre conscience de vos actes. Soyez content de vous : vous avez pris bonne note de la situation. Dites-vous qu'il est heureux que vous puissiez discerner vos actions ; dites-vous que vous agirez différemment la prochaine fois. Tenez-vous pour dit que chaque fois que vous préférez, en pensée ou en action, votre nouvelle habitude à l'ancienne, la première se grave plus profondément dans les cellules de votre cerveau. C'est de cette façon que votre nouvelle habitude deviendra toute naturelle avec le temps.

Conscient et subconscient

Considérons maintenant la reprogrammation sous un autre angle. Les psychologues nous disent que l'esprit peut être divisé en deux parties : le conscient et le subconscient. Les psychologues emploient bien d'autres termes aussi. Mais pour simplifier les choses, nous n'utiliserons pas ces termes techniques. La partie consciente de notre esprit est celle qui pense, raisonne, choisit et décide.

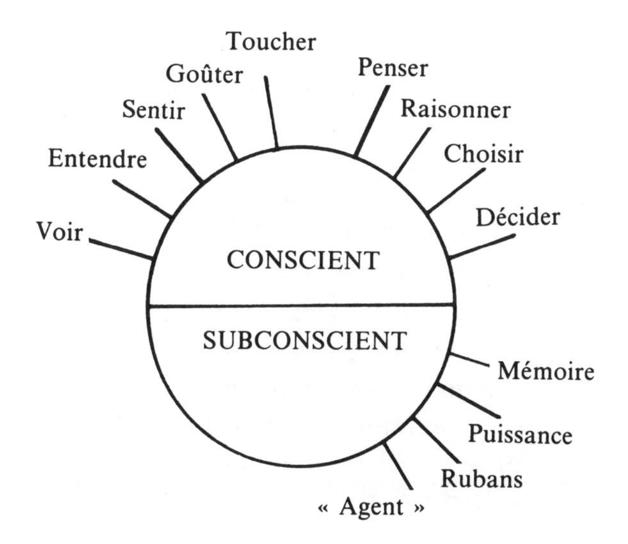

Elle reçoit les impressions de nos cinq sens. Le subconscient lui, est la partie de notre esprit où s'inscrit toute la mémoire. C'est aussi dans le subconscient que la Puissance est libre de s'exprimer.

Le subconscient est « l'agent ». Par le mot « agent », nous signifions que c'est la partie de l'esprit qui applique les instructions données par le conscient.

Quelques exemples de « l'agent » en action

Je vous donne un exemple. Je décide de marcher, et je marche. Il n'y a pas lieu de crier au miracle, n'est-ce pas ? La seule chose qui soit vraiment spectaculaire, c'est qu'au niveau conscient je n'ai pas la moindre idée de la façon de m'y prendre pour marcher. Mon subconscient, lui, le sait, parce qu'il est programmé avec des rubans (les concepts), qui lui disent exactement quels muscles, quels nerfs et quels tendons doivent être mis en mouvement et de quelle façon.

Si j'étais infirme, je ne m'enverrais pas un message de marche, sachant bien que je serais incapable d'agir, de marcher. Toutefois, il y a de cela quelques années, en Afrique, des serpents venimeux se glissèrent par la fenêtres d'un service hospitalier qui accueillait des patients complètement paralysés. À la vue des serpents, tous les paralytiques sautèrent, d'un bond, hors de leurs lits et se ruèrent dehors à distance respectueuse de ceux-ci. L'émoi passé, ils perdirent à nouveau l'usage de leurs membres.

Qu'en pensez-vous ? Estimez-vous que ces personnes n'étaient pas vraiment paralysées ? Non, cela signifie qu'en temps normal elles l'étaient bel et bien, mais que, au fin fond de leur cerveau, dormait un concept qui avait souvenance de la marche. Leur réaction immédiate, lorsqu'elles virent les serpents venimeux, fut de se protéger et la seule solution qui s'offrait à elles était de fuir le danger. Sans y réfléchir, elles furent capables de se déplacer.

Lorsque j'étais professeure de thérapie conceptuelle, l'un de mes étudiants me confia que, lorsqu'il était au Viêt-Nam, il fut envoyé en mission avec deux autres soldats dans une jeep. Or, ils ne tardèrent pas à découvrir qu'ils avaient franchi la ligne de feu de l'ennemi. Et voilà que leur jeep s'embourbe, impossible de faire demi-tour. Les trois soldats sautent de la jeep, la soulèvent, la tournent dans la bonne direction. Ils regagnent leur base. De retour, ils racontent à leurs camarades qu'ils ont soulevé la jeep pour lui faire faire demi-tour. Personne ne les croit, bien sûr. On demande aux soldats de répéter leur exploit, ils sont incapables de faire bouger la jeep. Trouvons-nous ici l'exemple d'une force surhumaine ? Oui, si vous voulez l'appeler ainsi. C'est un exemple de la Puissance du subconscient lorsque le conscient n'est pas occupé à penser activement.

Dans ces deux histoires, le conscient avait choisi ou décidé de vivre et le subconscient avait le mandat de voir à ce que cet objectif soit atteint ; et il en avait trouvé le moyen. Si ces individus avaient craint, s'ils s'étaient dit : « Non, tout est perdu ; impossible de fuir », aucun d'entre eux ne serait aujourd'hui vivant.

Nous ne tentons pas, du moins la plupart d'entre nous, de réaliser quoi que ce soit d'aussi spectaculaire. Nous voulons peut-être perdre quelques kilos, cesser de fumer, mieux réussir dans les affaires ou encore, mieux communiquer avec notre conjoint, notre belle-famille ou nos collègues. Voilà autant d'objectifs très plausibles, très crédibles et susceptibles d'être réalisés. Il vous faut donc les imprimer dans votre subconscient tant et si bien que celui-ci en vienne à croire que vous êtes capable de les atteindre. Lorsqu'il en sera vraiment convaincu, aucune force au monde ne pourra lui résister.

C'est à force de répétitions, de concentration et d'action que vous réussirez à imprimer quelque chose dans votre subconscient. La répétition consiste à répéter et à visualiser votre objectif ; et à répéter et répéter vos pensées ou messages positifs. La concentration, c'est fixer son attention (concentration d'énergie) sur votre objectif et penser aux divers éléments qui sont nécessaires à sa réalisation dans votre existence. Cette répétition et cette concentration peuvent être acquises grâce à la lecture de livres inspirés par la pensée positive et écrits dans le but de vous motiver ; elles peuvent aussi être obtenues par l'écoute de cassettes du même type. Lisez et écoutez, relisez et réécoutez, etc. L'étude par l'oreille (les cassettes) est devenue très populaire, et elle est tout à fait justifiée. Bien des gens font quelque chose comme 16 000 kilomètres par an. Ce temps passé en voiture peut être employé au développement personnel, à l'apprentissage de choses nouvelles, à la reprogrammation. La cassette est un merveilleux instrument de reprogrammation. Vous pouvez l'écouter tout en vous livrant à des activités qui font appel à des automatismes, comme la cuisine, la toilette, l'habillage, le ménage, les petits travaux de réparation, etc.

L'esprit est comme une radio

Votre esprit est un instrument d'une extrême complexité. Son fonctionnement peut se comparer à celui d'une radio. En effet, il reçoit et transmet de l'information, mais ne peut se livrer qu'à une seule opération à la fois. Lorsque vous écoutez quelque chose, vous recevez par le fait même de l'information ; or celle-ci peut être vraie ou fausse. C'est pourquoi vous devez choisir avec soin tout ce que vous écoutez. Car il y a des moments dans la journée où votre esprit est relativement oisif et il peut être réceptif à des pensées de toute nature. Faites également attention aux conversations que vous avez parfois avec des gens négatifs. Comme votre esprit ressemble à une radio, il vous est possible, si vous le voulez, de le « fermer » et d'en bloquer l'accès à toute pensée ou information négative en provenance de sources extérieures. Si, par exemple, vous songez à augmenter votre revenu et que les gens que vous fréquentez ne cessent de dire que les temps sont durs, il va vous falloir rejeter leurs informations. Si cela vous est difficile, il vous faudra peut-être vous trouver de nouveaux amis. Il est vrai que tout s'inscrit dans les cellules de votre cerveau, mais ce n'est pas une raison suffisante pour permettre à toute pensée de s'intégrer à vos concepts. Vous pouvez protéger ce bien précieux, votre esprit, en ne vous laissant influencer que par des choses positives, constructives, utiles. Vous avez troujours la possibilité de vous adresser des messages positifs même lorsque quelqu'un essaie de vous en transmettre d'autres qui sont négatifs. L'ampleur de votre réussite ou de votre échec dépend uniquement de la façon dont vous vous programmez.

Comme dans le cas des ondes radio, toute impression faite sur les cellules de votre cerveau peut se mesurer de deux points de vue : celui de la fréquence et celui de l'amplitude. La fréquence rend compte du nombre de vibrations émises. Ce nombre est toujours le même. Chaque impression faite sur votre cerveau a sa propre et unique fréquence. Il y a, par exemple, les impressions qui concernent le repas que vous avez fait la semaine dernière chez des amis. Se sont inscrites alors les perceptions visuelles, les sons, les odeurs, les couleurs, les gens, etc., et chacun de ces éléments possède une fréquence particulière qui a été enregistrée définitivement. Ceci peut être comparé aux ondes radio : chaque station possède sa propre fréquence. C'est ainsi que CIEL émet toujours sur la même fréquence, il en est de même de CBF ; mais la fréquence de CIEL n'est pas la même que celle de CBF.

L'autre point de vue est celui de l'amplitude : la *force* ou encore le volume de la vibration. Lorsque vous écoutez votre radio et que vous haussez le volume, vous en augmentez l'amplitude.

Il en va de même du cerveau. Lorsqu'une impression vous plaît, quelle soit produite par vos propres pensées ou par des stimuli extérieurs, augmentez-en l'amplitude. Donnez-lui force et voix. Vous pouvez y arriver en vous concentrant et en fixant toute votre attention sur elle. Les seules vibrations qui affectent votre existence sont celles dont l'amplitude est élevée, tout comme les seules vibrations de la radio qui vous influencent sont celles dont l'amplitude est suffisamment élevée pour que vous les entendiez.

Lorsque vous écoutez votre radio, il vous est toujours possible de la fermer. Ce ne serait pas très brillant, n'est-ce pas, de conduire en écoutant une émission qui vous perturbe ? Il arrive cependant que des personnes écoutent de la musique qu'elles n'aiment pas et elles restent assises à se répéter qu'elles détestent cette musique. Il ne semble pas leur venir à l'esprit que la seule chose qu'elles aient à faire est de changer de station. C'est la même chose pour votre esprit. Si vous n'aimez pas l'air qu'il joue présentement, changez de station. Vous en avez le moyen.

Apprendre et réapprendre

Il y a de cela plusieurs années, j'ai été vivement impressionnée par une théorie du docteur Maxie C. Maultsby. Celle-ci couvre les quatre étapes de tout apprentissage et les cinq étapes de tout réapprentissage. Son ouvrage, *Help Yourself To Happiness*, la décrit en détail et présente également d'excellentes techniques permettant de vous servir de votre esprit d'une façon constructive.

Les quatre étapes de l'apprentissage permettent d'acquérir un nouveau comportement et d'adopter de nouvelles habitudes. La création de nouvelles habitudes et la transformation d'un concept, c'est la même chose. Les quatre étapes de l'apprentissage sont :

1) La boussole de l'intelligence sur la carte de l'esprit : apprendre quoi faire et comment.
2) Passer à la pratique et se corriger ; cent fois se corriger.
3) La boussole des émotions : l'imagerie mentale ou la visualisation.
4) Combiner la pratique et la visualisation.

Les cinq étapes du réapprentissage sont exactement les mêmes, sauf qu'il y a une étape supplémentaire qui s'appelle « la dissonance cognitive ». La dissonance cognitive se produit lorsque vous vous sentez mal à l'aise dans votre nouveau comportement, même si vous savez que celui-ci est juste. Vous vous sentez mal à l'aise parce que l'élément « sentiment » de votre cerveau prend le pas sur l'élément intellectuel. Vous savez que c'est juste, mais vous sentez que ce n'est pas ce qu'il vous faut. Cette étape précède l'étape numéro 3 de l'apprentissage. Les cinq étapes du réapprentissage sont :

1) La boussole de l'intelligence sur la carte de l'esprit : apprendre quoi faire et comment.
2) Passer à la pratique et se corriger ; cent fois se corriger.
3) La dissonance cognitive : on se sent mal à l'aise en faisant ce qu'il est juste de faire (c'est l'étape supplémentaire).
4) La boussole des émotions : l'imagerie mentale ou la visualisation.
5) Combiner la pratique et la visualisation.

Lorsque vous comprendrez bien ce que sont les étapes du réapprentissage et que vous saurez par quels moments vous devez passer, il vous sera plus facile de traverser cette période délicate de la reprogrammation où votre changement d'habitudes vous met mal à l'aise. C'est à cause de la dissonance cognitive que la plupart des gens renoncent, en cours de route, à la modification de leurs habitudes ou à la réalisation de leurs objectifs. En sachant que cette situation est normale, qu'elle fait partie intégrante du processus de reprogrammation, vous allez persévérer.

On me demande souvent quel est le temps requis pour modifier un concept. Voici ma réponse : « Depuis combien de temps entretenez-vous l'ancien concept et puis, quel est le sérieux de l'effort que vous êtes prêt à fournir pour le modifier ? » À l'époque où je donnais des cours de thérapie conceptuelle, j'ai vu des choses changer immédiatement tandis que d'autres ont pris des mois et d'autres encore, des années. Je suis encore moi-même aux prises avec certains vieux concepts que j'ai, pour ainsi dire, depuis toujours. La modification des concepts est une forme de « création ». Et dans l'univers physique, il faut un certain temps pour créer quoi que ce soit.

Il faut neuf mois pour créer un bébé, du moins chez l'homme. Il faut bien toute une année pour construire une belle maison. Un pays a parfois besoin de plusieurs générations pour établir la stabilité de son économie. Ne vous inquiétez donc pas du temps que ça peut prendre. De fait, vous n'aimeriez pas que le changement se produise immédiatement. Combien de fois n'avez-vous pas dit des choses comme : « J'aimerais mieux mourir » ? Imaginez un seul instant que la Puissance vous ait alors pris au mot et que cela se soit produit immédiatement ! Faites seulement ce que vous devez faire et, dans la plupart des cas, vous verrez que les résultats se produisent bien plus rapidement que vous ne l'aviez d'abord prévu.

La reprogrammation : quelques conseils

1) Fouettez vos énergies. Il vous sera trop difficile de faire de nouvelles choses et de penser d'une autre façon si vous êtes fatigué. Vous préférerez plutôt retourner au confort que vous procurent vos anciennes habitudes.
2) Soyez conscient et éveillé, surtout lorsqu'il s'agit de vos réactions automatiques. Stoppez-les avant qu'elles ne vous stoppent.
3) N'oubliez pas que les autres aussi sont programmés. Ne vous attendez donc pas à ce qu'ils réagissent différemment de leur programmation. Ils n'y peuvent rien. Ils ne sont pas en mesure de s'aider eux-mêmes.
4) N'essayez jamais de raisonner avec une personne déraisonnable. Vous n'arriverez à rien. Vous risquez de vous épuiser et de perdre votre foi.

5) Gardez vos distances avec « l'esprit de masse ». Si vous êtes très sensible aux influences provenant de l'extérieur, vous devriez peut-être éviter de lire bien des journaux et des revues, parce que ceux-ci sont généralement très négatifs.
6) Choisissez avec soin vos amis et votre milieu de vie.
7) Adonnez-vous à des activités créatrices. Lorsque vous le faites, vous vous mettez sur la longueur d'onde positive de l'univers et vous êtes à l'écoute de la Puissance qui demeure en vous.
8) Ne dispersez pas votre énergie en essayant de changer trop de choses à la fois. Vos vibrations et votre pouvoir d'attraction s'affaibliront. Vous n'obtiendrez pas les résultats que vous attendez et vous perdrez courage.
9) Apprenez à vous adapter. Retenez bien que certaines choses peuvent être changées ; que d'autres peuvent être éliminées ; que d'autres, enfin, sont immuables. Il vous faudra apprendre à vivre avec ces dernières (ce qui changera, c'est votre attitude).
10) Faites toujours parfaitement que possible ce qui doit être fait, quoi que vous en pensiez. Ouvrez l'oeil sur vos impulsions et vos inclinations parce que celles-ci sont prêtes à entrer en action lorsque vous ne voulez pas faire ce que vous devez faire. Sinon votre esprit va vous jouer des tours et faire en sorte que l'ancienne programmation revienne à la surface.
11) Réglez-vous sur la fréquence positive en rayonnant de joie, d'amour et d'enthousiasme. Lorsque vous adoptez cette longueur d'onde, vous attirez des choses positives dans votre vie.

12) Vivez une vie réglée et ordonnée, mais flexible. Car l'univers, qui est ordre et loi, demeure en constante évolution.
13) N'oubliez pas que, tout en changeant, vous créez de nouveaux concepts. Et ces nouveaux concepts se refléteront tôt ou tard dans votre existence.

Vous travaillez avec de l'énergie magnétique et l'énergie magnétique obéit à la loi de l'aimant. Nous sommes tous des aimants et ce que nous émettons dans l'univers nous revient. Si vous émettez de l'amour, de la paix, du bonheur et de la réussite, vous en recevrez bien davantage. N'émettez aucun sentiment de colère, d'hostilité, de haine, de peur, de frustration et de jalousie. Car nous recevons toujours dans la vie ce qui est en harmonie avec nos concepts et les vibrations que nous émettons dans l'univers. Rappelez-vous bien que les vibrations négatives empêchent l'afflux du bien dans votre vie. Ma fille aînée, Karyn, a écrit ce poème à l'âge de dix ans : « Toujours l'amour, jamais la haine ; ensuite Dieu peut communiquer. » On voit que la vérité sort de la bouche des enfants !

J'aimerais terminer par ce petit message que nous livre la Bible : « Demande et tu recevras. » L'objet du présent chapitre est de vous indiquer *la façon* de demander. Des millions de gens ont recours à des prières négatives comme : « Doux Seigneur, je sais bien que j'en suis indigne mais... » et ils formulent ensuite ce qu'ils désirent. Ces individus ne semblent pas se rendre compte qu'ils annulent leur demande en proférant ce « j'en suis indigne ». Ils croient plutôt que Dieu ne veut pas qu'ils connaissent la santé, le bonheur et la prospérité.

L'univers est rempli de forces opposées : les négatives et les positives, le mal et le bien, l'échec et le succès, la peur et la foi, la haine et l'amour. Choisissez ce que *vous* voulez, car c'est à vous de demander du moment que vous savez utiliser les ressources de votre subconscient.

10

Apprenez à vous servir de votre imagination

La technique de la création d'images a fait l'objet d'une description dans le chapitre précédent, qui traitait de l'esprit. Mais cette technique est si importante (en ce sens qu'elle peut transformer votre vie) qu'elle mérite qu'un chapitre entier lui soit consacré.

La création d'images, qu'on peut aussi appeler imagerie mentale ou visualisation créatrice, consiste à se représenter en imagination, des situations ou des événements qu'il nous plairait de connaître. Nous avons tous la faculté d'imaginer. Nous avons tous joué, enfants, à faire comme si... Ceci dit, ce n'est pas tout le monde qui pense naturellement par images, et ce sont ceux qui ont cette faculté qui ont le moins de difficulté à utiliser la technique de l'imaginerie mentale. Quant aux autres, ils tirent aussi des avantages de cette technique, mais l'utilisent d'une façon différente de celle dont l'utilisent les penseurs par images.

Les personnes qui pensent par images sont souvent plus émotives, plus impressionables et plus sensibles que les autres. Pour comprendre comment il peut en être ainsi, il nous suffit d'examiner quels effets ont sur nous les mauvaises nouvelles apprises par le biais de la radio et de la télévision. Lorsque, par exemple, la radio nous apprend que 84 personnes sont mortes dans un accident d'avion au Minnesota, nous sommes touchés, mais pas autant que nous le sommes lorsque la télévision nous fait voir en direct et en couleurs, les flammes, les ambulances, les civières, le chaos, les cadavres et les corps sanglants.

Les gens qui pensent par images recréent dans leur esprit des scènes et réagissent très fortement à ces scènes. Ceci s'avère très positif lorsque les scènes recréées sont belles, intéressantes et constructives, mais très négatif et dommageable lorsque les scènes sont déplaisantes. Bref les personnes qui ne pensent pas par images ont moins tendance à recréer à longueur de journée des scènes qui peuvent être destructrices.

Vos images mentales interfèrent-elles avec votre vie et votre succès? Vous empêchent-elles d'obtenir un nouvel emploi ou une augmentation bien méritée ? Vous empêchent-elles d'avoir une conversation sérieuse qui pour une fois ne tourne pas en dispute ? Vous amènent-elles à souffrir d'une maladie plutôt qu'à en guérir ? À prendre des kilos et à ne pouvoir les perdre, quelle que soit la méthode utilisée ? Bref, ont-elles pour effet de vous détruire plutôt que de vous aider à évoluer ?

La capacité de penser en images ne constitue un atout que dans la mesure où vous créez le positif dans votre vie. Si vous pensez automatiquement par images et que vous soyiez porté à être négatif, vous multipliez les effets du négatif par ce mauvais usage de votre imagination. Vous connaîtrez bien plus de succès dans les différents domaines de votre vie si vous prenez la résolution de ne créer que des images positives, constructives, utiles.

Les raisons de l'efficacité de l'imagerie mentale

Le docteur Carl Simonton du Texas est spécialiste en oncologie, et sa femme Stéphanie Matthew-Simonton est psychothérapeute. Ensemble, ils découvrirent que certaines personnes atteintes de cancer voyaient leur état s'améliorer nettement, quelle que soit la thérapeutique employée, si elles consacraient du temps tous les jours à visualiser l'action de leur système immunitaire sur leurs cellules cancéreuses et la destruction de ces dernières. Les Simonton, en outre, développèrent une méthode qui a pour but d'aider leurs patients à prendre conscience des attitudes et des idées ayant contribué à l'existence de leur maladie. La méthode des Simonton est enseignée à l'échelle nationale aux spécialistes de la santé, et bien des cancéreux se rendent au Cancer Counseling Research Center, à Fort Worth, au Texas, et s'y font traiter par les Simonton.

La dernière thérapeutique employée contre l'obésité consiste en un enregistrement sur cassette pour les personnes obèses. Visant à la relaxation, ces cassettes parlent de l'image que les obèses se font d'eux-mêmes, et leur suggèrent qu'ils sont capables de perdre du poids et de ne plus éprouver d'appétit pour certains aliments. Il est recommandé aux patients de visualiser les images mentales que le message tente de susciter dans leur esprit, alors même qu'ils sont occupés à l'écouter.

Les chercheurs estiment que l'hypothalamus, glande située dans notre cerveau, enregistre les images que nous créons et envoie à notre corps des messages qui sont en conformité avec celles-ci. Autrement dit, si votre hypothalamus reçoit des images de maladie, il donne à votre corps l'instruction de sécréter les substances chimiques, les hormones, etc. qui sont en harmonie avec les corpsimages et les corps-hormones qui perturberont l'équilibre chimique du corps.

Il n'existe aucune explication scientifique qui prouve pourquoi et comment les images que nous créons influencent les situations, les événements et les directions de notre vie. Ceci est dû au fait que, lorsque nous visualisons, nous ne recourons pas seulement aux organes physiques de notre cerveau et de notre corps, mais que nous puisons également à la source de la Sagesse de l'univers, à la Puissance qui demeure dans notre subconscient, ce qui excède les limites de la logique.

Il existe des milliers d'excellents guides du mieux-vivre qui vont des ouvrages de motivation écrits à l'intention des vendeurs et employés des services de marketing des entreprises aux ouvrages ésotériques consacrés à la Puissance divine qui se trouve en nous. Tous ces livres qui diffèrent légèrement les uns des autres (par leur point de vue, leur objet, leur style) véhiculent un même message ou une même vérité qui se veut la suivante : « Ce que vous pouvez concevoir et croire, vous pouvez l'accomplir. » J'ai lu cette phrase pour la première fois dans le classique de Napoléon Hill : *Réfléchissez et devenez riche*. Je la modifierais un peu : « Ce que vous pouvez concevoir, croire et *êtes prêt à rechercher par vos efforts*, cela vous l'accomplirez. » Grâce à la visualisation, vous concevez votre but et vous l'imprimez sur votre subconscient. Et à force de répétition et de persévérance, vous créez une conviction là où il n'en était aucune auparavant.

Si vous manquez de confiance en vous et que l'idée de conceptualiser et de visualiser est toute nouvelle pour vous, il vous paraîtra peut-être difficile, même si vous le désirez vraiment, de croire que vous pouvez posséder une affaire bien à vous, qui soit prospère. Or, en refusant de croire en vos possibilités et en persévérant dans cette voie, vous modelez une image jour après jour dans votre esprit, et ne pouvez vous en débarrasser par la suite. Tout ce dont vous vous entourez assez longtemps, vous finissez par le croire.

Si, par exemple, vous deviez fréquenter de gros buveurs, des fumeurs invétérés, des narcomanes, vous ne tarderiez pas à vous laisser happer par leur style de vie. Et cela tient au fait que les habitudes sont contagieuses. Rares et très forts sont les êtres qui résistent à ce qui les sollicite constamment. Il faut beaucoup d'énergie et d'effort pour aller à contre-courant.

Il en va de même pour l'imagerie. Dans la mesure où vous ne rejetterez pas systématiquement les images que vous créerez, celles-ci finiront par vous paraître crédibles, sans même que vous ayez à faire d'effort en ce sens. Et lorsque les images vous seront devenues crédibles, vous serez automatiquement porté à adopter une ligne de conduite qui les rendra manifestes dans votre existence.

Les divers emplois de l'imagerie mentale

C'est en étudiant la thérapie conceptuelle que je découvris l'existence de la technique de l'imagerie mentale. Ceci dit, je me suis toujours servi de cette technique pour réaliser mes objectifs. Quand j'étais chanteuse par exemple, je fermais les yeux et me voyais sur la scène en train d'étourdir les foules. En imagination, je chantais sans effort (rythme, ton et tout) et j'étais impeccable. Et quoique dans la pratique, mes résultats réels aient rarement été aussi extraordinaires que mes résultats imaginaires, il est arrivé qu'on me préfère aux meilleures chanteuses ! J'ai appris à mes enfants la technique qui consiste à se représenter en esprit les choses qu'ils désirent obtenir ; résultat : ils ont acquis des choses qui me paraissaient impensables. Mes enfants, par exemple, ont eu de ravissants bijoux en or avant même que j'en aie. À la maison, nous avons trois chats que mon mari et moi n'avons jamais désirés (mais maintenant nous les adorons !).

L'imagerie, bien sûr, n'est pas la seule technique qui nous permette d'obtenir ce que nous désirons. Ceci dit, elle produit de grands effets. Votre imagination est une source d'énergie spirituelle : l'énergie la plus puissante de l'univers. L'imagerie est aussi à l'origine de nos réactions émotionnelles ; or, nos sentiments créent un champ magnétique très puissant qui attire à nous les éléments dont nous avons besoin pour réaliser l'image que nous avons conçue en esprit.

Lorsque nous concentrons notre attention sur quelque chose, nous provoquons en nous des réactions intérieures qui ne sont pas seulement émotionnelles et intellectuelles. Des changements physiques se produisent dans notre système nerveux, qui réagit à ces stimuli imaginaires. Pensez à votre réaction devant un film réaliste. Votre système nerveux est mis à dure épreuve lorsque vous regardez un film émouvant, dramatique.

La recherche de la détente dans un livre ou un film d'horreur entraîne des réactions physiques identiques à celles qui se produieraient en vous si vous assistiez en personne aux événements qu'ils racontent (de là l'importance des exercices de relâchement dont il a été question dans le chapitre sur le stress).

La technique de l'imaginerie est à certains égards semblable à l'hypnose. Une personne hypnotisée n'est pas endormie. Elle est, de fait, tout à fait éveillée, et son énergie est complètement ramassée, mais centrée sur *un seul stimulus*, sur une seule suggestion, à l'exclusion de toute autre chose. Donc, une personne en état d'hypnose voit toute son énergie se concentrer sur un domaine et agir comme un aimant : c'est cette énergie qui attire les gens, les situations et les circonstances qui sont l'incarnation de l'image sur laquelle nous nous concentrons.

Pour réussir votre imagerie mentale, votre visualisation créatrice, commencez par vous détendre. La pièce où vous êtes ne devrait être ni trop chaude ni trop froide et vous devriez être assis ou allongé à votre aise. Chaise, fauteuil, tapis ou lit, à votre goût. Si vous avez tendance à vous endormir facilement, évitez la position allongée. L'imagerie mentale devrait, le plus souvent, être pratiquée pendant des périodes minima de dix à vingt minutes. Réservez-vous, autant que possible, un moment, le matin et le soir, pour créer votre image.

Si vous pratiquez régulièrement la méditation, vous pourrez incorporer vos visualisations à votre séance de méditation ou les effectuer en fin de séance. Lorsque vous aurez maîtrisé parfaitement la technique de l'imagerie, vous pourrez vous soustraire à vos tâches quotidiennes plusieurs fois par jour pendant de brefs moments et faire apparaître votre image dans votre esprit. Plus vous la reproduirez, mieux elle s'imprimera sur les cellules de votre cerveau.

La conscience sélective

On doit au docteur Peter Mukte une forme fascinante de psychothérapie qui s'appelle la thérapie de la conscience sélective. J'y ai été initiée excellemment par Jill Raiguel, une psychothérapeute établie à New York. Si l'on s'en fie à la philosophie de la conscience sélective, il est possible de faire monter à la conscience des concepts et des idées qui, du subconscient, nous motivent peut-être à adopter dans notre existence des styles de conduite auto-destructeurs. L'imagerie sert aussi à modeler, à façonner les événements et les circonstances de l'avenir et à les imaginer tels que nous voulons qu'ils soient exactement.

En cours de pratique de la conscience sélective, on commence toujours par se visualiser en un lieu de paix, un lieu spécial où l'on se sent bien. C'est le moniteur qui nous demande de visualiser un cadre : une plage, peut-être, ou un champ. L'état de conscience qui en résulte n'est pas celui d'une profonde méditation. C'est un léger état d'hypnose, puisque toute notre énergie se concentre sur une scène particulière. On remonte alors dans le temps, on recrée des scènes pour découvrir l'événement ou la raison particulière qui est à l'origine de nos difficultés présentes. Peut-être n'arrivons-nous pas à nous sortir d'une impasse ou peut-être sommes-nous apparemment incapables de goûter des liens d'affection. Peut-être sommes-nous sempiternellement aux prises avec les mêmes problèmes d'argent. Bien que la logique et la raison soient bien en peine d'expliquer pourquoi des réponses nous parviennent lorsque nous sommes en état de conscience sélective, nous obtenons bel et bien une réponse.

En pratiquant la conscience sélective, je suis passée par une merveilleuse prise de conscience et suis arrivée à comprendre pourquoi j'avais été programmée « à ne pas tout à fait réussir » pendant des années. Au cours d'une séance, j'ai pris conscience qu'il y a bien des années, alors que j'étais une très jeune enfant, je me suis créé une croyance capitale : « Je ne peux pas être plus heureuse que les personnes que j'aime. » Cela me rendait la vie impossible, car plus j'aimais de gens, plus il m'était difficile d'être heureuse. La réussite a toujours été pour moi une composante essentielle du bonheur. Lorsque j'ai pris conscience de cette décision prise dans mon enfance, ce fut comme si j'avais arraché les barreaux d'une vieille prison.

L'imagerie mentale peut aussi nous aider à « décrocher ». Ce qui est très important, c'est que, juste après que j'aie découvert l'événement qui m'avait fait adopter mon malheureux système de pensée, je me suis créé une image de ma réussite. Le docteur Peter Mukte appelle ce phénomène « la pratique imagière » : il nous faut pratiquer en esprit pour attirer les nouveaux événements que nous voulons voir se produire dans notre vie.

Mode d'emploi

Je peux garantir à ceux et à celles qui ne pensent pas automatiquement en images que l'imagerie peut leur être utile. Elle leur aidera à imaginer la « sensation » de ce qu'ils créent. La sensation sera meilleure si la personne répète à voix basse, les mots correspondant à ce qu'elle doit voir à ce moment précis. L'image produite sera peut-être floue ou presque inexistante, mais cela n'est rien. Même les penseurs par images ne perçoivent pas toutes leurs images comme si elles étaient matériellement devant eux. Vous prendrez peut-être conscience, en outre, d'une réaction kinesthésique (de sensations physiques).

Les visualisations les plus puissantes se produisent lorsque l'image mentale, la verbalisation intérieure et les sensations corporelles sont toutes présentes. Souvent, vous vous apercevrez qu'en imaginant, vous employez ces trois modes, mais que l'un d'eux prédomine sur les deux autres. Ce peut être l'image, le discours intérieur ou les sensations corporelles. Quelle que soit la façon dont vous avez visualisé, tout est bien, mais au bout du compte ce que vous voulez créer, c'est une réaction émotionnelle. Cette réaction souhaitée, c'est le sentiment de la joie, du soulagement, de la vie, de l'énergie, de la réussite et ce, quelle que soit la (ou les) sensation appropriée à la représentation mentale que vous créez. La sensation devient si puissante qu'elle sert à magnétiser votre milieu de vie et, littéralement, qu'elle attire à vous tout ce qu'exige l'incarnation de cette image.

Si vous avez recours à l'imagerie mentale pour maîtriser une situation que vous craignez, demandez-vous ceci : « Quelle serait ma sensation si cette situation était exactement conforme à ce que je veux qu'elle soit ? Resentirais-je du soulagement ? De la satisfaction ? De la félicité ? *Cherchez ! Demandez !* Votre moi intime est étonnamment sensible à vos requêtes lorsque votre esprit est dans les dispositions appropriées. Si vous conduisiez une belle voiture, si vous viviez dans un manoir luxueux, si vous portiez des vêtements de haute couture, quelles seraient vos sensations ? Créez la sensation car ceci est à votre portée. Nous avons tous fait des songes les yeux ouverts et nous y sommes attardés, ravis. Et puis, bien sûr, nous sommes revenus sur terre parce que nous « savions » que le rêve n'était pas la réalité. Ce qui était assurément vrai, car nous n'avions rien fait pour le rendre réel, nous n'avions jamais formé de projets, jamais agi pour les manifester dans le réel, parce que, dès le départ, nous n'y croyions pas.

Le docteur Maxwell Maltz, dans son excellent ouvrage *La psycho-cybernétique*, décrit l'expérience de trois équipes de ballon-panier avant le début de leurs parties. Une équipe pratiqua physiquement, la deuxième pratiqua en imagination seulement, et la troisième se visualisa en train de jouer et pratiqua aussi physiquement. L'équipe qui, lors des parties, marqua le plus de points fut celle qui avait uniquement visualisé. Le score le plus faible fut celui de l'équipe qui avait pratiqué physiquement sans plus. Le score de l'équipe qui avait pratiqué physiquement et visualisé fut sensiblement le même que celui de l'équipe qui n'avait pratiqué que la visualisation, mais ne fut toutefois pas aussi élevé.

L'explication du phénomène est intéressante. Il semblerait que du moment que vous maîtrisez un art ou une technique et que votre système nerveux sait exactement ce qu'il doit faire, l'imagerie précédant à l'action physique est extrêmement efficace en raison du fait que vous vous imaginez en train de tout faire parfaitement. Vous n'imprimez sur les cellules de votre cerveau aucune erreur, et plus vous enregistrez de réussites, plus vous avez de chances de les accomplir dans le réel.

Prenons, pour pousser plus loin notre explication, l'exemple d'une musicienne. Cette musicienne connaît parfaitement sa musique. Elle a pratiqué, puis poli chaque note, chaque soupir, chaque mouvement de ses doigts. Elle a répété, pratiqué la visualisation et maintenant, à quelques minutes du concert, elle l'imagine dans son entier et se voit jouer en maître.

Plus son cerveau recevra l'impression d'un concert parfait, réel ou imaginaire, plus grande sera la possibilité que sa programmation aboutisse à sa réussite. Et elle continuera d'améliorer son art. Ce principe vaut pour tout, pour tous et pour toutes.

Ne substituez pas l'imagerie à « l'action ». Vous ne devez imaginer un événement qu'*après* seulement que vous savez précisément quoi faire et comment faire, qu'après que vous êtes certain d'avoir suffisamment pratiqué et d'avoir ainsi maîtrisé votre art. Bref, ce n'est que lorsque vous vous êtes déjà programmé avec un « savoir-faire » donné que vous pouvez compter sur l'imagerie pour vous aider à vous perfectionner.

Comme nous l'avons déjà dit, l'imagerie a sa source dans l'énergie spirituelle, la plus puissante de toutes les énergies. Ceci dit, il faut que vous puisiez aux trois sources de l'énergie pour créer, reformer et atteindre vos buts. Exploitez votre énergie mentale et physique en pensant à votre but et en faisant le nécessaire pour l'atteindre. Des études fascinantes ont prouvé que les gens qui, pour se soigner, avaient recours à l'imagerie mentale de pair avec leur traitement médical se remettaient sur pied beaucoup plus rapidement que les gens qui n'imaginaient pas.

Visualisez vos objectifs

Lorsque vous vous adonnez à la visualisation, pendant dix ou vingt minutes, imaginez que votre objectif est en train de se manifester dans *tous* ses détails. Voulez-vous une nouvelle maison ? Voyez donc par la pensée ses dimensions, son architecture, son cadre naturel, les matériaux dont elle est faite. Voyez chaque pièce, les fenêtres de l'intérieur, les portes, la salle de bain, les couleurs, tout. Voyez en esprit cette maison comme vous souhaitez la voir dans le réel.

Utilisez l'imagerie mentale pour vous recréer : sûr de vous, soigné, influent. Voyez votre fière allure, vos vêtements, l'appréciation des autres. Observez votre démarche, écoutez-vous parler ; représentez-vous comme une personne qui réussit. Voyez tout ce que vous feriez si vous aviez déjà atteint votre but.

Devez-vous rencontrer un client très important ? Eh bien, créez la scène de cette rencontre. Représentez-vous visuellement l'accueil que vous réservera le client, la manière dont vous serez habillé, le sourire qui éclairera votre visage, la poignée de mains, vos produits, là, sur la table, pendant que vous ferez votre présentation. Voyez alors l'accord du client, le bon accueil qu'il réserve à vos propos. Créez tout cela en imagination, exactement comme vous voulez que ça se passe.

Si vous désirez bien vous servir de votre imagination, vous devez mettre un terme aux pensées, images ou mots négatifs qui ont tendance à envahir votre esprit. La plupart des gens, même ceux qui sont optimistes et positifs, ont de temps en temps des idées et des sentiments d'échec ; parfois ils connaissent l'angoisse. Nous avons tous des peurs. Lorsqu'une idée, un sentiment ou une image négative traverse votre esprit, refusez carrément de l'accepter. Les étudiants en sciences spirituelles emploient fréquemment le verbe « annuler ». C'est le signal qui vous indique que vous devez chasser toute impression négative avant qu'elle ne vous influence. Les pensées, les images et les sentiments indésirables peuvent bien entrer dans votre courant de conscience, car vous n'êtes pas responsable de tout ce qui vient à traverser votre esprit. Vous êtes, par contre, responsable de ce que vous en faites et de ce que vous choisissez de suivre.

Servez-vous de votre imagination pour créer des expériences positives, joyeuses et réussies de convalescence spirituelle. Et servez-vous de votre imagination pour rejeter celles qui ne correspondent pas au monde que vous êtes en train de vous créer. Avec l'imagination, notez-le bien, il est possible de voir les choses comme on veut qu'elles soient ou, ce qui est plus important, comme elles seront. Nos objectifs sont à portée de nos mains du moment que nous nous servons de notre imagination!

11

Apprenez à vous créer de bonnes habitudes

Votre style de vie est la somme de toutes vos activités, qu'il s'agisse de vos loisirs, de la façon dont vous vous relaxez ou de vos habitudes personnelles et sociales. Nous allons parler dans ce chapitre des trois habitudes personnelles les plus courantes.

La cigarette

Si vous fumez, c'est sans doute que cela vous plaît. Vous n'ignorez certainement pas que l'habitude de la cigarette est nocive pour votre santé. Mais, de deux choses l'une : ou vous vous êtes dit : « Je ne risque rien » ou vous vous êtes dit : « Je préfère vivre quelques années de moins et être heureux à faire ce que j'aime. »

Croyez-vous vraiment à ce que vous dites ? Diverses études indiquent que le tabac est l'un des facteurs déterminants (pas le seul, bien sûr) des maladies du coeur, du cancer, de l'emphysème, de la bronchite, de l'asthme, etc. Une étude récente sur les causes de la mortalité, menée auprès de 100 000 assurés, a montré que les fumeurs de tous âges ont un taux de mortalité deux fois plus élevé que celui des non-fumeurs. Qu'on parle d'infection des voies respiratoires, de pneumonie, d'influenza ou de cancer de la gorge, les résultats restent les mêmes : le taux de mortalité chez les fumeurs est de quinze fois supérieur à celui des non-fumeurs. L'Institut national du cancer a établi que les non-fumeurs vivaient en moyenne 8,3 années de plus que les gros fumeurs.

Le tabac éprouve très durement les muqueuses si délicates de votre nez, de votre bouche, de votre gorge, de vos poumons et de vos bronches. Faut-il s'étonner que les fumeurs soient plus exposés que les autres aux maladies infectieuses et chroniques du système respiratoire ? La cigarette est un facteur déterminant des maladies cardio-vasculaires et ce, en raison du fait que le tabac épaissit le sang et contracte les vaisseaux sanguins. La nicotine produit la coagulation des plaquettes sanguines. Les plaquettes des gros fumeurs peuvent former un caillot dans une artère; si cette artère alimente un organe essentiel, le caillot peut provoquer une attaque ou une crise cardiaque.

Si tout ce qui précède ne réussit pas à vous convaincre d'arrêter de fumer, écoutez maintenant ce que j'ai à dire sur les poisons que renferme la cigarette. L'oxyde de carbone prive votre corps d'une part de cet oxygène nécessaire à la vie de vos cellules. Votre sang absorbe deux cents fois mieux l'oxyde de carbone qu'il n'absorbe l'oxygène, et alimente vos cellules en ce poison plutôt qu'en oxygène. Vous êtes à court de souffle, c'est là le résultat le plus évident. Mais ce qui est pire encore, c'est la dégénérescence qu'entraînent les nombreux poisons présents dans la cigarette.

Chaque cigarette détruit environ 25 mg de vitamine C. Cela tient à ce que cette vitamine détoxifie ou cherche à neutraliser les poisons qu'inhalent les fumeurs. La vitamine C est essentielle à votre santé. Selon le docteur E. Cheraskin, la vitamine C a un rôle à jouer dans le traitement et la prévention de toutes les maladies connues. L'apport en vitamine C réglementé par Washington est honteusement faible.

Si vous fumez, veillez à prendre beaucoup de vitamine C ainsi que la vitamine E qui assurera l'oxygénation de vos cellules (les cigarettes réduisent l'oxygène, rappelez-vous). Veillez aussi à prendre de la vitamine A qui restaurera les délicates muqueuses de vos poumons au fur et à mesure qu'elles seront abîmées par les cigarettes.

Vous êtes sans doute déjà au courant de tout ce qui précède. Alors, pourquoi persistez-vous à fumer ? Si l'on s'en fie à Smoke-Enders, une association semblable à celle des Alcooliques Anonymes, bien des gens voudraient cesser de fumer mais, étant intoxiqués, ne savent comment s'y prendre. Quant à ceux qui peuvent s'arrêter d'eux-mêmes, ils ne seraient pas d'authentiques drogués. Ceci dit, il existe des aliments qui peuvent vous aider à vous libérer de l'habitude de la cigarette. Certaines études, encore à confirmer, tendent à penser que lorsque l'organisme est alcalinisé, le désir de cigarettes est moindre. D'autres recherches semblent indiquer que les graines de tournesol sont très efficaces contre le tabagisme. Donc, que vous essayiez l'hypnose, les ersatz de tabac, le grignotage de vos ongles, celui de carottes et de céleri, ou encore que vous jouiez avec vos cheveux, peu importe mais de grâce faites *quelque chose*. Mieux encore, associez-vous à Smoke-Enders, qui rend service à bien des fumeurs.

Ceux et celles qui ne fument pas, mais qui vivent et travaillent avec des fumeurs et des fumeuses ont besoin, eux aussi, d'être protégés contre les substances toxiques de la cigarette qui remplissent l'air qu'ils respirent. Il est inacceptable que les gens qui ne fument pas aient à subir les malheureux effets des mauvaises habitudes des autres. La cigarette est plus qu'une mauvaise habitude puisqu'en effet, elle est fatale pour votre santé. Il ne semble pas y avoir de travaux menés sur les dangers du cigare et de la pipe. Certains tabacs à pipe d'importation ne sont apparemment pas toxiques. Si les fumeurs de cigares et de pipes n'inhalent pas, les risques sont réduits.

La marijuana

Les fumeurs de marijuana ont, pour la plupart, commencé à fumer par curiosité ou pour faire comme leurs amis. Tout le monde veut faire comme tout le monde. Vous aimez certainement la sensation de détente, de calme et de légère hallucination que procure la mari. Et en tant que consommateur, vous croyez sans doute que vous ne risquez rien à fumer un peu. Qui plus est, vous savez que vous n'allez jamais tomber dans les « vraies » drogues.

Peut-être est-il vrai que vous n'adopterez jamais d'autre drogue que la mari. Or, ce qu'il vous faut savoir, c'est qu'il est déjà grave de fumer de la mari. Selon des études récentes l'habitude de la mari serait une habitude sur toute la ligne. Avant 1978, on pensait, il est vrai, que la mari était moins dangereuse que l'alcool. Mais après 78, des études en provenance de quatorze pays parurent, qui mirent à jour les effets néfastes de la marijuana. Ces rapports concluaient que la marijuana est vraiment dangereuse pour la santé. Elle inflige des dommages irréparables au cerveau et aux gènes, ce qui veut dire que les fumeurs réguliers de marijuana réduisent leurs chances de concevoir et de produire des bébés sains et normaux.

Dans le numéro de novembre 1980 du *Reader's Digest*, il est dit que la marijuana s'infiltre dans les tissus et les liquides du corps et qu'elle peut endommager presque tous les organes, y compris le cerveau, le système de reproduction (ce qui est déjà suffisant), les poumons, le coeur et le système immunitaire.

Les fumeurs de mari ont fait valoir que celle-ci est sans danger aucun. Ils disent aussi qu'elle doit être bonne puisqu'elle sert à calmer les souffrances des mourants. La mari calme la douleur et bien évidemment, quand il s'agit de mourants, personne ne s'inquiète des effets à long terme.

La marijuana contient des irritants très graves comme l'oxyde de carbone, l'ammoniaque, le benzène et l'acétone, qui sont tous cancérigènes. Deux substances cancérigènes présentes dans la fumée de cigarette, sont aussi présentes dans la fumée de marijuana, mais à des taux de 50 à 75 % plus élevés. Lorsque des chercheurs enduisirent d'un concentré de fumée de tabac, puis d'un concentré de fumée de marijuana le dos de souris, il en résulta dans les deux cas, des tumeurs cancéreuses. La fumée naturelle des cigarettes de marijuana est nuisible aux cellules des poumons et contribue à l'apparition de lésions prémalignes et malignes. De fait, on a découvert que la fumée de tabac est moins néfaste que la fumée de marijuana.

Je sais qu'il y a des gens qui récusent ce rapport. Quant aux autres, ils peuvent écrire au *Reader's Digest* et demander qu'on leur fasse parvenir les articles de décembre 1979 et de novembre 1980 sur la marijuana.

L'alcool

Et l'alcool ? Est-il si mauvais pour la santé ? Nous savons qu'à faible dose, l'alcool est probablement moins dangereux que la marijuana ou que la cigarette. Malheureusement, le problème avec l'alcool, c'est que les gens, surtout les adolescents et les jeunes adultes, ne se contentent pas d'un verre. Le verre de bonne compagnie fait des petits. Or, il est une chose d'établie : l'alcool détruit les cellules du cerveau et ce, quelle que soit la résistance de l'organisme. Consommé en grandes quantités, l'alcool détruit aussi le foie. Or si votre foie ne fonctionne pas, il est certain que vous ne pourrez plus vivre.

Une quantité même faible d'alcool peut détruire la perception sensorielle et ralentir les réflexes, avec pour résultat qu'il devient impossible de penser ou de réagir normalement. L'alcool utilisé conjointement avec d'autres drogues est la cause d'environ 20 % du nombre total des décès par accidents ou suicides.

Cela veut dire qu'il y a environ 2 500 décès et 47 000 admissions en salles d'urgence par an qui sont imputables à l'alcool et aux narcotiques. Comme la majorité des Américains consomment à l'heure actuelle un type ou un autre de drogue, il est d'une grande importance que vous soyiez très prudent quand vous buvez.

Ce qui est tragique, c'est que la moitié de tous les accidents de la route provoquant mort d'homme (entre 50 000 et 55 000 par an) sont dus à l'alcool. Vingt-cinq mille décès par an sont dus à la conduite en état d'ébriété. Pour la tranche des 16 à 24 ans, l'alcool est le responsable de 8 000 décès et de la défiguration de 40 000 jeunes par an. Cent vingt-cinq mille usagers des routes sont blessés chaque année à cause de l'alcool.

Pour les gens en bonne santé, un petit verre de vin, ce n'est pas bien méchant ; c'est même peut-être bon pour la digestion. Nombre de médecins conseillent à leurs cardiaques de boire un peu de vin.

L'alcool est très mal toléré par les hypoglycémiques. Bien des alcooliques sont de fait des hypoglycémiques ou, en d'autres termes, des personnes souffrant d'une insuffisance de glucose dans le sang. Et lorsqu'ils acceptent de se soumettre à ce régime pour hypoglycémique : six repas légers riches en protéines, en hydrates de carbone, en compléments vitaminiques provenant du complexe B et excluant les sucres raffinés et les amidons, les alcooliques guérissent merveilleusement. Il en va de même pour les jeunes délinquants qui, pour la plupart, sont des hypoglycémiques.

Des trois, cigarettes, marijuana et alcool, un verre de temps en temps est probablement ce qu'il y a de moins néfaste. La clé, c'est la modération. Les personnes qui fument des cigarettes ou de la marijuana font rarement preuve de modération, alors qu'il y a maintes et maintes personnes qui ne boivent qu'en fin de semaine ou dans les réunions mondaines. Quant à ceux qui ne connaissent pas leurs limites, mieux vaut qu'ils ne touchent pas à l'alcool, surtout s'ils doivent conduire.

Si vous voulez éliminer vos habitudes dangereuses, exploitez les techniques présentées dans cet ouvrage. Fixez-vous des objectifs, décidez de changer, comprenez le fonctionnement de votre esprit, améliorez votre alimentation (pour pouvoir penser avec plus de clarté), ayez recours à la méditation et à l'imagerie mentale et vous verrez que vos mauvaises habitudes s'envoleront comme par enchantement.

12

Assumez vos pensées et vos sentiments

J'ai eu la ferme conviction pendant de nombreuses années, qu'il était impossible de modifier ses sentiments. Je croyais qu'il était possible de modifier ses idées, mais ne voyais aucun rapport entre les idées et les sentiments. Le docteur Thurman Fleet, créateur de la thérapie conceptuelle, m'est toujours apparu comme un génie ; toutefois, j'estimais qu'il s'égarait un peu lorsqu'il disait qu'il était en notre pouvoir de modifier nos sentiments.

Il m'a fallu des années, bien des lectures et bien des séminaires pour enfin découvrir qu'il avait raison. *Il nous est possible* de modifier nos sentiments et, je le répète, pour modifier nos sentiments, il nous faut modifier nos idées. Et déjà, voilà que j'en entends certains murmurer : « Mais où êtes-vous allée chercher que je voulais changer mes sentiments ? Si je les change, je ne serai plus moi-même. »

Voici maintenant ma réponse : *Qui serez-vous alors ?* Si vous vous débarrassez de vos colères, de vos peurs, de vos frustrations et de vos jalousies, qui serez-vous ? (Nous n'allons pas, bien sûr, vous faire vous débarrasser des « bons » sentiments : de l'amour, de la joie, de la foi, etc.)

Vous serez une personne plus heureuse, voilà qui vous serez ! Trouvez-vous quelque chose à redire à cela ?

Les effets des sentiments négatifs

De toute ma vie, je n'ai pu constater que les sentiments négatifs pouvaient valoriser une vie ; d'autre part, il m'est fréquemment arrivé de constater que des vies avaient failli être détruites par les sentiments négatifs. Prenez par exemple l'histoire de cette femme de 48 ans ; lorsque je fis sa connaissance, elle était dans un fauteuil roulant. C'était à l'époque où j'enseignais la thérapie conceptuelle, et on m'avait alors demandé de lui parler. Elle souffrait de rhumatisme articulaire et savait bien que son corps diminué était le fruit douloureux de son esprit tourmenté. Je lui demandai si elle savait pourquoi elle passait par là. « Oui, c'est à cause de ce que j'éprouve au sujet de mon futur gendre », me dit-elle. Je me suis renseigné sur lui. »

« Est-il méchant ? »

« Non, répondit-elle, il est merveilleux. »

« Aime-t-il votre fille ? »

« Oui, il l'adore. »

« Est-il gentil avec elle ? »

« Adorable. »

« Et vous, comment est-il avec vous ? »

« Absolument charmant. »

« Pourra-t-il satisfaire aux besoins du ménage ? »

« Certainement, il roule sur l'or. »

« Désire-t-il avoir des enfants ? »

« Oh, oui ! »

« Croyez-vous qu'il sera un bon père ? »

« Absolument. »

« Vont-ils s'installer loin de chez vous ? »

« Non, ils ne quittent pas la ville. »

Le problème ? Il n'était pas de la même religion !

Ses sentiments de colère, ses préjugés et sa frustration la détruisaient, mais elle refusait quand même de s'en débarrasser. Ses émotions négatives étaient en réalité le fruit d'un système de pensée erroné (il était erroné, puisqu'il la faisait souffrir) qui lui faisait estimer qu'un couple doit partager la même foi religieuse. Et cette idée gâchait, ruinait sa vie.

Pour modifier vos sentimens, il vous faut examiner vos idées et votre système de pensée. Une idéologie est quelque chose de distinct des faits. Un fait est observable, mesurable et vrai pour tout le monde. La couleur rouge est rouge. Elle demeure rouge même lorsqu'un daltonien ne peut la voir. Une table ronde est ronde, même lorsque quelqu'un décide de la qualifier de carrée. Lorsque des gens décident de créer une nouvelle réalité (par exemple lorsqu'ils qualifient le jaune de rouge), ils nous paraissent bizarres. (Si leur bizarrerie devient excessive, nous les enfermons dans un vaste bâtiment entouré d'une grille !)

Si je dis que le rouge est une jolie couleur et que vous dites que le rouge est une couleur affreuse, cela est une simple question d'opinions, de valeurs. On ne peut, en ce cas, décider de ce qui est vrai et de ce qui est faux. Toutefois, lorsqu'une personne juge que le rouge est une couleur affreuse, horrible et la déteste vraiment, mais qu'elle doit travailler dans un bureau où le décor et les meubles sont rouges, elle sera très malheureuse, sauf si elle décide de modifier son attitude. Vous vous demandez peut-être où je vais chercher un tel exemple, mais il illustre bien ce que je veux dire.

Il n'est pas facile, j'en conviens, de modifier ses sentiments. Mais il existe de merveilleux moyens psychologiques très efficaces qui peuvent vous aider dans cette tâche.

Tout ce qu'il vous faut faire, c'est de renoncer à ce système de pensée qui dit : « C'est comme ça que je sens les choses, je n'y peux rien. » Si vous êtes prêt à agir ainsi, vous allez bientôt connaître plus souvent de bons sentiments.

Les systèmes de pensée

Avant de parler des moyens psychologiques qui nous permettent de changer notre idéologie, il convient que nous examinions nos pensées et nos sentiments : notre idéologie. Et voici maintenant quelques exemples d'idées courantes, suivis d'explications. Je suis sûr que vous vous reconnaîtrez dans certaines de ces idées, des idées qui sont vôtres ou celles de vos proches. Je tiens à remercier deux psychothérapeutes de New York, le docteur Jan Miller de l'Institut G.R.I.P. et Portia Levine, pour leur participation à ce qui suit.

1) Pour être remarqué (reconnu ou aimé), je dois absolument réaliser (ou produire, accomplir, réussir).
2) Je dois être parfait. J'agis dans la perfection ou je n'agis pas du tout.
3) Pour faire aboutir mon action, je dois tout faire par moi-même.
4) Il n'existe qu'une seule solution parfaite : la mienne.
5) Je dois toujours maîtriser mes pensées, mes sentiments et mes actes.
6) Les gens ont prise sur moi. Ils ont le pouvoir de me blesser par leurs propos et leurs actions.
7) La modestie est une vertu.
8) Je suis égoïste si je me soucie de moi d'abord.
9) Il est dangereux de nouer des relations vraiment personnelles.

10) On ne peut pas faire confiance aux gens, d'où qu'il faille toujours se montrer méfiant.

Parmi les idées ci-haut mentionnées, en est-il qui sont vôtres ? Il en existe d'autres, bien sûr, mais celles-ci suffiront. Une explication de leur signification vous permettra de comprendre comment elles affectent votre existence lorsque vous les laissez vous influencer.

Voyons ce qui risque de se produire si vous croyez que vous devez « réaliser » pour être reconnu. Si vous poussez cette idée à l'extrême, vous risquez de devenir extrêmement agressif ou de vous intoxiquer en travaillant. Si vous n'atteignez pas aux résultats souhaités, si vous ne recevez pas l'estime ou les éloges attendus, vous allez être perturbé, vous mettre en colère, vous sentir frustré, être plein de rancoeur. Vous êtes le genre de personne qui êtes toujours en concurrence avec vous-même, ce qui vous met en position extrêmement stressante. Vous ne cessez pas de vous donner des coups de fouet.

Ceci dit, il est bon de vouloir réaliser de grandes choses. C'est aux extrêmes que nous nous intéressons ici. Ce qui importe, c'est que vous vous accordiez du temps pour *ne rien* réaliser. Les hyperactifs se sentent souvent coupables de ne pas être occupés en permanence par quelque entreprise estimable. Ils sont incapables de se détendre parce que, s'ils se détendent, ils ont l'impression de perdre leur temps. Si vous vous reconnaissez ici, vous savez désormais ce qu'il vous faut changer.

Est-il si important que vous soyez parfait ? Si vous n'arrivez pas à vous satisfaire de la deuxième place, vous vous privez de bien du plaisir. Peut-être ne serez-vous pas champion aux quilles, parce que vous n'atteignez pas les 200, que vous ne danserez pas parce que vous n'êtes pas bon danseur ou que vous ne chanterez pas en choeur au milieu d'une salle parce que vous n'êtes pas un autre Johnny Mathis, une autre Barbra Streisand (qui se trouve dans ce cas, soit dit en passant ?). La belle affaire ! Croyez-vous vraiment que c'est cela qui empêche les gens de dormir ?

Le revers de la médaille, c'est que vous allez vous torturer à essayer de tout faire parfaitement. La vérité, c'est qu'il y aura toujours quelqu'un qui réussira mieux que vous dans un domaine ou un autre (et quelqu'un qui réussira moins bien que vous dans tel ou tel domaine). Donc, si votre problème est d'être perfectionniste, il importe que vous cultiviez une attitude plus saine, mieux équilibrée.

Avez-vous le sentiment que vous devez tout faire par vous-même pour que tout soit fait ? Tel était mon cas, jusqu'à ce que je change. Nous tombons ici dans la catégorie des gens qui veulent tout faire seuls. S'ils ont une entreprise, ils ne savent pas déléguer leurs responsabilités. Ils se veulent à la fois le vendeur, le comptable, le chef de bureau, le contentieux, l'agent des relations publiques, le préposé aux réclamations, enfin tout. Ils pourraient très bien s'assurer les services d'autrui, mais pour cela il leur faudrait éviter de toujours mettre leur nez dans les travaux des autres, comme pour s'assurer qu'ils s'en acquittent bien. Il se gâchent l'existence et font tourner tout le monde en bourrique. À la maison, c'est la mère qui ne veut jamais que son mari ou que ses enfants l'aident.

Ce qui arrive à ce genre de personnes, c'est qu'un jour (juste avant qu'elles ne s'effondrent), elles se rendent compte qu'elles ne peuvent pas tout faire par elles-mêmes. Mais à ce moment, personne n'est plus là pour les aider, car tout le monde y a déjà renoncé depuis longtemps. Elles peuvent se glorifier désormais d'être des martyrs « qui doivent tout faire tout seuls ». Si vous vous reconnaissez dans ce genre de personne, mettez-vous donc à la recherche de gens capables et obligez-vous à permettre à autrui d'assumer ses tâches particulières.

Croyez-vous que votre solution soit la seule parfaite ? Il est difficile de s'entendre avec les gens qui pensent ainsi. Amis, famille et collègues ne vous trouvent pas très coopératif. Peut-être boudez-vous ou peut-être faites-vous la tête lorsque votre opinion n'est pas retenue. Ou peut-être encore sortez-vous de la pièce, refusant de participer lorsque votre solution n'est pas immédiatement adoptée ? Manifestement, le sens de la coopération n'est pas l'une de vos vertus principales.

En maths, physique, histoire ou géographie, une réponse est soit juste, soit fausse ; ceci dit, il est rare que nos problèmes tournent autour de faits objectifs. Ils naissent à l'issue d'une série complexe d'événements qui requièrent des solutions originales. De façon générale, l'union harmonieuse de plusieurs personnes est bien plus féconde que l'action d'un individu isolé. Cela tient à ce qu'un surcroît considérable d'énergie est produit par ce supplément d'esprits. Si vous croyez que votre solution est toujours la seule possible, donnez-vous une claque, retournez à la case de départ et donnez aux autres leur chance. Ils ont peut-être des idées intéressantes à proposer.

Êtes-vous le genre de personne qui doit toujours commander ? Si tel est le cas, cela est vraiment triste ! Qu'arrivera-t-il s'il pleut le jour où vous avez prévu de faire un pique-nique ? Et s'il faut toujours que vous soyez au centre de tout, c'est que non seulement vous estimez avoir les solutions parfaites mais que, de plus, il vous plaît de mener les autres d'une main de fer. Vous vous attendez à ce que les membres de votre famille ou vos employés fassent des choses, simplement parce que vous avez décidé qu'il devait en être ainsi. Et ils obéissent probablement, non parce qu'ils vous aiment ou vous respectent, mais parce qu'ils sont contraints par la peur. C'est une vie d'isolement et de frustration que celle des dictateurs. Les gens qui doivent toujours tout diriger éprouvent parfois le besoin de diriger pour masquer leur vulnérabilité (ou pour camoufler des blessures secrètes). Quelles que soient les choses, le besoin de contrôler est une attitude malsaine qui vous maintient toujours sur vos gardes, par peur des contestations de la part d'autrui. Les qualités de meneur sont admirables ; or, les vrais chefs ne se soucient pas de protéger leur moi et n'ont pas peur de perdre la face. Un vrai chef est même capable d'admettre ses erreurs.

Nous croyons, pour la majorité d'entre nous, que les gens exercent un pouvoir sur nous, que ce sont eux qui « font » que nous nous sentons bien ou mal, heureux ou tristes. Nous croyons qu' autrui peut même décider de notre valeur personnelle. Or, tel n'est pas le cas. Nous exerçons un pouvoir sur nous-mêmes (que vous le croyiez ou non) et c'est nous qui choisissons d'être blessés ou non par les actes ou les propos d'autrui. J'ai toujours été intimidée par la colère, surtout celle de mon mari ou de mes enfants. L'une de mes amies s'étouffe presque de rire lorsque son mari se met dans cet état. Elle ne se laisse pas atteindre par un tel événement. (Quant à lui, il est dans tous ses états parce qu'elle rit.) Lorsque quelqu'un nous critique, nous pouvons examiner ce qu'il dit et décider si cela est pertinent ou non, nous corriger si ça l'est. Ou bien, nous pouvons bouder comme un gamin de dix ans et dire : « Vous me faites de la peine. »

Dussiez-vous ne tirer de ce chapitre (j'espère que vous avez appris bien d'autres choses) que la certitude que nous sommes les artisans de nos propres malheurs et ce, quels que soient les opinions, goûts, phobies, méchancetés, etc., des autres, vous aurez appris beaucoup. Nous sommes les responsables de ce que nous ressentons. Personne d'autre ne l'est. N'accordons pas aux autres des pouvoirs qu'ils n'ont pas.

La modestie est-elle une vertu ? J'en doute, comme je doute qu'il soit vertueux d'avoir une mauvaise image et une piètre estime de soi. La difficulté qu'ont bon nombre de personnes à ne pouvoir s'estimer et s'apprécier et à ne pouvoir accepter qu'on les complimente lorsqu'elles ont fait quelque chose de bien ou de bon est presque de la maladie mentale. Nous avons tellement peur de paraître vaniteux que nous nous diminuons et insultons les autres en rejetant leurs dons (tous les mots gentils qui viennent du coeur à nous sont des dons). À la première occasion venue pourtant, nous nous sentons affectés par les remarques négatives faites à notre sujet et nous laissons hypnotiser par elles. Ceci, lorsque nous ne passons pas notre temps à nous insulter et à nous dire : « Idiot, regarde ce que t'as fait ! » Bref, il faudrait que nous apprenions à nous aimer mieux.

Passez-vous votre temps à faire les commissions des autres et à satisfaire aux désirs de tous plutôt qu'à vous soucier de vos besoins et désirs personnels ? Voilà une grossière erreur. Et le jour où vous déciderez de vous accorder la première place, peut-être passerez-vous aux yeux de votre famille et de vos amis pour un monstre d'égoïsme et d'ingratitude. Lorsque vous aurez accepté de reconnaître votre fatigue et vos droits, peut-être ne reconnaîtront-ils plus la personne merveilleuse et aidante que vous étiez et peut-être seront-ils déçus de vous. Eh bien, si tel est le cas, tant pis pour eux, et tant mieux pour vous. En vous occupant de vous, vous éviterez que votre psyché vous secoue un peu et crée dans votre vie une situation (une maladie sans doute) qui vous obligera à prendre soin de vous. Il n'est pas égoïste de s'occuper de soi en priorité. À dire vrai, on ne peut donner vraiment que lorsqu'on jouit de la plénitude.

Gardez-vous au secret, bien protégée, une part de vous-même ? Peut-être avez-vous vécu dans votre vie, ou observé dans votre famille, des rapports épineux. Vos parents étaient peut-être malheureux ou divorcés ; peut-être encore avez-vous vécu un amour malheureux (qui n'en a pas vécu un ?). Peut-être avez-vous décidé de ne jamais plus avoir à pâtir d'une telle blessure ? Si c'est le cas, vous vous refusez peut-être de vivre les profondeurs de la peine, mais vous ne connaîtrez jamais les sommets de la joie qu'on ne peut atteindre que dans une relation ouverte, affectueuse, généreuse. Je connais des parents qui ne veulent pas acheter à leur fille le petit chien qu'elle les supplie d'acheter et ce, parce qu'ils ne veulent pas qu'elle s'apprivoise à l'animal et qu'elle l'aime, puisqu'il devra mourir un jour. Comme il est triste de refuser à quiconque cette beauté qu'est l'amour d'une autre créature vivante !

La personne qui ne peut faire confiance à personne, qui est toujours sur ses gardes, qui ne peut jamais se décontracter ni être heureuse, ne peut non plus s'attendre à ce que des événements et des êtres positifs entrent dans sa vie. Il est très difficile de vivre sa vie avec succès lorsqu'on a tendance à toujours regarder derrière soi. Notre vie étant le reflet de nos concepts, la personne qui croit en la malhonnêteté fondamentale de l'être humain attirera très probablement des gens malhonnêtes dans sa vie, ce qui validera son point de vue. Pour elle, la devise « refuse à tous ta confiance » est vraie mais c'est une création de son esprit.

Si nous passons tant de temps à analyser nos valeurs, c'est parce que notre système de pensée détermine nos rapports avec la vie. Et vos rapports avec la vie déterminent le niveau de stress mental/émotionnel que vous vous imposez. Votre santé et votre réussite dépendent de la réduction de ce stress.

J'aimerais ici remercier Stewart Emery pour son atelier de formation et son ouvrage : *You Don't Have To Rehearse To Be Yourself*. Grâce à la lecture de cet ouvrage, j'en ai appris très long sur moi-même. Certains des propos qui suivent m'ont été inspirés par les travaux de monsieur Emery.

D'où viennent les systèmes de pensée

Voyons pour commencer comment nous adoptons certaines de nos valeurs. Nous sommes, avant la naissance, en relation totale avec notre milieu de vie. Et puis, tout d'un coup, nous voilà sortis de notre cocon tiède, agréable, confortable pour être placés dans un milieu froid, bruyant, étranger. Nous sommes séparés de notre source. Bien des psychologues modernes affirment que nous passons notre vie entière à essayer de nous débarrasser de ce sentiment de séparation en partant à la quête de « l'unité », que ce soit par nos relations avec autrui, par la sexualité, par l'alcool ou par les narcotiques. Nous recherchons tous cette sensation, ce sentiment de « communion ».

Pour un bébé, l'expérience la plus horrible, la plus intolérable est celle de la séparation. Nous savons aujourd'hui, heureusement, que l'affection et les caresses prodiguées à un bébé sont décisives pour sa vie, pour sa croissance et son alimentation. On a découvert que les bébés qu'on ne prenait ni ne caressait, attrapaient une maladie se caractérisant par une dégénérescence de la colonne vertébrale, et qui, éventuellement, provoquait leur mort. À la salle de prématurés d'un hôpital de Washington, un berceau avait la réputation de porter bonheur. Les bébés placés dans ce berceau se trouvant dans le coin près de la porte, survivaient toujours. Raison : l'employée préposée à l'entretien prenait et portait l'enfant qui s'y trouvait à chacune de ses entrées et de ses sorties !

Un bébé qu'on ne remarque pas, un bébé laissé à lui-même, doit décider de ce qu'il fera pour se faire remarquer. Et la solution est : n'importe quoi ! Le bébé va crier, frapper sa tête contre le matelas, s'étouffer, faire tout le nécessaire pour obtenir l'attention qu'il désire. Les besoins varient avec les enfants. Certains mangent, dorment, font leurs gazouillis et leurs ruades, et réclament très peu d'attention de la part de leurs parents. D'autres, pour des raisons obscures et encore inconnues des psychologues, ne sont satisfaits que si on leur accorde une attention presque perpétuelle.

Ce n'est pas ce qui nous arrive dans la vie qui nous fait nous créer des systèmes de valeurs farfelus, mais la *perception* que nous avons des événements et les décisions que nous adoptons par voie de conséquence.

Nous sommes tous un peu, un tout petit peu dérangés par le fait qu'un jour ou l'autre nos parents nous ont dit non ; dans notre mentalité d'enfant, un tel non nous est apparu comme une forme de rejet, et de tous les sentiments, le rejet est le sentiment le plus intolérable.

Être remarqué

Ne pas être remarqué, voilà le premier événement de notre existence, d'où que nous décidions par la suite de nous faire remarquer par tous les moyens. Quand le bébé devient petit enfant, un événement très important se produit pour lui. Stewert Emery appelle cet événement « un échec notable à plaire ». Il est vécu par l'enfant qui a fait une bonne action que personne n'a remarquée : faire ses gammes de sa propre initiative, sortir les ordures sans qu'on lui dise de le faire, ranger le salon, laver la vaisselle, entretenir le jardin ou encore faire le ménage dans sa chambre. (Si seulement mes enfants avaient décidé de faire le ménage dans leurs chambres ; moi, j'aurais sûrement remarqué !)

Lorsque l'enfant n'obtient pas les éloges auxquels il a droit, il en arrive à une conclusion. Ce peut être : « J'ai un problème ; quoi que je fasse, ce n'est jamais assez. » Et poursuivant dans ce même ordre d'idées, il peut se dire : « Si j'ai ce problème, comment est-ce que je vais faire mon chemin dans la vie ? » Et c'est alors que souvent il décide de faire semblant, de faire accroire. Il se prépare à monter son petit « numéro ». Nous sommes nombreux à jouer notre « numéro » dans la vie, élevant des murs entre les autres et nous-mêmes pour qu'ils ne puissent pas vraiment nous connaître. Après tout, nous ne voulons pas que quelqu'un découvre que nous avons un problème. Notre numéro nous évite de souffrir, mais nous empêche aussi d'éprouver trop de joie.

Je perds à tout coup

Un jour ou l'autre, nombre de personnes en arrivent à décider qu'elles sont incapables de gagner au jeu de la vie. Cette décision, elles la prennent après avoir connu ce qu'Emery appelle un « échec notoire » ; après par exemple avoir fait quelque chose de valable que personne ne souligne ou ne reconnaît. L'histoire qui suit vous permettra de mieux comprendre de quoi il s'agit : un enfant rentre de l'école, bulletin en main. Il a obtenu d'excellentes notes et est tout excité à l'idée de les montrer à sa mère. Or, il se trouve que ce jour-là, il pleut, qu'il a marché dans la boue et qu'en rentrant, il laisse ses empreintes sur le tapis ; lorsqu'il s'écrie : « Regarde, maman ! », maman, furieuse, répond : « Sors d'ici, petit crétin ; tu ne vois pas ce que tu as fait ? ! »

Quelle sera, à votre avis, la réaction de l'enfant ? Il n'aura plus, n'est-ce pas, aucune envie de montrer son bulletin à sa mère ? À vrai dire, il n'aura plus envie de montrer quoi que ce soit à sa mère. L'événement aura été marquant dans sa vie. Il aura donné quelque chose de lui-même, quelque chose de son moi « réel », et ce quelque chose aura été nié, piétiné.

Autre exemple : vous avez une idée formidable, vous brûlez du désir de l'annoncer à votre femme. Tout excité, vous arrivez, ouvrez la porte de la maison. Votre femme est là et vous clamez : « Chérie, j'ai une merveilleuse idée ! » Vous exposez alors votre idée et votre moitié, yeux levés vers vous, dit : « Complètement débile ! » Vous avez alors l'envie de vous faire petit, tout petit, petit.

Si un enfant décide qu'il est perdant à tout coup, il intègre cette opinion à son système de valeurs. Ce qui arrive alors, c'est qu'il continue à vivre des expériences qui justifient cette opinion et c'est dans cette disposition qu'il entre dans la vie adulte. Certains sont voués à l'échec dans leur vie professionnelle, d'autres dans leurs relations avec leur prochain, d'autres enfin dans tous les aspects de leur vie. Quelle solution adopteront-ils alors ? Certains décideront de ne pas jouer. Ils se retireront, renonceront à connaître la réussite, ne noueront pas de relations avec les autres et pourront même devenir des reclus. D'autres décideront plutôt de veiller à ce que personne ne gagne. Ils critiqueront, humilieront les autres ; ils décrieront les projets de ceux-ci et ne se réjouiront pas de leurs succès.

Une autre façon d'exprimer son désir de se montrer perdant consiste à ne jamais rien terminer. En ne terminant pas, l'on pense qu'on n'a pas tout à fait perdu et il nous est encore possible de dire : « Oh, si j'avais fini, j'aurais peut-être gagné ! »

Votre scénario

Lorsque vous procédez à l'examen de votre système de pensée, vous finissez par reconnaître ce que les psychologues appellent votre « scénario » ou, en d'autres termes, votre projet de vie inconscient. Nous ne cessons d'incarner ce projet, sauf lorsque nous atteignons à un degré assez élevé de conscience qui nous permet de le reconnaître et de le modifier à notre guise. Inscrits dans notre scénario se trouvent, entre autres, les messages que nous avons reçus enfants de nos parents. Ces messages ont pu être verbaux ou non. Nous savons tous reconnaître très tôt ce qui est attendu de nous, ce qui est « bien ». Voici quelques-uns des messages typiques pouvant être inscrits dans un scénario :

« Ne sois pas un vilain garçon, une vilaine fille. » (Les parents voulaient un enfant de l'autre sexe.)

« Oh, cet enfant toujours dans mes jambes. » (L'affection est proscrite dans cette famille.)

« Ne te conduis pas comme un bébé. » (Il faut que l'enfant cesse de pleurer, qu'il se conduise toujours comme un grand.)

« Ne fais pas ça ! » (L'enfant n'obtient de l'attention que s'il échoue.)

« Attention, tu vas prendre froid ! » (L'enfant obtient l'essentiel de l'attention de ses parents lorsqu'il est malade.)

« Ne discute pas tout le temps. » (« Sois de l'avis des grandes personnes ! »)

« Ne fais pas comme moi. » (« Je fais tout de travers. »)

Voilà pour les messages négatifs. Il en est aussi des positifs, qui indiquent aux enfants la façon dont ils doivent se comporter :

« Sois sage. » (Un enfant se fait remarquer par sa sagesse.)

« Sois le premier. » (Un enfant se fait remarquer par ses exploits.)

« Sois heureux. » (Dans cette famille, personne n'a le droit de pleurer.)

« N'en fais tout de même pas trop. » (C'est par ses échecs que l'enfant obtient qu'on s'intéresse à lui.)

« Sois fort. » (On encourage chez lui la bravoure.)

« Il est drôle, cet enfant ! » (C'est seulement lorsqu'il fait des absurdités qu'il est remarqué.)

« Réussis. » (Ils l'encouragent à étudier, à apprendre.)

« Si seulement tu étais comme ton frère, ou ta soeur. » (C'est toujours ce frère ou cette soeur qui reçoit toute l'attention.)

Si un enfant ne peut se faire remarquer ou attirer l'attention qu'en se conduisant négativement, il est probable qu'il passera toute sa vie à faire des choses négatives. Poussée à l'extrême, cette attitude mène droit à la prison, à l'isolement social ou au chômage.

Les « caresses »

Parlons des « caresses » telles qu'elles sont conçues en analyse transactionnelle, une méthode psychothérapeutique très efficace inventée par le docteur Eric Berne. Le terme de « caresses » fait référence à l'attention, à la reconnaissance ou à l'estime que nous recevons d'autrui. Nous avons mentionné précédemment que les caresses physiques étaient absolument nécessaires à la survie des bébés. Devenus grands, nous remplaçons ces caresses physiques par des caresses verbales du type : « Salut, comment ça va ? », ou par des sourires, des hochements de tête, des clins d'oeil, des gestes de la main, etc.

L'inverse d'une caresse, c'est le laisser pour compte. Supposons par exemple que vous rencontrez l'une de vos connaissances dans la rue, que vous lui faites un signe de la main, que vous lui souriez et qu'elle passe, imperturbable. Quelle sera votre réaction ? Pour ma part, ma réaction sera de souhaiter que le sol s'ouvre sous mes pieds et m'engouffre. Il y a quelque chose d'horrible au fait d'être laissé pour compte, un peu comme s'il nous était refusé d'exister. Ce terme de laissé pour compte signifie que nous n'avons pas été reconnus ou remarqués. Les gens font tout ce qui est en leur pouvoir pour éviter d'être des laissés pour compte. Ils préfèrent adopter les comportements les pires, les plus scandaleux, les plus inacceptables, plutôt que d'être laissés pour compte. Ils préfèrent recevoir des caresses négatives pour leurs attitudes répréhensibles plutôt que d'être laissés pour compte.

Il existe plusieurs types de caresses qui se présentent comme suit :

— Les conditionnelles et positives,
— les inconditionnelles et positives,

— les conditionnelles et négatives,
— les inconditionnelles et négatives.

Une caresse conditionnelle et positive est en fait un compliment que vous faites à quelqu'un pour quelque chose qui vous plaît en lui. Voici quelques exemples de caresses conditionnelles et positives : « Il est joli, le chapeau que tu portes ! » ; « Excellent, votre rapport. Merci ! » ; « Déjà arrivé ? Toutes mes félicitations ! »

Une caresse inconditionnelle et positive est un mot gentil que vous adressez à quelqu'un, non pour ce que cette personne a dit ou fait, mais parce qu'elle *est*. Voici des exemples de caresses inconditionnelles et positives : « J'ai de l'affection pour toi. » ; « Être avec toi, ça fait du bien » ; « Toi, tu es vraiment quelqu'un. » ; « Je suis heureux d'être avec toi ! » Et bien sûr, notre caresse inconditionnelle préférée, c'est : « Chéri, je t'aime. »

Une caresse conditionnelle et négative est un commentaire négatif et critique sur quelque chose qui se rapporte à quelqu'un. Voici quelques exemples de caresses conditionnelles et négatives : « Cette jupe ne te va pas. » ; « Pas brillant, ton rapport. » ; « T'as l'air d'une noyée avec cette couleur. » ; « Je ne raffole pas de ta recette de ce soir. »

Une caresse inconditionnelle et négative est un commentaire négatif et critique fait à l'endroit d'autrui. Ce type de caresse est le pire que vous puissiez faire à quelqu'un ; il ressemble à ceci : « Vous ne me plaisez pas. » ; « Je ne veux pas vous avoir près de moi. » ; « Tu es désagréable. » La pire caresse que vous puissiez faire, c'est de dire : « Je vous hais ! », particulièrement si vous le dites à un être cher. Il est malheureux que nous recourions si souvent à des caresses inconditionnelles négatives lorsque nous discutons. Au lieu de nous en prendre à l'incident en question, à la situation ou à la chose qui nous déplaît, nous attaquons la personne. Cela est extrêmement dommageable et devrait être soigneusement évité. Reportez-vous à ce que je vous dis ici des caresses lorsque vous lirez le chapitre qui traite des relations avec autrui.

Ce qu'il nous faut comprendre au sujet des caresses, c'est que la façon dont nous avons été caressés, enfants, détermine généralement la façon dont nous seront caressés une fois devenus adultes. Nous adopterons le plus souvent le type de comportement qui était le nôtre lorsque nous étions enfants. Les caresses que nous recevons ne nous plaisent peut-être pas, mais nous conservons le même comportement parce qu'il s'est inscrit dans nos habitudes. Il nous garantit aussi au moins des caresses, quelles qu'elles soient. À partir du moment où notre comportement et les caresses qu'il nous vaut cessent de nous convenir, nous avons la possibilité de changer. Pour changer, il nous faut prendre conscience, pour l'examiner, du système de pensée qui nous détermine à agir comme nous le faisons. Il nous faut ensuite décider, en pleine connaissance de cause, de changer. Vous avez le pouvoir de modifier votre comportement habituel. Consultez à ce sujet le chapitre qui traite de l'esprit.

Les sentiments

Nous en venons à la question des sentiments. Selon l'analyse transactionnelle, un sentiment est quelque chose que vous éprouvez dans votre être entier. Les thérapeutes formés à l'analyse transactionnelle ne reconnaissent l'existence que de quatre sentiments « réels » : folie, tristesse, bonheur et peur. L'AT affirme aussi qu'une opinion n'est pas un sentiment, aussi importe-t-il que vous examiniez ce que sont selon vous vos sentiments et de voir si ce sont vraiment des opinions. Prenons par exemple la culpabilité. Lorsque vous dites : « Je me sens coupable », ce que vous dites en fait, c'est : « J'estime (opinion) que je ne devrais pas faire ça et que je n'aurais pas dû dire ça, et maintenant je me sens mal à l'aise. »

Cette gêne est ce que vous appelez « être coupable ». C'est une décision de l'intellect. Les sentiments « réels », vous les vivez dans votre être entier ou, comme on dit familièrement « dans vos tripes ».

Nous croyons que ce sont les autres qui nous *rendent* fous, tristes, heureux ou qui nous apeurent. La vérité, c'est que nous sommes responsables de nos sentiments. Nous avons le choix entre le bonheur et le malheur. À la fin d'une aventure sentimentale, certaines personnes ramassent les morceaux et se rebâtissent une vie. D'autres mènent une existence de reclus dans la déprime et ne s'en sortent parfois jamais. Un sentiment est une chose très puissante qui recèle une énergie fantastique. Vous savez, lorsque vous êtes en colère, la force de la sensation que vous vivez, peut-être au creux de votre estomac. Lorsque vous êtes heureux, votre sentiment de joie se répand dans tout votre corps. Cette énergie, telle un aimant, se diffuse dans l'univers et vous attire les situations, les gens et les circonstances qui sont en harmonie avec vous. En raison du fait que les sentiments ont un immense pouvoir d'attraction, il importe que nous apprenions à les vivre.

Hors des situations où les sentiments constituent des réactions à des événements, ils sont littéralement « inutiles ». Les sentiments sont de merveilleux moyens de mettre en lumière les problèmes, mais ne sont d'aucune aide lorsqu'il s'agit de résoudre ces derniers. N'essayez pas de prendre des décisions intelligentes lorsque vous êtes balloté par vos émotions, en bien comme en mal. Lorsque vous exultez trop, vous risquez de commettre des imprudences. Analysez les merveilleuses chances qui se présentent à vous et méfiez-vous avant de signer un contrat, etc. Vous risqueriez à ce moment d'être impulsif. Évitez d'aller magasiner dans ces circonstances, car vous pourriez brûler votre argent et, revenu sur terre, vous demander où se sont envolés vos sous!

Du bon usage des sentiments

De vos sentiments, vous pouvez faire trois choses. La première est de les repérer : prendre *conscience* de vos sentiments. C'est étonnant de voir le nombre de gens qui ne savent pas vraiment ce qu'ils vivent et pourquoi. Examinez vos sentiments. Demandez-vous si vous vivez « vraiment » de la colère, de la peur, de la douleur, etc., et ce qui en est la cause ou la raison.

La deuxième chose à faire avec les sentiments, c'est de les exprimer. Lorsqu'ils sont en rapport avec quelqu'un d'autre, il convient que nous les lui exprimions. Le simple fait d'exprimer ses émotions met souvent fin à bien des tourments. Il n'est pas vrai que notre conjoint doive savoir exactement ce qui se passe dans notre tête. Si nous sommes déprimé, mal dans notre peau, en rogne, il convient que nous lui en fassions part plutôt que de penser qu'il veut nous ignorer, ce qui ne fait que nous déprimer, nous irriter et nous frustrer davantage.

La troisième chose à faire avec les sentiments, c'est de les incarner en des actes. D'en *faire* quelque chose. Vous avez peut-être envie d'écraser le nez de quelqu'un, ce qui évidemment n'est pas la chose la plus souhaitable. Faites plutôt le tour de l'immeuble au pas de course, plantez un clou ou tapez sur quelque chose. Les émotions fortes produisent une énergie qui doit être brûlée. L'une des meilleures façons de les brûler consiste à faire de l'exercice.

Il n'est pas toujours nécessaire de faire les trois choses ci-haut mentionnées lorsque vous êtes en proie à des émotions négatives. Toutefois, pour les traiter intelligemment, il vous faut au moins les repérer. Ceci fait (vous savez maintenant quels ils sont), vous pouvez décider si oui ou non vous les exprimerez et si vous passerez à l'action. Si vous décidez de n'en rien faire, faites-vous alors la conversation à leur sujet. Voyez si vous pouvez modifier la pensée ou l'opinion qui a donné naissance au sentiment.

Une grande part de ce que nous croyons être des sentiments sont en fait des réactions intimes à des opinions erronées. Par exemple, si vous vous présentez à une entrevue pour un emploi et que vous êtes inquiet, c'est que vous croyez que vous risquez de ne pas décrocher l'emploi. Si vous avez un noeud dans l'estomac, la peur au ventre, c'est que vous avez un système de pensée qui vous dit qu'il vous est absolument nécessaire de décrocher cet emploi. Ce système vous dit aussi que si vous n'obtenez pas l'emploi, c'est qu'on vous rejette et cette idée d'être rejeté vous horrifie.

Quelqu'un peut, par contre, se rendre à une entrevue dans des dispositions complètement différentes. Il peut faire montre d'une absolue confiance en lui et se dire, s'il n'obtient pas le poste : « Tant pis pour eux ! » La possibilité qu'il n'obtienne pas l'emploi ne l'inquiète pas parce qu'il n'y voit pas une atteinte au sentiment qu'il a de sa valeur propre, non plus qu'un rejet. Vos opinions déterminent vos réactions émotionnelles devant les événements et les situations.

À notre époque où l'antique vertu et la bonne vieille morale sont devenues quasi inexistantes, il est très difficile pour une mère élevée en d'autres temps et attachée aux bons vieux systèmes de valeurs, d'accepter l'idée que sa fille puisse vivre avec un homme auquel elle n'est pas mariée. (Non, par bonheur, ce n'est pas le cas dans ma famille !) Mais si cette maman décide que, dans les années 80, nombre de gens « bien » vivent ainsi et qu'elle accepte ensuite le fait probable qu'elle n'y peut rien changer, elle arrivera peut-être à la conclusion qu'il est bien inutile de se faire du mauvais sang avec de telles histoires. L'idée d'une vie en commun hors mariage ne l'enchantera peut-être jamais, mais après tout, c'est la vie de sa fille, pas la sienne. Si elle parvient à accepter toutes ces choses et à se faire de nouvelles opinions, elle n'aura plus lieu de ressentir le trouble, la peine et la honte. Car, répétons-le, c'est la perception que vous avez des choses qui est responsable de l'influence qu'ont ces choses sur votre vie.

La formule AOC

La meilleure façon, à mon sens, de modifier les idées et les opinions qui sont erronées consiste en l'utilisation de la formule AOC en provenance de la thérapie rationnelle et émotive. Cette formule fut créée par le docteur Albert Ellis. C'est l'un des moyens psychologiques les plus utiles que j'aie jamais employés.

La formule AOC vous aide à repérer votre sentiment, à analyser l'idée ou l'opinion qui l'a fait naître et à décider si cette idée ou cette opinion est valable. Enfin, elle vous permet de prendre la décision de modifier votre opinion si nécessaire. Elle se présente comme suit :

A = Événement activateur (la chose qui s'est produite).
O = Opinion (ce que vous avez pensé de l'événement).
C = Conséquence (le sentiment qui résulte).

Nous croyons souvent que C est causé par A : que l'événement est la cause du sentiment. Or, tel n'est pas le cas. C'est *l'opinion que vous vous êtes faite* de l'événement qui a causé le sentiment. Je vous donne un exemple.

Imaginez que votre mari rentre tard du travail (ce n'est pas la première fois !) et que le dîner est en train de refroidir ; imaginez aussi que ce dîner n'en est pas un comme les autres et que vous vous êtes faite toute belle en attendant le retour de votre mari. Assise à votre chaise, vous regardez votre montre et la moutarde commence à vous monter au nez. Cela fait déjà une heure que vous l'attendez et il pourrait bien ne plus jamais rentrer que cela vous serait égal. Vous écumez de rage. Mais voilà qu'on sonne à la porte. Vous vous décidez à aller ouvrir, déjà prête à lâcher les chiens de la colère qui vous ronge. Or ne voici-t-il pas que vous apercevez votre mari haletant, la veste en lambeaux, le visage et les mains sanguinolantes. Ses vêtements sont souillés. Du coup votre colère disparaît ; bouleversée, vous lui demandez : « Qu'est-ce qui... ? Comment te sens-tu ? » Vous vous sentez pleine de compassion, de sympathie, de pitié et d'amour. Votre colère a disparu. Mais pourquoi donc, me demanderez-vous ?

L'événement n'a pas changé ; votre mari est bel et bien en retard. Et si A provoquait véritablement C, vous seriez toujours en colère. Mais vous ne l'êtes plus, la raison étant que vous vous êtes mise à interpréter différemment l'événement. Lorsque vous attendiez votre mari, vous pensiez qu'il était égoïste, muffle, ingrat (sans compter, peut-être quelques expressions qu'il vaut mieux taire), et cela évidemment vous mettait en colère. Mais lorsque vous avez vu votre mari et que vous avez compris qu'il avait été blessé, vous vous êtes dit : « Mon pauvre cher mari ; l'homme que j'aime a été blessé. Que puis-je faire pour lui ? » En résumé, ce n'est pas l'événement qui a changé, mais bien votre interprétation de celui-ci.

Voici un autre exemple qui vous permettra d'y voir encore plus clair. Si vous êtes comme la plupart des gens, vous n'aimez probablement pas les serpents. Si vous aimez les serpents, ceci ne s'adresse pas à vous, quoique vous trouverez peut-être intéressant de lire ce qui suit. Quant à la majorité, il y a toutes les chances qu'elles soit comme moi : quand elle voit un serpent, elle a envie de prendre ses distances. Imaginez que vous marchiez dans les bois et, pouf, devant vous, un serpent. Vous allez prendre les jambes à votre cou en glapissant, surtout si vous êtes une femme (les hommes se contentent généralement de courir). Votre principal sentiment en sera sans doute un de peur et de léger dégoût. Et si vous réagissez ainsi devant les serpents, c'est sans doute que, comme moi, vous croyez qu'ils sont horribles et obscurément mauvais et que se trouve profondément enracinée dans votre subconscient, l'histoire biblique d'Adam et Ève. Certes, il y a des serpents qui sont dangereux, mais beaucoup ne le sont pas, et il existe bien d'autres espèces dangereuses qui n'excitent pas cette passion négative.

Considérons ce même événement, le serpent aperçu, mais supposons maintenant que vous êtes étudiante en biologie et que vous faites un devoir sur les reptiles. N'est-il pas vrai que vous vous sentirez ravie de pouvoir observer le spécimen ? Même événement, opinion totalement différente. Pourquoi ? Parce que l'opinion que vous avez du serpent est différente. Vous pensez maintenant à un objet d'études scientifiques. Et comme c'est cela que vous cherchez, vous êtes contente.

Catastrophisme et infantilisme

Le principe est valable en tout temps. Ce n'est pas A qui cause le problème ; c'est O qui complique tout. La cause de nos tourments se trouve dans notre système de pensée. Mais laissons maintenant parler le docteur Ellis qui nous dira quels sont les systèmes de pensée qui sont sources de problèmes.

Le premier est le « catastrophisme ». Une personne qui souffre de catastrophisme est une personne qui appréhende les échecs et les considère comme une catastrophe absolue. C'est une tragédie lorsque les choses ne vont pas comme elle le voudrait, un désastre lorsqu'une relation est rompue. Or, une telle personne a tout intérêt à remplacer son « catastrophisme » par des idées plus rationnelles. Elle doit se demander : « Qu'est-ce que tout cela a de si terrible ? Quels drames vont s'ensuivre ? Est-ce que ça va vraiment être un désastre ? »

Les personnes qui souffrent de catastrophisme sont aussi des personnes qui souffrent d'infantilisme. Elles croient que l'univers et les gens qui l'habitent doivent tout bonnement satisfaire leurs désirs et leurs besoins. Elles ont un sens très bas de tolérance à la frustration et elles ne peuvent supporter les déceptions. Ces personnes doivent donc soumettre à un sérieux examen les exigences qu'elles ont devant la vie et reconnaître qu'elles sont responsables de la tournure que prend leur vie. Si la tournure qu'elle a prise pour elles ne les satisfait pas, elles ont tout intérêt à essayer de se changer elles-mêmes.

Pour de telles personnes, la vie paraît souvent « injuste ». Elles trouvent injuste que certains aient plus d'argent qu'elles et que d'autres soient plus beaux qu'elles.

Elles trouvent injuste qu'un tel obtienne de meilleures notes à l'école. Or, ces personnes ne remarquent l'injustice que lorsqu'autrui jouit d'un avantage. Point d'injustice si *elles* sont avantagées. Si vous croyez souffrir de beaucoup d'injustices dans votre vie, vous feriez bien de faire un bilan sérieux et honnête de ce qui se passe dans celle-ci. Et les injustices que vous faites aux autres, selon eux, parce que vous avez quelque chose qu'ils n'ont pas ?

La formule AOC peut vous aider à améliorer votre vie. Toutes les fois que vous entretiendrez une opinion négative, examinez A (l'événement activateur) et déterminez ce qui s'est passé dans votre esprit. Soumettez ensuite votre opinion à examen. Découvrez le système de pensée dans lequel s'inscrit votre opinion. Demandez-vous : « Qu'est-ce que je me raconte là ? Qu'est-ce que cette opinion-là ? » Puis, voyez si vous ne trouvez pas dans toute cette histoire du catastrophisme ou de l'infantilisme, ou encore une pensée selon laquelle les choses sont injustes. Si c'est le cas, considérez les options que vous avez. Est-il nécessaire que vous pensiez et que vous croyiez ce que vous pensez et croyez ? Est-il nécessaire que vous soyiez malheureux ? Souvenez-vous de l'histoire de la dame dont la fille allait épouser un homme d'une religion différente ! Fallait-il donc qu'elle soit malheureuse ? Bien sûr que non. C'est de son propre chef qu'elle s'enterrait dans son système de pensée négatif. Et vous ? Allez-vous examiner vos opinions et les modifier s'il le faut ? Ou direz-vous : « C'est comme ça que je pense ; comme ça et pas autrement. Je ne change pas d'avis. »

Ce qu'il y a de bien avec la formule AOC, c'est qu'elle vous permet de décider si, oui ou non, vos opinions sont pertinentes et appropriées : si elles vont vous permettre de mieux jouir de votre vie ou le contraire. Dans le cas contraire, il n'en tient qu'à vous de remplacer vos anciennes opinions par de nouvelles.

Les états de l'ego

Outre l'idée de « caresses », une autre idée importante en analyse transactionnelle est celle « des états de l'ego ». Le docteur Eric Berne était un psychiatre tout à fait orthodoxe qui avait remarqué que ses patients changeaient fréquemment de personnalité au cours des séances. Certains patients semblaient presque devenir une personne différente. Il avait remarqué que le ton de leur

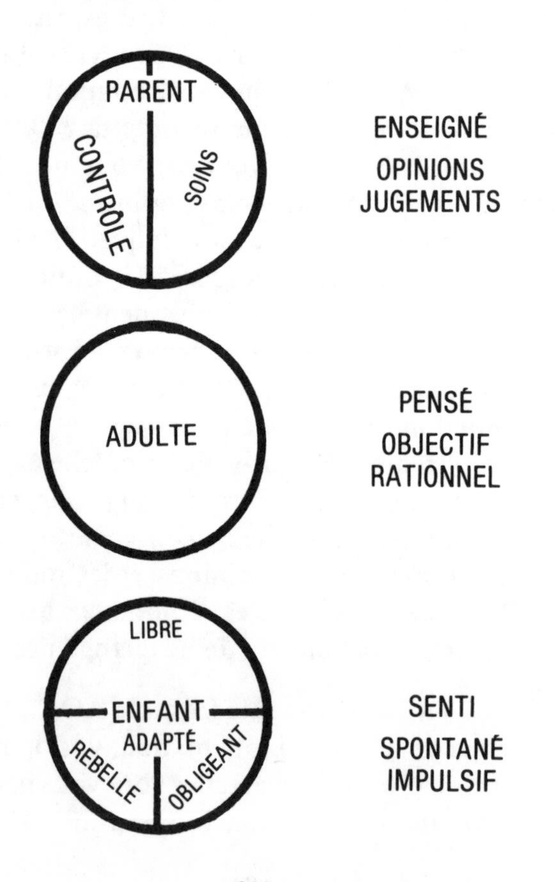

voix, l'expression de leur visage, leurs gestes, bref que leur façon d'être changeait du tout au tout. Il était attentif à ces substitutions de personnalités. Après bien des observations, il en vint à la conclusion que tous les êtres humains ont dans leur personnalité trois états d'ego distincts et différents. Il les désigna par des termes scientifiques hérités de Freud et aussi par des qualificatifs simples très évocateurs. Il les appela l'Enfant, l'Adulte et le Parent. Vous trouverez ci-après des illustrations de ces trois états de l'ego et leurs principaux traits.

L'Enfant

L'état d'ego enfant est instinctif, sensoriel, ludique, curieux, affectueux, égoïste. Il contient, enregistrées, toutes les expériences et les réactions antérieures (idées et sentiments) de l'enfant. L'état d'ego de l'enfant se divise en deux : l'ego d'enfant libre et l'ego d'enfant adapté. À l'intérieur de l'ego d'enfant adapté, on trouve l'enfant rebelle et l'enfant obligeant.

L'enfant libre est impulsif, brut, égocentrique, hédoniste, avide de satisfaction de ses désirs, affectueux, sensoriel, sexy, ludique, tendre, craintif et licencieux. L'enfant libre peut être positif ou négatif, ce qui dépend de la façon dont nous employons nos états d'ego. Les mots que nous associons avec l'enfant libre sont : formidable, amusant, je veux, amour.

L'état d'ego de l'enfant adapté comprend le comportement que l'enfant a appris pour s'adapter à son milieu de vie et entretenir des rapports harmonieux avec les adultes, tout en satisfaisant ses instincts naturels. L'enfant obligeant est porté à respecter le « système ». Il fait ce qu'on attend de lui, qu'il le veuille ou non personnellement. L'état d'ego rebelle se place à l'autre extrême exactement. L'enfant rebelle *s'oppose* au système, qu'il le veuille ou non personnellement. Dans ces deux états, leur comportements est contrôlé par quelqu'un ou quelque chose d'extérieur à eux. Ils ne sont pas autonomes. L'ego de l'enfant rebelle veut être autonome et indépendant, mais ne l'est pas.

L'Adulte

L'état d'ego adulte est cette partie en nous qui évalue, analyse, tire des conclusions, est intelligente et observe la réalité objective. L'état d'ego adulte accueille toutes les impressions de l'extérieur tout en étant conscient de ses réactions personnelles (les sentiments de l'Enfant et les opinions du Parent). Grâce à toutes ces informations, l'ego adulte prend des décisions. Ces décisions sont théoriquement objectives mais en fait, étant colorées par les sentiments et les opinions, elles ne le sont pas. Toutefois, l'état d'ego adulte demeure l'état d'ego « pensant ». Les mots que nous associons avec l'état d'ego adulte sont : comment, quoi, pourquoi et correct. De façon générale, lorsqu'on est dans l'état d'ego adulte, le visage est très éveillé.

Le Parent

L'état d'ego parent est rempli d'opinions, d'idées, de jugements, de convictions, de principes moraux, de préceptes et d'interdictions. Il se divise en deux parties, le parent qui contrôle (ou parent critique) et le parent qui prodigue ses soins. Le parent qui contrôle juge à tort et à raison, est critique et autoritaire. Le bien et le mal l'inquiètent beaucoup. Le parent qui prodigue ses soins est sensible aux besoins d'autrui, protège, assiste, aime, sourit et assume. L'image du parent prodigue de ses soins qui vient à l'esprit, c'est celle des bras grands ouverts. Le parent prodigue de ses soins emploie des phrases comme :

« Permettez-moi de vous aider ; je vais m'occuper de vous. » À l'opposé, le parent critique, qui contrôle, emploie des phrases du genre : « Tu dois, tu devrais, tu peux, tu ne peux pas, non. »

L'accord de l'ego

Nous avons tous en nous ces trois états d'ego. Une personne saine est capable de passer par les états qu'exige la situation. Elle est capable de donner des instructions, de diriger, de suivre des ordres, de se discipliner, de traiter les informations qu'elle reçoit, d'être éveillée et aussi de jouir de la vie.

Nous sommes dans notre état d'ego enfant lorsque nos sentiments et nos actes sont ceux de notre enfance. Chaque fois que vous vivez la joie, le rire, la peur, l'humeur, que vous devenez rebelle ou obligeant, vous êtes dans votre état d'ego enfant. Vous êtes dans votre état d'ego adulte lorsque vous êtes rationnel, que vous traitez de la réalité objective présente. Vous risquez d'aboutir à des conclusions incorrectes parce que l'état d'ego adulte peut être mal informé ou mal percevoir, mais lorsque vous essayez de parvenir à une décision sans abus d'émotion ni d'opinion, vous êtes dans votre état d'ego adulte.

Vous êtes dans votre état d'ego parent quand vos sentiments et vos actes sont conformes à ceux que vous avez observés chez vos parents ou toute autre figure d'autorité au cours de votre enfance.

Lorsque vous prenez une décision qui vous concerne avec la sincère intention de vous y tenir, gardez bien en tête que vos trois états d'ego doivent y participer. Il ne doit pas y avoir de désaccord entre eux. Le plus souvent, c'est votre ego enfant qui n'est pas satisfait des décisions prises par votre ego parent ou adulte.

Par exemple, vos états d'ego adulte et parent peuvent décider de concert que vous devriez suivre un régime pour perdre du poids. Mais votre moi enfant s'y oppose parce que l'enfant s'assouvit par la nourriture. (Si vous vous accrochez à des habitudes que vous détestez, c'est en général parce que votre moi enfant s'y accroche.) Si vous échouez à justifier pour l'enfant l'arrêt de l'habitude en question ou à trouver un substitut qui assure autant de plaisir, de considération ou de plénitude, vous risquez fort de n'arriver à rien. Quand on essaie de se débarrasser de ses mauvaises habitudes, une activité créatrice et agréable peut servir à les remplacer.

Lorsque vous ne vous sentez pas dans votre assiette, vous êtes dans votre état d'ego enfant. Si vous n'aimez pas ce sentiment, adoptez donc un état d'ego adulte. La formule AOC dont nous avons parlé précédemment n'est efficace que lorsque vous êtes dans votre état d'ego adulte. Dans cet état, vous êtes capable d'examiner vos opinions et de faire des choix.

Lorsque vous critiquez et que vous jugez, vous êtes dans votre ego parent. Si vous harcelez sempiternellement vos enfants et êtes toujours sur le dos de votre mari, et que ça ne règle aucun problème (vous faites de votre vie un enfer, c'est tout), examinez donc vos idées, vos opinions et vos préjugés et voyez si vous ne pouvez pas modifier votre attitude.

Vos plaintes sont peut-être absolument fondées. Votre épouse ne tient peut-être pas la maison comme elle le devrait. Et votre grand fils de vingt ans est en train de gâcher sa vie parce qu'il ne sait pas quoi faire de lui-même. Vous leur avez ouvert votre coeur, avez tenté de les motiver, mais vous ne semblez pas arriver à les persuader l'un et l'autre de changer. (Personne ne convainc jamais personne de changer, tout changement venant de l'intérieur !) Jusqu'à présent, ça ne vous a valu rien de bon ; ça n'a fait que vous rendre malheureux. Si c'est le cas, il est grand temps que vous examiniez votre système de pensée, non pour décider à qui vont les torts, mais pour voir s'il vous est le moindrement utile de vous rendre la vie impossible pour des choses et des gens que vous ne pouvez pas changer.

Plus vous trouverez de raisons de critiquer au cours de votre vie, plus vous serez malheureux. Tout ce que vous critiquez, vous devez passer votre vie soit à l'éviter soit à le subir. Pourquoi opter pour une vie déplaisante ? Quand vous n'aimez pas quelque chose et que vous savez que vous ne pouvez absolument rien y changer, décidez de ce que vous allez faire pour modifier l'idée que vous vous en faites.

Posez-vous cette question : Est-ce vraiment aussi terrible que je le pense ? Est-ce vraiment intolérable ? La vie est-elle vraiment si injuste ? Votre mari doit-il vraiment vous amener au restaurant une fois par semaine pour que vous soyiez heureuse ? Est-il essentiel que vos clients soient ponctuels dans le règlement de leurs factures ? (Quel rêve ce serait !) Vos enfants doivent-ils toujours tenir leur chambre en ordre ? Allons, allons, est-ce vraiment si important que cela ? Une fois que vous aurez tiré un trait sur vos exigences et que vous les aurez remplacées par des *préférences*, vous aurez une vie bien plus facile.

Récapitulons

Si vous savez reconnaître dans quel état d'ego vous êtes, il vous sera possible de choisir d'en adopter un autre. En changeant les états de votre ego, vous modifiez automatiquement vos attitudes et vos réactions. Employez la formule AOC pour analyser les situations et les circonstances de votre vie qui vous font souffrir. Voyez si ces situations peuvent être modifiées. Si tel n'est pas le cas, décidez de la façon de vous y prendre pour modifier vos attitudes.

Je ne crois pas que les gens doivent « accepter » les situations, les circonstances et les gens qui les font souffrir. Toutefois, nous n'avons pas de prise sur les conditions extérieures. La seule option que nous ayons, c'est de considérer les choses d'un oeil différent. Souvent, lorsque nous regardons les choses d'un oeil différent, nous nous attirons des situations et des circonstances qui apportent les changements souhaitables.

Vous pourrez ouvrir des portes dont vous n'avez jamais soupçonné l'existence à partir du moment où vous assumerez vos idées et vos sentiments.

13

Faites naître de meilleures relations humaines

Les relations que nous entretenons avec les autres, ainsi que la manière dont nous nous y prenons pour communiquer avec eux, représentent sans doute les facettes les plus importantes de notre société. Car nul ne peut vivre en vase clos ; nous avons tous besoin d'autrui. Aussi autonome que nous puissions être, nous dépendons dans une certaine mesure des autres. Et en notre for intérieur, c'est-à-dire au niveau de notre subconscient, nous ressentons le besoin d'appartenir au « Tout universel ». Quelque chose en nous se souvient du temps, celui d'avant notre naissance physique, où nous ne faisions qu'un avec l'univers entier. Nous passons toute notre vie, du moins pour la majorité d'entre nous, à essayer de recréer ce sentiment.

Généralement, nous essayons de le recréer en nouant des relations avec les autres. Mais bien des gens s'égarent et cherchent cette plénitude dans des dérivatifs comme l'alcool ou la drogue, le sexe, etc. Car en chacun de nous, se trouve cette faim insatiable de communion avec autrui.

Vous connaissez assurément ce sentiment déplaisant qui apparaît suite aux malentendus, aux disputes et à l'hostilité engendrés par une communication déficiente entre vous et les personnes qui vous sont chères. Lorsque vous entretenez des relations tendues avec une personne qui compte pour vous, vous pouvez même éprouver des souffrances mentales, émotionnelles et physiques. C'est souvent le cas des adolescents qui connaissent des déboires amoureux ; ils ne sont plus en mesure de manger, de dormir et de penser, de travailler ou d'étudier. Les personnes d'âge mûr contrôlent généralement mieux (mais pas toujours) les effets dus aux fluctuations de leurs relations sentimentales.

Si vous oeuvrez dans le milieu des affaires, vous devez savoir composer avec les gens. Si vous travaillez dans le domaine de la vente, vous savez que vous êtes dans les « relations publiques ». Vos revenus et votre niveau de vie dépendent de la qualité de vos relations avec les clients. Si vous faites partie de la direction d'une entreprise, vous n'êtes pas sans savoir que l'efficacité de celle-ci, et par conséquent ses bénéfices, risquent de chuter si une saine communication n'est pas instaurée au sein de votre personnel.

Bien sûr, il y a des exceptions. Par exemple, l'individu qui fait de la vente par correspondance depuis son domicile : il peut rédiger ses réclames publicitaires et expédier ses produits sans qu'il soit tenu de communiquer avec qui que ce soit. Malgré tout, il doit bien lui arriver, parfois, de rencontrer son imprimeur ou son livreur.

Puisque le succès de nos relations avec autrui est une priorité pour la plupart d'entre nous, il est assurément profitable que nous consacrions le temps et l'énergie nécessaires à l'apprentissage de techniques de communication efficaces. La connaissance de celles-ci nous aidera à établir de meilleurs rapports avec les autres.

Les trois « A »

Il y a trois attitudes que tout le monde attend d'autrui. Ces attitudes, je les appelle les trois « A » ; ce sont l'Attention, l'Approbation et l'Appréciation. Les Giblin et Charles Jones sont deux merveilleux conférenciers américains qui traitent dans leurs livres de la manière d'améliorer ses relations, que ce soit dans la vie professionnelle, la vie amoureuse ou la vie en général. Ils insistent beaucoup sur l'importance de ces trois attitudes. Ils constatent que les gens ont besoin de se sentir importants, qu'ils veulent être reconnu à leur juste valeur. Si vous aimez les autres et si vous contribuez à accroître l'estime qu'ils ont d'eux-mêmes, ceux-ci vous aimeront en retour.

Le docteur James A. Parker, président de la Parker Chiropractic Research Foundation, insiste sur le fait qu'il est essentiel de faire en sorte que le patient s'estime à sa juste valeur. Celui-ci ne réagit pas seulement en se montrant loyal et coopératif avec son médecin, mais l'état d'esprit positif ainsi suscité chez lui augmente ses chances de rétablissement. Cela est particulièrement vrai dans le cas des chiropracteurs, étant donné que ceux-ci doivent avoir un contact physique étroit avec leurs patients.

L'Attention

Vous aidez les autres à avoir une bonne estime d'eux-mêmes quand vous leur attribuez une certaine valeur ou que vous les remarquez. Faites-leur sentir que vous vous souciez d'eux, qu'ils sont assez importants pour mériter votre attention. Autrement dit, quand on vous parle, écoutez vraiment. Écoutez ce qu'on vous dit. Oui, je vous l'accorde volontiers, certaines personnes sont très ennuyeuses, alors que d'autres vous accaparent et veulent vous raconter leur vie chaque fois qu'elles vous voient. Il vous faudra bien sûr trouver des excuses polies pour éviter la compagnie de ces personnes. Mais, le plus souvent, les gens qui parlent trop le font parce qu'ils n'ont jamais été vraiment écoutés. Car si vous laissez quelqu'un parler tout en l'écoutant vraiment, il ne pourra parler que pendant un temps limité. Je sais ce que vous pensez : « Ah, mais vous ne connaissez pas ma tante ! » Vous avez peut-être raison, mais nombre de gens (mais pas tous) vont grandement modifier leurs habitudes lorsque vous prendrez le temps de les reconnaître à leur juste valeur.

Écouter, voilà une façon de porter attention à autrui ; il en existe d'autres. Chaque fois que vous dites « Allô ! » ou que vous souriez à quelqu'un, que vous lui serrez la main, que vous faites preuve de courtoisie à son endroit, vous portez attention à cette personne. Il nous arrive parfois, dans le silence de notre coeur, d'être attentif à une personne, mais nous négligeons de le lui faire savoir. Comme celle-ci ne peut lire dans nos pensées, nous devons le lui dire de vive voix. Lorsque quelqu'un vous pose une question ou vous fait une remarque, veillez à lui répondre verbalement. Lorsque votre conjoint vous parle, par exemple, vous pouvez très bien acquiescer en silence ou mentalement faire une remarque sur ce qu'il vient de dire ; mais si vous négligez de lui en faire part, il croira que vous l'ignorez. Or, il n'y a rien de plus offensant que de se sentir ignoré. C'est comme si vous disiez à quelqu'un : « Vous n'exitez pas, vous n'êtes pas une personne.» Nul ne supporte très bien ce type de traitement. Veillez donc toujours à répondre verbalement lorsque quelqu'un vous parle.

L'Approbation

L'approbation signifie que vous permettez aux autres « d'être » ce qu'ils sont. Approuver quelqu'un ne signifie pas que vous aimerez toujours ce qu'il fait ou dit. Cela signifie plutôt que vous accordez de la valeur à cette personne en tant qu'être humain, indépendamment de ce qu'elle peut dire ou faire. Donnez aux autres l'impression que vous les acceptez en tant qu'individus ; cela aura pour effet d'augmenter la confiance qu'ils ont en eux-mêmes. Des conjoints peuvent s'accepter l'un l'autre même s'ils sont en désaccord dans certains domaines. Si leur approbation est mutuelle et s'ils ont un véritable souci l'un de l'autre, leurs désaccords pourront être réglés sans tension ni contraintes.

L'Appréciation

Il n'y a probablement rien de plus réconfortant et de plus agréable à la fois que de savoir que l'on est apprécié. Lorsque l'on vous apprécie, vous savez que l'on reconnaît votre valeur. Car le mot « apprécier » signifie estimer la valeur. À l'opposé, nous avons le mot « déprécier », qui signifie rabaisser la valeur. Lorsque vous appréciez quelqu'un, vous lui dites littéralement qu'il a de la valeur et qu'il compte pour vous.

Comment manifeste-t-on son appréciation ? Il existe bien des façons. Et la plus évidente, c'est de dire merci chaque fois que l'occasion se présente. Vous pouvez également faire sentir aux autres qu'ils sont importants. Demandez-leur ce qui pourrait leur faire plaisir. Tenez compte de leur opinion. Évitez de les faire attendre. Faire attendre quelqu'un, c'est faire montre de peu de considération envers la personne, surtout lorsque rien ne justifie cette attente. C'est aussi une façon de dire que cette personne n'est pas suffisamment importante à nos yeux pour que vous preniez la peine de respecter l'heure de votre rendez-vous.

L'appréciation, c'est donner aux gens des roses alors qu'ils sont encore en mesure de les sentir. Depuis quand n'avez-vous pas complimenté votre mari ou votre épouse, votre secrétaire, vos enfants, vos amis ? Nous avons tous un très réel besoin d'être estimés, de savoir que les autres reconnaissent notre valeur. Chaque fois que vous reconnaissez ma valeur, cela a pour effet de l'accroître dans mon esprit et d'augmenter l'estime que j'ai de moi-même. Et cette estime personnelle est la fondation sur laquelle nous bâtissons l'image mentale que nous avons de nous-même ; et celle-ci est à son tour la fondation sur laquelle nous construisons notre vie. Car plus cette image mentale sera positive, plus les choses que nous voulons attirer dans notre vie seront positives. Il n'est donc pas faux de dire que par l'appréciation que vous manifestez à quelqu'un, vous pouvez devenir l'instrument qui transformera sa vie.

Ne soyez pas avare de compliments, mais ne mentez pas. D'ailleurs, il est inutile de mentir puisqu'il est toujours possible de trouver quelque chose de bien chez quelqu'un, quelque chose qui mérite d'être complimenté. Très rares sont les personnes qui n'ont rien qui ne puisse retenir notre attention. Ce peut être le sourire, les cheveux, les vêtements, les mains, etc. Ce peut être la façon de parler ou de se mouvoir. Il y a nécessairement toujours matière à compliment. Et celui-ci peut vraiment mettre du soleil dans la journée d'une personne. Il est peut-être la seule chose d'agréable que la serveuse du restaurant ait entendue depuis trois jours. Vous êtes peut-être la première personne de la semaine à donner à l'employé du supermarché une raison de sourire.

Inutile de dire que lorsque vous faites en sorte que les gens aient une meilleure estime d'eux-mêmes, ceux-ci vous aiment automatiquement. Plus vous appréciez les autres, plus ils vous apprécient. C'est réciproque. Tout comme les sourires d'ailleurs : ils vous sont toujours rendus lorsque vous les offrez.

L'accord avant le désaccord

Si vous voulez que les autres vous témoignent de la considération, tenez toujours compte de leurs sentiments. Car les gens n'apprécient pas qu'on les regarde de haut. Si vous contestez leurs opinions ou si vous manifestez votre désaccord, leur réaction immédiate en est une d'hostilité ; ils ont alors l'impression que vous les insultez ou que vous doutez de leur intelligence. Il se peut que ce ne soit pas le cas, bien sûr, mais c'est là la façon dont réagissent la plupart des gens.

Nul doute qu'il arrive que vous ne soyez pas d'accord avec les autres et que ce désaccord soit fondé, mais dites-vous bien qu'il y a plusieurs façons de le manifester. Et le ton de votre voix est très important ; il ne doit jamais être menaçant. Marquer intelligemment son désaccord avec quelqu'un est un art. Et l'une des règles est de toujours se montrer d'accord avant de manifester son désaccord ; tout comme l'on doit toujours complimenter d'abord, et passer à la critique ensuite. Si vous vendez un excellent service ou un produit de qualité, par exemple, et que le client vous dit les raisons pour lesquelles il ne veut pas l'acheter, vous devrez vaincre ses objections, bien sûr, mais vous ne pouvez tout de même pas commencer l'argumentation en lui disant tout bonnement qu'il a tort. Si vous voulez préserver cette amorce de communication, vous devez en tout premier lieu exprimer votre accord.

En toute transaction, votre réaction devrait être : « Oui, je comprends votre point de vue... ». «Oui, c'est ce qu'on pourrait dire ; toutefois... », « Oui, je vois pourquoi vous vous dites cela ; cependant... » ou (pour donner un exemple plus explicite) : « Oui, je comprends pourquoi vous préféreriez un modèle plus grand, mais, comme vous voyez, ce petit modèle a tous les avantages du grand, il en a même plus. Regardez, je vais vous montrer. »

Il est tout aussi important, dans les relations personnelles, d'amorcer la discussion en exprimant son accord. Pour quelque obscure raison, les gens mariés sont souvent portés à croire que toutes les règles de conduite applicables aux rapports sociaux et professionnels ne valent pas pour leur famille. Or, rien n'est plus faux. Les conjoints doivent prendre le plus grand soin de leurs relations.

Si vous discutez avec votre mari d'une permission que vous voulez accorder à votre fille de seize ans concernant l'heure à laquelle elle doit rentrer, vous pourriez lui dire quelque chose du genre : « Oui, je sais bien que tu estimes que les filles de seize ans devraient être à la maison à minuit et je comprends ton point de vue, mais c'est une fête spéciale et on va la raccompagner en voiture. J'aimerais vraiment que cette fois-ci... »

Évidemment, rien ne vous garantit que tout ira toujours comme vous le souhaitez simplement parce que vous commencez par exprimer votre accord, mais vous augmenterez néanmoins ainsi vos chances de réussite. Alors que si vous ne procédez pas dans cet ordre, vos chances de succès seront minces, à moins que vous ne voyiez un succès dans l'échec de la communication.

Dans le chapitre portant sur les pensées et les sentiments, nous avons traité de l'importance des caresses et du fait que nous répétons tous les comportements qui nous ont valu, enfants, ces caresses. De fait, il est très important que nous flattions les gens si nous voulons obtenir d'eux les comportements que nous *désirons*, et non ceux que nous *ne désirons pas*. La critique constante n'améliore en aucune façon la performance d'un individu. Au contraire, elle a pour effet d'amoindrir l'image mentale que l'individu a de sa personne, et lorsque cette image est médiocre, celui-ci devient moins efficace.

Si vous avez des employés sous votre direction, vous devez leur dire qu'ils ne sont pas à la hauteur de leurs tâches lorsque c'est le cas. Mais il existe une façon positive de le faire, qui est exempte de toute menace. Plutôt que de les critiquer, informez-les quand cela s'avère possible. Indiquez ce qui est bien avant d'aborder ce qui ne va pas, et manifestez de la considération à leur endroit. L'exercice de l'autorité ne vous impose pas de paraître froid ou écrasant.

Bien sûr, certains employés sont tout simplement incapables de s'acquitter correctement de leurs tâches et il convient alors de les congédier. Mais cela peut se faire sans que l'image qu'ils ont d'eux-mêmes ne soit piétinée. Au lieu de dire à l'employé combien son travail est mauvais, dites-lui plutôt qu'il ne semble pas fait pour exercer ces fonctions. En ce qui concerne votre vie familiale, il se peut que vous ayez à réprimander vos enfants et à discuter de la conduite dangereuse, nuisible ou inacceptable de l'un ou l'autre de ceux-ci avec votre conjoint. Mais la façon de vous y prendre, la voix et l'intention, peut faire toute la différence au monde. Votre intention est-elle d'avoir « raison » ? Ou cherchez-vous plutôt à faire une critique constructive qui aide autrui ?

Il existe probablement mille et une choses (sinon plus) dans les propos ou les actions d'autrui que nous n'approuvons pas. Car les autres « fonctionnent » d'une façon totalement différente de la nôtre. Méritent-ils la critique pour autant ? De plus, chaque fois que vous critiquez quelqu'un, vous lui donnez une caresse négative. Or, les gens répètent les comportements qui ont fait l'objet d'une caresse. C'est pourquoi, si quelqu'un n'est pas caressé pour le bien qu'il fait, il fera tout en son possible pour se faire caresser pour le mal qu'il fait. Aussi, gardez à l'esprit que votre critique risque de susciter la réapparition du comportement fautif ; lequel sera à nouveau une source d'irritation pour vous. Et moins vous vous donnerez de motifs d'irritation, moins vous vous infligerez de stress.

Il existe quatre variétés de caresses : les positives conditionnelles, les positives inconditionnelles, les négatives conditionnelles et enfin, les négatives inconditionnelles. Si vous voulez avoir de bonnes relations avec autrui, évitez de faire des caresses négatives inconditionnelles, évitez-les comme la peste. Car une caresse de se type est une attaque directe contre la personnalité de votre interlocuteur. Des expressions comme : « Je te hais », « Je ne peux pas te supporter », « Tu me rends la vie impossible » sont des caresses négatives inconditionnelles. Les disputes, surtout les scènes de ménage, font généralement appel à celles-ci. Lorsqu'une telle situation se produit, veillez bien à n'attaquer que les propos ou les actions, *et non la personne comme telle*. Rien ne peut être résolu par l'utilisation de ces caresses. Au contraire, elles vous conduisent dans une impasse et la colère et la tension ne cessent de croître entre votre interlocuteur et vous.

Les états du moi dans les relations humaines

Nous avons traité en détail des caresses dans le chapitre portant sur les pensées et les sentiments. Et nous avons également traité des états de l'ego tels que définis par l'analyse transactionnelle. Or c'est dans les relations que nous nouons avec autrui que ces états de l'ego prennent toute leur importance.

Il vous est arrivé sans aucun doute d'avoir une conversation agréable et que, soudain, abruptement, l'atmosphère devienne si tendue que l'on pourrait la trancher au couteau. L'hostilité se manifeste là où, un instant auparavant, régnaient l'entente et l'amitié. Il a suffit d'un mot, expression, guère plus, pour provoquer ce changement. Vous essayez de vous rappeler des mots qui ont été échangés et vous demeurez sidéré. Ceux-ci étaient si innocents. À quoi donc cette rupture des communications est-elle imputable ?

Selon Éric Berne, nous sommes en présence d'une « transaction croisée ». Lorsque nous communiquons ou transigeons avec d'autres personnes, nous ne parlons qu'à une partie de leur personnalité. Nous nous adressons alors à l'Enfant (rebelle ou complaisant), à l'Adulte (objectif) ou au Parent (critique ou protecteur). Tant que l'échange se fait avec l'état d'ego visé, la communication peut durer indéfiniment. Il s'agit là de « transactions gracieuses ». Mais lorsque nous recevons une réponse inattendue d'un état différent de l'ego, nous sentons immédiatement de la tension. Cette tension nous avertit que nous sommes au beau milieu d'une transaction croisée.

C'est le moment d'observer le déroulement de quelques transactions. Mais auparavant, si vous voulez réviser les états de l'ego, reportez-vous au chapitre douze.

Les transactions

Voici un exemple typique de transaction conjugale :
L'époux : « Tu n'as pas vu ma montre en or ? »
L'épouse : « Non, je ne l'ai pas vue. »

Voilà une transaction gracieuse dans laquelle les deux parties occupent leur état d'ego Adulte. Reprenons la même question, mais avec une réponse différente de l'épouse cette fois.

L'époux : « Tu n'as pas vu ma montre en or ? »

L'épouse : « Comment veux-tu que je sache où elle se trouve ? Pourquoi penses-tu que je le sais ? Je n'y touche jamais. »

Cette réponse est typique de la gamine geignarde qui se croit réprimandée. Lorsque l'époux lui a demandé où était sa montre en or, elle s'est immédiatement crue accusée par son père d'avoir perdu la montre. Ce n'était pourtant pas l'intention de la question (vraisemblablement pas) mais c'est ainsi qu'elle l'a perçue. Résultat, elle est aussitôt passée dans l'état d'ego de l'Enfant rebelle. Et que croyez-vous qu'il se soit alors passé ?

L'époux se trouve automatiquement coincé dans l'état de Parent. Il peut devenir le Père critique et dire : « Qui te dit que je te blâme ? Pourquoi te mets-tu toujours sur la défensive ? » Ou bien il peut réagir en Père protecteur et dire quelque chose comme : « Je sais que tu n'y es pour rien, chérie. Je suis désolé de t'avoir donné l'impression que je te faisais un reproche. » (Cette dernière réponse est sans doute moins fréquente.)

L'épouse peut toutefois répondre d'une troisième façon ; revoyons donc cette transaction.

L'époux : « Tu n'as pas vu ma montre en or ? »

L'épouse : « Pourquoi ne surveilles-tu pas tes affaires, tu saurais où elles se trouvent ? »

Il est probable qu'elle adoptera pour dire cela un ton légèrement irrité et moralisateur. Elle s'adresse à son mari comme à un enfant désordonné et il réagira probablement par un état d'ego rebelle, lourd de colère et d'hostilité. Il sera donc coincé dans le rôle de l'Enfant. Il est fort probable qu'une querelle s'ensuivra.

Ces différences entre les états de l'ego ne sont pas aussi évidentes sur papier qu'elles ne le sont en paroles. Le ton de notre voix indique souvent dans quel état d'ego nous sommes. Lorsque quelqu'un passe d'un état de l'ego à un autre, ce n'est pas toujours de notre faute. Nous parlons, par exemple, en tant qu'Adulte mais l'autre personne interprète incorrectement ce que nous disons. C'est pourquoi les personnes averties doivent veiller à communiquer clairement et à s'exprimer d'une façon qui ne soit pas désobligeante. Malgré tout, nous ne pouvons jamais être certains de ce qui se passe dans la tête des autres (leurs idées, leurs attitudes, leur système de valeurs, etc.) ; et il arrive parfois que nous provoquions un cataclysme sans même le savoir.

Lorsque quelqu'un a l'impression d'être contrôlé, contraint, accusé ou critiqué, il se rebelle nécessairement. Il y a souvent une différence entre l'intention du message et la façon dont il est perçu. Quelqu'un parlera par exemple en Adulte, mais l'autre « entendra » une insulte ou une critique du Parent. Il aura donc une réaction négative et sa réponse tiendra de l'Enfant, rebelle ou complaisant.

La plupart des individus qui doutent d'eux-mêmes, qui craignent et qui se sentent rejetés cherchent une justification extérieure de la piètre estime qu'ils ont d'eux-mêmes. C'est pourquoi ils interpréteront de travers des réflexions ; ils y verront des affronts ou des critiques à leur endroit. Si des proches, des êtres chers souffrent de ce problème, essayez de les aider en leur communiquant certaines des choses que vous avez apprises, en leur donnant à lire un livre sur la question (ce livre-ci peut-être), ou en les emmenant chez un psychologue-conseil ou dans divers ateliers de travail sur soi. Il est assurément difficile de vivre avec quelqu'un qui interprète souvent de travers ce que vous dites ou ce que vous faites, mais vous ne pouvez contraindre quelqu'un à changer. Les gens, généralement, s'accrochent à leurs perceptions et à leurs attitudes tant qu'ils n'en prennent pas conscience ; ce n'est qu'à ce moment qu'ils sont en mesure de modifier leurs attitudes et leurs concepts.

Autres modèles de transactions

Considérons d'autres modèles de transactions afin de voir si nous pouvons identifier les différents états d'ego.

L'épouse à l'époux : « Chéri, j'ai mal à la tête. »

L'époux à l'épouse : « Oh, ma pauvre chérie, attends je vais te masser la nuque et te préparer une petite compresse. »

Nous trouvons là l'exemple d'une épouse en position d'Enfant qui s'adresse à son mari en tant que Père protecteur. Heureusement pour elle, l'époux répond de cette position. S'il répondait différemment, voilà la transaction qui pourrait avoir lieu :

L'épouse à l'époux : « Chéri, j'ai mal à la tête. »

L'époux à l'épouse : « Désolé, mais je suis pressé, je ne peux rien faire pour toi. Soigne-toi, voilà tout. »

Le ton de sa voix, bien plus que ses propos, nous indiquera s'il parle en position de Père critique ou d'Adulte. Toutefois, son épouse, qui attendait que la réponse vienne du Père protecteur, n'est pas satisfaite de celle-ci. Elle est irritée et déçue.

Voici une autre transaction :

Une femme à une autre : « Dis donc, elle est jolie, ta robe. Ça te dérange de me dire combien elle t'a coûté ? »

Réponse : « J'ai fait une très bonne affaire ; elle ne m'a coûté que 65 dollars. »

Voilà une transaction gracieuse. Ces deux personnes occupent leur ego d'Adulte. Toutefois, si la question irrite l'amie, sa réponse sera différente et voilà ce que donnera la transaction :

La première à la seconde : « Dis donc, elle est jolie, ta robe. Ça te dérange de me dire combien elle t'a coûté ? »

La seconde à la première : « Ça, ce n'est pas de tes affaires. »

On peut être certain que la suite de la conversation va être plutôt tiède. Cette dernière réaction vient du Parent « qui contrôle ». L'amie aurait très bien pu répondre de façon non désobligeante. Elle aurait pu dire : « Écoute, excuse-moi mais je préfère ne pas te le dire ; je n'aime pas dire le prix que je paie pour mes affaires. » Si elle adopte le ton qui convient (celui d'une Mère protectrice), son amie ne s'offensera probablement pas.

Considérons quelques autres transactions.

La secrétaire au patron : « Quelle heure est-il ? »

Le patron à la secrétaire : « Seize heures trente. »

Voilà une transaction gracieuse, une transaction Adulte. Une personne a posé une question et l'autre a répondu. Une autre variante de cette transaction pourrait être :

La secrétaire au patron : « Quelle heure est-il ? »

Le patron à la secrétaire : « Vous êtes toujours en train de regarder l'horloge, à attendre qu'il soit l'heure de rentrer chez vous. »

Nous avons ici une transaction croisée dans laquelle le patron adopte la position du Père qui contrôle. Ce qui s'est produit dans les faits, c'est que la secrétaire a demandé l'heure et que son patron en a conclu qu'elle voulait arrêter de travailler. Sa réponse et le ton de sa voix lui ont vraisemblablement laissé entendre qu'elle était une Enfant irresponsable. Il est probable que la secrétaire va monter sur ses grands chevaux (l'Enfant rebelle) ou va se faire toute petite (l'Enfant complaisant). Elle va peut-être vouloir s'excuser ou regarder la pointe de ses souliers, au bord des larmes.

Une autre transaction encore, cette fois-ci entre une mère et son fils :

La mère : « Sors les ordures, s'il te plaît. »

Le fils : « D'accord. »

C'est manifestement une transaction gracieuse. Malheureusement, il est plus probable que la transaction se déroule de cette façon :

La mère : « Sors les ordures, s'il te plaît. »

Le fils : « J'ai pas envie tout de suite ; tout à l'heure. »

La mère, manifestement, n'a pas obtenu ce qu'elle voulait. Elle s'est adressée à l'Enfant complaisant, mais elle a reçu la réponse de l'Enfant rebelle. Attention aux étincelles !

Choisir l'état d'ego approprié

L'une des choses les plus importantes que nous devons réaliser en ce qui concerne les états d'ego, c'est que ceux-ci ne peuvent être considérés comme étant bons ou mauvais. Un état d'ego ne peut être qu'approprié ou non, à telle ou telle situation particulière. Une personne équilibrée au plan émotif peut très bien passer d'un état d'ego à un autre si les modèles de transactions et la situation auxquels elle est confrontée l'exigent.

Lorsque vous allez à une partie, veillez à emmener votre état d'ego Adulte afin que celui-ci surveille votre état d'ego d'Enfant. Vous vous amuserez bien davantage si vous devenez l'Enfant durant une partie tout au moins de la soirée. Toutefois, si la fête commence à prendre une tournure délicate : alcool, drogues ou sexe, il est temps que l'Adulte rappelle à lui l'Enfant, et donc que vous partiez. Malheureusement, la plupart des gens se rendent à une partie en laissant l'Enfant à la maison et sont, par conséquent, d'accablants raseurs tout au long de la soirée ; d'autres s'y rendent en oubliant d'emmener avec eux l'Adulte et ils perdent alors tout sens de la mesure.

Quand vous serez en mesure de reconnaître dans quel état d'ego les gens se trouvent, vos relations avec ceux-ci seront bien plus faciles. Si vous êtes vendeur, par exemple, et que vous téléphonez à un client, essayez de déterminer son état d'ego. Si celui-ci vous parle de ses exploits au golf, de son bateau ou de son violon d'Ingres, vous pouvez être certain qu'il est dans les dispositions de l'Enfant. Détendez-vous, laissez-le parler avant de passer aux affaires sérieuses.

Si, par contre, vous rencontrez un client et que ce dernier est assis à son bureau avec l'air de ne pas vouloir plaisanter, vous pouvez être sûr qu'il est dans son état d'ego Adulte, et qu'il est prêt à passer à tout moment à celui de Parent qui contrôle. Veillez bien à demeurer Adulte parce que, si vous commencez à plaisanter, le Père qui contrôle va probablement entrer en scène et votre rencontre risque de ne pas être une réussite.

Si votre mari rentre à la maison de mauvaise humeur, de très méchante humeur, il va probablement adopter la position de l'Enfant rebelle. Vous pouvez l'ignorer jusqu'à ce que ça lui passe ou encore, vous pouvez lui parler en Mère protectrice. Dans cette position, vous pourriez lui dire quelque chose comme : « Tu as dû avoir une journée difficile, chéri ; est-ce que je peux te servir quelque chose ? » Il va de soi qu'il faut une bonne dose de volonté dans les circonstances pour ne pas se laisser gagner par la colère ou la méchante humeur de l'autre. Mais si vous répondez à cette mauvaise humeur par une humeur tout aussi mauvaise, la seule chose que vous en retirerez, c'est une belle dispute.

Les transactions croisées rompent la communication. Et la meilleure façon de la rétablir, c'est d'adopter un état d'ego Adulte. Dire quelque chose comme : « On dirait que nous allons droit à un problème. Faisons marche arrière et voyons ce qui vient de se passer. » L'autre possibilité est de s'arrêter net, de respirer profondément, d'attendre quelques moments et d'orienter la conversation vers un autre sujet. Ce qui n'est toujours facile à faire.

Quand quelqu'un crie, hurle et fait une crise de rage, vous pouvez être sûr qu'il se trouve dans son état d'ego d'Enfant. La seule façon de réagir, c'est d'adopter votre état Adulte et de dire à la personne, sur un ton très maîtrisé, quelque chose comme : « Bon, ça suffit maintenant ! » ; ou encore, vous pouvez prendre la porte et partir. Si je vous dis d'adopter l'état Adulte, ce n'est pas que je vous conseille d'essayer de raisonner la personne ; on ne peut raisonner une personne en colère, car elle n'obéit plus à la raison. Mais si vous répondez aux cris par des cris, vous pouvez être sûr que vous le ferez en pure perte, à moins bien sûr que vous n'aimiez la dispute pour la dispute (c'est le cas de certaines personnes, vous savez).

Les clefs de la communication

J'aimerais maintenant vous donner quelques clefs supplémentaires qui vous permettront de réussir vos communications.

Apprenez à vraiment écouter. Soyez attentif à l'autre, mais ne commettez pas l'erreur de croire que la responsabilité de régler ses problèmes vous incombe. Cependant, ne prenez pas ses doléances à la légère. Car l'autre a souvent besoin de votre empathie. En l'écoutant, vous lui faites comprendre que vous êtes présent et que votre coeur est avec lui.

Apprenez à demander ce que vous voulez. Ne tenez pas pour acquis que les autres (y compris votre conjoint et vos enfants) savent automatiquement ce que vous voulez. Ne faites pas comme l'épouse qui, voulant quitter une soirée, demanda l'heure à son mari au lieu de lui communiquer son désir. Elle croyait, de cette façon, que son mari comprendrait qu'elle voulait rentrer à la maison. Mais comme celui-ci se trouvait dans un état d'ego complètement différent du sien (il était en état d'Enfant, alors qu'elle était en état d'Adulte ou de Parent qui contrôle), il a tout bonnement répondu à sa question et a continué de s'amuser. Elle s'est irritée, s'est mise en colère parce qu'il avait ignoré sa demande. En vérité, elle n'avait fait aucune demande. Personne n'est tenu de satisfaire les besoins que vous ne faites pas connaître.

Lorsque deux personnes ou plus en viennent à une entente après avoir délibéré, que celles-ci s'assurent bien qu'elles comprennent toute la teneur de cette entente. Définissez tout accord auquel vous êtes parvenus afin que ce dernier ne soulève aucune question dans l'avenir, et qu'ainsi personne ne puisse être accusé de n'avoir pas respecté sa parole ou d'avoir renversé le concensus commun.

Nous avons déjà souligné qu'il est très important de reconnaître la juste valeur des autres. Reconnaissez celle des autres et faites-leur savoir que vous attendez d'eux qu'ils reconnaissent la vôtre. De plus, dites-leur gentiment, sans soupçon de menace, que vous aimeriez qu'ils vous répondent de vive voix quand vous leur parlez.

Lorsque vous donnez des instructions, veillez à ce qu'elles soient claires et précises. Demandez à la personne à qui elles sont destinées de vous les répéter ; de cette façon, vous pourrez vous assurer que vous partagez tous les deux la même information. Ne lui dites pas : « Répétez les informations, afin que je puisse voir si vous les avez bien comprises. » Dites plutôt : « Veuillez répéter les instructions, afin que je puisse voir si je vous les ai correctement communiquées. » Si vous ne donnez pas d'instructions claires ou si vous ne demandez pas à votre interlocuteur de vous les répéter afin de vous assurer qu'elles sont bien claires pour lui, ce ne sera pas de sa faute s'il commet une erreur.

S'il arrive que quelqu'un fasse une erreur, ne revêtez pas votre ego de Parent critique. Considérez plutôt la situation d'un point de vue adulte et discutez-en intelligemment. L'important, ce n'est pas de critiquer et de faire sentir à quelqu'un son incompétence, mais bien plutôt de résoudre le problème. Cela, ne l'oubliez jamais. L'objet de toute communication n'est pas de contester, de se plaindre, d'insulter ou de critiquer ; c'est plutôt de partager son expérience, de s'aider mutuellement, de trouver des solutions et de composer intelligemment avec la réalité.

Par contre, si vous recevez des instructions d'autrui et que celles-ci ne soient pas claires, demandez qu'elles vous soient reformulées pour que vous puissiez les comprendre. Car vous ne pourrez vous acquitter correctement de ce que l'on attend de vous que si vous comprenez bien ce que vous devez faire.

Ne taquinez pas. La plupart des gens qui taquinent les autres trouvent ça drôle et ils croient que cela amuse leur victime. Mais c'est rarement le cas. La victime est généralement perturbée, irritée, embarrassée et troublée par les taquineries, quand celles-ci ne la mettent pas carrément en colère. Dans la plupart des cas, la victime a dit à plusieurs reprises au taquineur de s'arrêter, mais ce dernier n'en a pas tenu compte. Il n'y a rien de bien agréable à ce que quelqu'un souligne nos défauts et les tourne en ridicule, surtout en public. Des gens chaleureux et bien disposés à l'égard d'autrui, qui pourraient être très attachants, se font des ennemis à cause de leurs taquineries.

Laissez les autres avoir des opinions et des attitudes différentes des vôtres. Personne n'est tenu d'être de votre avis. L'univers est rempli d'idées, d'attitudes, d'opinions, de concepts et de principes moraux divers. Il ne vous appartient pas de tenter de changer qui que ce soit. Nous avons tous divers schèmes de références et nous avons tous vécu des enfances distinctes. Nous avons tous agencé différemment les myriades d'impressions qui sont inscrites dans nos cerveaux. Il nous faut toute une vie pour nous modifier nous-même, alors appliquons-nous à réussir sans mettre tant d'ardeur à réformer autrui.

Une autre clef essentielle à la communication est de dire son fait à toute personne qui vous a blessé ou affligé. Évidemment, ce n'est pas toujours facile à faire. Nous préférons, du moins la plupart d'entre nous, répondre à ces personnes par le silence ou bien comptabiliser tout ce qu'elles disent et font jusqu'à ce que nous explosions. Si vous vous trouvez dans ce genre de situation, il vaut bien mieux aller voir la personne en question et lui dire sans détours que certaines choses qu'elle fait ou dit vous blessent. Et expliquez-lui pourquoi. Parlez avec douceur, sinon vous risquez de basculer dans votre ego de Parent ou d'Enfant rebelle et de vous aliéner l'autre personne. Et dans ces conditions, la communication devient impossible. Exprimez-vous en Adulte en mettant un peu de chaleur dans votre voix.

Certains contes de fées se terminent par : « Et ils vécurent heureux jusqu'à la fin de leurs jours. » Rares sont les relations humaines qui ne font pas mentir cette conclusion. Pour être réussies, les relations, qu'elles soient conjugales ou professionnelles, exigent des efforts, de la conscience et du respect de la part de chacun des individus concernés.

Nos relations affectives avec nos proches mises à part, nos contacts quotidiens avec les centaines de personnes qui touchent de près ou de loin à nos vies peuvent être des sources de satisfaction ou d'angoisse.

Peu importe la relation, vous ne pouvez être tenu responsable de plus de la moitié de celle-ci. Mais si vous affectez à cette moitié une personne « entière », satisfaite, saine et heureuse, vous exercerez une fantastique influence sur l'autre moitié.

Les relations humaines, comme toute chose d'ailleurs, peuvent être influencées par l'imagerie mentale et les affirmations positives. Si vous voulez améliorer votre communication entre vous et une autre personne, créez des formules affirmatives positives et répétez-vous-les quotidiennement. Visualisez-vous en train de communiquer avec cette personne dans le respect et l'attention mutuels. (Il va sans dire que vous devez aussi pratiquer ce que vous visualisez !) Vos suppléments d'énergie mentale et spirituelle faciliteront les changements que vous recherchez tous les deux.

La relation la plus importante est celle que vous entretenez avec vous-même. Vous ne pouvez vraiment nouer des relations harmonieuses avec les autres que si vous entretenez de bonnes relations avec vous-même et que vous savez qui vous êtes.

Les relations humaines nouées par des personnes aimantes et autonomes, capables de partager les épreuves et les triomphes de la vie avec autrui, capables de donner et d'échanger un amour loyal et généreux, sont sans doute, de toutes les expériences de la vie, celles qui sont les plus enrichissantes. Et celles-ci pourraient devenir les vôtres si vous vous appliquez à les faire naître.

14

Apprenez à bien vivre votre sexualité

Alors, c'est ça, vous voulez être attirant ? Mais vous avez tout à fait raison !

La plupart des gens peuvent jouir de leur sexualité jusqu'à un âge fort avancé et les handicaps physiques ne sont pas un obstacle à la jouissance. Les vrais obstacles dans ce domaine sont la mauvaise santé, une piètre opinion de soi, l'angoisse, l'inquiétude et la rancune.

Une condition physique déficiente peut avoir pour effet d'affaiblir votre désir sexuel et d'amoindrir vos capacités. Les états émotionnels négatifs affaiblissent eux aussi votre désir et amoindrissent vos capacités au plan sexuel.

En conversant avec un grand nombre de personnes, j'en suis arrivée à comprendre que l'inappétence sexuelle est un problème qui ne laisse personne indifférent. Les individus qui ont ce problème savent qu'ils passent à côté d'un « délice » et désirent retrouver la fougue et l'enthousiasme qui leur permettront de goûter à l'un des plaisirs élémentaires de la vie : les relations sexuelles.

Votre partenaire

Les relations sexuelles, pour être vraiment réussies, doivent être le fait de deux personnes qui s'apprécient mutuellement. Il y a un avantage intangible à communier avec un autre être humain. Mais, bien sûr, en nos temps dits modernes, il semble que les relations sexuelles ne soient pas nécessairement l'expression de l'amour, sauf en de rares exceptions.

Je crois cependant qu'il existe encore des personnes pour lesquelles la sexualité est inconcevable en dehors de l'amour. La première condition du plaisir sexuel est d'avoir pour partenaire une personne qui vous plaise.

Je sais bien qu'il existe toutes sortes d'établissements sexuels extravagants, mais, n'en étant pas une spécialiste, je laisse à d'autres le soin de vous en parler.

Un problème de santé, un manque de vigueur et de bien-être émotionnel peuvent avoir pour effet d'abaisser votre libido à un point tel que vous ou votre partenaire en viendrez à vous demander ce qui se passe. Une personne physiquement saine est une personne qui prend soin d'elle-même et qui est en forme. Elle se repose, se détend, fait des exercices adéquats et s'alimente convenablement. L'exercice, soit dit en passant, peut vous donner de l'énergie, vous stimuler et est donc excellent pour votre santé. Mais si vous êtes un « maniaque » de l'exercice, vous abusez d'une bonne chose ; il s'ensuit que vous êtes fatigué et que vous n'avez plus d'énergie à consacrer à votre partenaire.

Votre régime

Si vous ne fournissez pas à vos glandes les substances qu'elles réclament pour bien fonctionner, vous vous apercevrez tôt ou tard que votre vigueur et votre appétit sexuel ont diminué. Il convient donc que vous adoptiez un régime quotidien d'aliments naturels, complets, non raffinés. Les compléments, idéalement, devraient combler les manques au niveau de votre alimentation ; ils devraient aussi vous aider à faire face au stress et à éliminer de votre organisme les poisons en provenance de sources diverses, qui s'y trouvent. Votre état de santé pourra exiger une quantité variable de ces éléments nutritifs. Comme l'affirment le docteur Roger Williams, biochimiste et inventeur de l'acide pantothénique, et le docteur William Donald Kelley, spécialiste du métabolisme, nous sommes tous différents et possédons par conséquent des forces et des faiblesses différentes. Nous avons chacun des empreintes digitales uniques.

Le chapitre qui traite de la nutrition devrait vous éclairer sur la façon dont il faut vous alimenter. Il convient que vous absorbiez en quantité suffisante, les éléments nutritifs essentiels, soit les vitamines, les sels minéraux et les oligo-éléments. La vitamine A, le complexe B, les vitamines C, D, E, les acides gras non saturés (vitamine F) et un grand choix de sels minéraux sont quotidiennement nécessaires à votre organisme.

Certains éléments nutritifs semblent favoriser l'activité sexuelle et l'épanouissement du désir. Au nombre de ceux-ci, on compte entre autres la vitamine E et le zinc. Ceci dit, n'oubliez pas les autres, car seul un régime équilibré peut garantir la santé ; autrement dit, ce n'est pas d'un mais de plusieurs éléments nutritifs dont votre organisme a besoin. Les protéines par exemple sont indispensables au bon fonctionnement de votre organisme, et si vous n'en consommez pas suffisamment l'énergie vous manquera. Les protéines sont également nécessaires à la restauration de chacune des cellules de votre corps, ce qui comprend les glandes responsables de votre énergie sexuelle et de la prévention de l'impotence.

L'attitude mentale

Votre attitude mentale affecte tous les aspects de votre vie, ce qui évidemment inclut votre vie sexuelle. Rien d'étonnant alors dans le fait que lorsque vous êtes déprimé, angoissé, soucieux ou habité par la peur, votre désir sexuel ait tendance à disparaître sans même crier gare. La solution consiste donc à se maintenir en prise directe avec ses pensées et ses sentiments et à observer ce qui se passe dans sa tête. Ce qui se passe dans votre tête est peut-être responsable de ce qui se passe dans votre corps.

Demandez-vous pourquoi vous avez peur, pourquoi vous connaissez l'angoisse, pourquoi vous êtes irrité ou déprimé. Demandez-vous si vos états d'âme ne sont pas le résultat d'un conflit entre vous et votre partenaire. Et si tel est le cas et que vous éprouvez de la rancoeur et de l'hostilité à son égard, mieux vaut que vous lui en parliez. Inspirez-vous pour aborder le sujet et pour régler vos différends, des principes exposés dans le chapitre qui traite des relations humaines. Pensez aussi éventuellement à vous inscrire à un atelier sur la communication ou même à avoir recours aux services d'un psychologue. Et surtout n'oubliez pas de passer sans attendre à l'action ! Car le temps que vous perdez est précieux.

Si votre problème émotionnel n'a rien à voir avec votre partenaire, mais tient à quelque chose que vous devez régler avec vous-même, alors empressez-vous de le faire. Le chapitre qui traite des pensées et des sentiments vous aidera dans vore tâche. N'oubliez pas la formule AOC et demandez-vous : Qu'est-ce qui s'est passé ? Quel est mon état intérieur et qu'est-ce qui le motive ? Examinez le sentiment qui est la cause de cet état et cherchez à voir s'il a sa raison d'être. Cherchez à voir si le fait de vous accrocher à ce sentiment vous cause du tort à vous, ou à vos proches, aux êtres qui vous sont chers. En vous livrant à cette analyse, vous en viendrez peut-être à modifier votre façon de penser et ceci entraînera automatiquement un réajustement de vos sentiments. Et aussitôt que vos émotions seront plus positives, votre appétit sexuel s'aiguisera sans tarder très probablement.

Les problèmes personnels

Il arrive que nous subissions des revers qui nous font perdre la bonne opinion que nous avions de nous-même. Mais le fait d'échouer quelque part signifie-t-il que nous sommes des ratés ? Bien sûr que non. Avez-vous subi des revers financiers ? Les factures sont-elles demeurées en souffrance sur votre bureau ? Si tel est le cas, cessez de faire du sur place et réfléchissez à la situation. Ensuite appelez vos créanciers et cherchez à les apaiser. Inspirez-vous des chapitres qui traitent des buts, de l'esprit, de l'imagination et du succès et prenez la décision de réorganiser votre affaire ou votre vie professionnelle. Et une fois cette décision prise, vous verrez que vous vous sentirez libéré d'une bonne partie du poids qui vous pesait sur les épaules.

L'inquiétude et la peur, qui paralysent votre appétit sexuel, sont souvent le résultat d'une fuite devant le problème, la manifestation du désir de croire qu'il va disparaître de lui-même. Du moment que vous aurez fait ce qu'il faut pour le résoudre, vous serez content de vous-même et votre corps réagira en conséquence. Vous serez à nouveau prêt pour l'amour.

D'autres raisons peuvent expliquer la perte d'appétit sexuel. Votre partenaire, que vous aimez, ne vous attire peut-être plus. Consultez alors un spécialiste. S'il se laisse aller et qu'il refuse ou se montre incapable de remédier à la situation, c'est signe d'un grave problème psychologique qu'il faut traiter.

Les relations sexuelles sont une activité normale, naturelle, de même qu'une source de délices capables de vous faire atteindre aux sommets d'une ineffable extase. Pour arriver à de tels résultats, il importe toutefois que vous vous trouviez avec un partenaire qui vous convienne et que vous fassiez l'amour dans de bonnes conditions. L'amour physique est bien plus agréable lorsque vous êtes tous les deux dans votre état d'Enfant. Car le moi de l'Enfant est libre, affectueux, ouvert, chaleureux, impulsif et aimant. (Voir la section qui traite de l'analyse transactionnelle.)

Faire l'amour en état d'Adulte est quelque chose de machinal. Vous ferez sans doute « tout ce qu'il faut », mais à contre-temps. Il vous manquera quelque chose. L'amour a bien des visages : ludique, passionnel, attendri. Ils devraient tous être naturels, comme l'est l'enfant. Si vous êtes trop occupé par la question de savoir quelle position est préférable, quel mouvement s'avère indiqué, vos ébats manqueront singulièrement de liberté et de spontanéité.

L'amour physique, quand vous êtes dans votre état d'ego adulte, peut être une vraie catastrophe. C'est là que la culpabilité entre en jeu. Vous vous demandez : « Est-ce que c'est bien de faire ça ? » « Maman, qu'est-ce qu'elle dira, si je fais ça ? » « Continuera-t-il à me respecter ? » « Non, ce n'est pas bien, les gens comme il faut ne font pas ça », etc., etc.

Tout ce que deux adultes consentants font en privé, qui leur donne jouissance et satisfaction et ne fait de tort à personne, est acceptable. Les questions de bien et de mal ne se posent pas au lit entre deux personnes émotionnellement équilibrées (notez bien que j'ai dit « deux » ; s'il s'agit de sexualité de groupe, ça ne me regarde plus).

Il est agréable de savoir, n'est-ce pas, que quand vous vous assumez et que vous vous occupez de votre santé (corps, âme et esprit), vous vous donnez aussi la chance d'augmenter votre capacité au plaisir et à la jouissance.

Voilà pour votre vie amoureuse : puissiez-vous l'assumer et puisse-t-elle durer éternellement !

15

Prenez soin de votre apparence

Alors, vous voulez en mettre plein la vue ! Mais qui n'est pas dans ce cas, n'est-ce pas ?

Avec une belle apparence, on se sent bien dans sa peau. Lorsque vous êtes sur votre trente-six, vous vous sentez sûr de vous et vous rayonnez. La première chose que les autres remarquent chez vous, c'est votre apparence. Et cela les impressionne lorsque votre apparence est celle d'une personne saine et pleine de magnétisme.

Ce qui est merveilleux, c'est qu'en souscrivant à toutes les règles qui conduisent à la santé et au bonheur, vous vous embellirez automatiquement. (Bon, d'accord, peut-être que vous ne serez pas beau dans le sens « classique » du terme mais vous aurez belle apparence, ça c'est sûr !)

La beauté est intérieure. Elle est ce rayonnement qui apparaît lorsqu'on se sent bien dans sa peau, qu'on jouit de la paix de l'esprit et qu'on est en bonne santé : qu'on mange des aliments sains et qu'on prend soin de soi. La beauté est le résultat naturel d'une saine alimentation de son corps, de son esprit et de l'Esprit.

Il est, bien sûr, d'autres petits conseils de beauté que nous pouvons vous donner et que nous vous donnerons.

Ils serviront aux hommes comme aux femmes. Au royaume des animaux, c'est toujours le mâle qui a le plus beau plumage, la fourrure la plus fournie et la crinière la plus belle.

Mais avant que ne vous soient prodigués ces conseils, revoyons ce que nous vous avons dit sur la santé et comment nous pouvons nous l'assurer.

Le régime de santé que nous vous avons recommandé améliorera également votre apparence. Vous rayonnerez de l'intérieur : votre peau sera lumineuse, vos cheveux lustrés (je ne vous promets pas que vous allez retrouver vos cheveux, quoique certains des produits qui contiennent du « jojoba » puissent être utiles), vos ongles résistants.

Votre régime

Nous vous recommandons un régime qui comprenne une grande variété d'aliments complets et naturels ; nous vous recommandons particulièrement les fruits frais et les légumes parce qu'ils sont riches en sels minéraux, vitamines et enzymes nécessaires. Le foie, également, est très bon du fait qu'il contient beaucoup de ce fer nécessaire à l'alimentation de toutes les cellules. Le foie contient aussi de la vitamine A, qu'on appelle la vitamine de la peau.

Les céréales complètes, qui contiennent les vitamines B nécessaires à la santé de la peau et des cheveux sont très importantes. Le complexe B se retrouve dans la levure de bière, notamment.

Les noix et les graines fournissent les oligo-éléments requis par notre organisme et notre peau. Les graines de tournesol sont riches en vitamine A, les graines de citrouille en zinc, et toutes deux sont des agents nutritifs qui nous assurent une belle peau.

Les graines de sésame contiennent beaucoup de calcium, un élément nécessaire à la détente du système nerveux (rappelez-vous que la tension fait rider). Le calcium est également bon pour les dents, les os et les ongles ; on le retrouve dans les produits laitiers ; ceci dit, il convient de ne pas abuser des produits laitiers homogénéisés et pasteurisés.

Les aliments fibreux comme les produits céréaliers entiers, les fruits et les légumes permettent à nos intestins d'éliminer les déchets toxiques qui s'accumulent dans notre organisme. Ces déchets empoisonnent nos cellules et font apparaître sur notre peau des points noirs et des boutons. Les fruits, outre leur saveur, ont pour effet de purifier notre organisme. Cette purification est aussi favorisée par les eaux de source ou les eaux distillées, les jus naturels et les tisanes.

Toutes les cellules de notre organisme, celles de nos cheveux et de notre peau comprises, se composent de protéines ; il importe donc que nous consommions des aliments protéiniques de qualité. Si vous êtes végétarien, composez soigneusement vos menus (voir le chapitre sur l'alimentation). Les noix et les graines sont une bonne source de protéines. Le yogourt est un aliment merveilleux très riche en protéines. Il contient également de gentils bacilles qui stimulent la digestion et vous aident à fabriquer les vitamines B au niveau de vos intestins. (Le yogourt, soit dit en passant, fait également un excellent masque de beauté, comme nous le verrons un peu plus loin dans ce chapitre.)

Les oeufs, avec leur richesse en protéines et en soufre (si important pour la santé de vos cheveux, de votre peau et de vos ongles), constituent un merveilleux aliment. Vous pouvez utiliser ce qui reste dans la coquille et vous l'appliquer sur le visage en guise de masque de beauté.

La levure de bière, en plus de contenir des vitamines B, contient du sélénium, qui oxygène les cellules de votre organisme et favorise leur alimentation. La vitamine E oxygène vos cellules. Pour avoir une belle peau, ce qui est un signe de jeunesse et de charme, vous devez fournir à toutes les parties de votre organisme (peau comprise) les éléments nutritifs dont elles ont besoin. Pour que votre peau ne se dessèche, vous devez consommer les graisses contenues dans les noix (qu'il faut bien mâcher), ainsi que de l'huile polyinsaturée. N'oubliez pas que votre organisme a besoin de corps gras, mais n'exagérez pas ; modérez-vous.

La lécithine n'élimine pas seulement le cholestérol de votre organisme, mais métabolise les graisses, ce qui harmonise les proportions de votre corps. Le varech est un facteur de régularisation de votre poids, car il règle le fonctionnement de votre glande thyroïde. Il est également excellent pour votre peau.

Ce qu'il vous faut éviter

Voici quelques-unes des choses que vous aurez intérêt à éviter. Les sucres raffinés et les amidons introduisent des déchets toxiques dans votre organisme. Ils sont par ailleurs catastrophiques pour votre peau et votre poids. Les fritures modifient la structure moléculaire des graisses, ce qui est non seulement malsain, mais source de problèmes cutanés. Le chocolat est un vice auquel souscrivent nombre de personnes (il contient de la caféine et trop de sucre). Les cigarettes réduisent votre alimentation en oxygène (entre autres effets désastreux), ce qui évidemment est nuisible à votre peau. Les éléments chimiques contenus dans les aliments et les médicaments déposent des déchets dans votre corps, causant ainsi du tort à votre peau (à votre vitalité et à votre apparence également).

Si vous êtes de ces personnes qui peuvent manger de la bouffe-toc et conserver des cheveux et des ongles éclatants, une silhouette à couper le souffle et une peau saine, considérez-vous comme *mal*chanceux ; Eh oui, malchanceux, car ceci signifie que vous n'allez probablement pas changer vos habitudes alimentaires. Il y a des gens dont l'état et l'apparence semblent excellents jusqu'au jour où ils découvrent que leur santé va de travers. Comme ils n'ont jamais cultivé de bonnes habitudes alimentaires, ils ne savent à quel saint se vouer.

L'exercice

Si vous désirez avoir un corps ravissant, vous vous devez de faire de l'exercice. Celui-ci, en effet, est le régulateur par excellence. Il musclera votre corps là où il se doit et vous fera perdre de la graisse là où il se doit. Votre poids se régularisera et votre corps se raffermira. L'exercice profite également à votre peau, car il favorise la circulation et tonifie la peau.

L'attitude positive

Une attitude mentale positive (l'aptitude à regarder la vie avec les yeux du bonheur et de la joie, même lorsque tout semble aller de travers) aura pour effet d'accroître votre beauté physique. Votre esprit, rappelez-vous-en, est très puissant. Lorsque vous êtes irrité, en colère ou malheureux, votre esprit instruit votre corps de sécréter certaines substances chimiques qui perturbent l'équilibre chimique de votre organisme et affectent votre métabolisme ; il en résulte une nutrition inadéquate de votre organisme.

Sans compter que l'angoisse et la déprime sont lisibles dans vos yeux et sur tout votre visage. Si votre sourire est artificiel, il ne fera illusion à personne. Personne ne prend plaisir à regarder une personne négative ou malheureuse dont les traits sont parfaits. Personne assurément ne veut se trouver en sa compagnie.

Sans que vous ayez à faire quoi que ce soit de spécial pour votre apparence, celle-ci s'améliore lorsque vous mangez des aliments complets, naturels, que vous faites de l'exercice, que vous pensez positivement, que vous souriez et aimez la vie.

L'imagerie mentale

L'imagerie mentale (appelée également « visualisation ») peut vous aider à rencontrer dans un délai assez bref vos objectifs de beauté. Pratiquez-vous à vous voir en esprit comme une personne dotée d'un corps ferme et bien proportionné, d'une peau douce et lumineuse, d'une chevelure abondante, d'un sourire radieux, bref de tout ce qui représente la beauté à vos yeux. Complétez les détails du tableau et voyez-vous en couleurs. S'il vous faut modifier certains points particuliers, modifiez-les en imagination. Veillez à ce que votre image soit logique. Par exemple, si vous souhaitez avoir un nez plus petit, l'imagerie mentale ne vous sera d'aucune utilité et il vous faudra avoir recours à la chirurgie esthétique pour atteindre votre objectif. Si vous désirez perdre du poids, imaginez que vous êtes une personne mince, puis passez à l'action.

Votre habillement et son style

Vous pouvez, grâce aux vêtements que vous portez, améliorer radicalement votre apparence. Si vous êtes petite et trapue, il vous faudra des vêtements différents de ceux des mannequins graciles. Portez ce qui vous sied sans vous inquiéter de la mode. Recherchez la simplicité et la « classe ». Ayez quelques vêtements d'excellente qualité qui vous vont bien et sont taillés dans de bonnes étoffes plutôt qu'un tas d'articles « à la mode du jour ». Partez à la recherche de livres qui traitent de cette question.

Demandez-vous si vous ne pourriez pas modifier votre coupe de cheveux et votre maquillage. Si vous êtes un homme, peut-être déciderez-vous de vous faire pousser une moustache ou une barbe (à moins que ce ne soit le contraire). En règle générale, plus la coupe est simple, mieux ça vaut (ceci vaut également pour les femmes). En ce cas, vous aurez belle apparence quels que soient le temps et l'occasion. Le maquillage devrait être aussi simple que possible. Vous voulez faire de votre visage comme une toile aux tons subtils. Personne ne saura exactement les touches que vous y avez posées, jamais, sinon qu'il est beau !

Le repos

Le repos contribue merveilleusement à la beauté. Si vous en avez la possibilité, faites une petite sieste qui accomplira des miracles pour votre apparence (et ravivera votre énergie). Si vous n'avez pas cette possibilité, réservez-vous dix minutes de détente et de méditation tous les jours. Il est particulièrement bon de s'étendre sur une planche à bascule, quelques coussins glissés sous les pieds. L'inversion de la gravité est l'une des clefs de la jeunesse. Vous ne le remarquerez peut-être pas tout de suite, mais si vous consacrez à la bascule quelques minutes par jour, votre visage s'en trouvera bientôt transformé. Vos muscles faciaux seront moins « tirés ». C'est la pesanteur qui fait vieillir votre apparence.

Vous pourrez également, dans cette position, refaire une beauté à vos yeux. Mouillez généreusement deux sachets de thé (ou plutôt d'herbes) et posez-les sur vos paupières fermées. Vous pouvez employer des sachets qui ont déjà servi. C'est excellent pour les paupières gonflées, pour les cernes et pour les yeux fatigués. Gardez les sachets sur vos paupières pendant dix minutes.

Votre peau

Si vous voulez que vos mains soient douces, recouvrez-les régulièrement de crème, particulièrement avant et après les avoir lavées. Les boutiques de produits naturels offrent des crèmes et des lotions hydratantes naturelles qui font des miracles pour vos mains. Lorsque vous n'avez pas à sortir ni à travailler manuellement, utilisez en guise de crème à main, de la mayonnaise. Appliquez soigneusement cette mayonnaise sur vos mains, puis gantez-vous. Vous pourriez aussi passer la nuit comme ça (si cela ne vous dérange pas de dormir avec des gants).

Si la peau de vos mains et de vos bras est particulièrement sèche, ajoutez une capsule de 200 mg de vitamine E et 10 000 unités de vitamine A à une bonne lotion achetée dans une boutique de produits naturels. Cette lotion se concerve au réfrigérateur et, pour la parfumer, vous pouvez y ajouter quelques gouttes d'eau de Cologne. Servez-vous-en avant et après vous êtes plongé les mains dans l'eau. Elle est aussi excellente pour les genoux, les coudes et les pieds à la peau sèche et rêche. Pour être belle, la peau doit aussi être propre. De fait, la peau est l'organe le plus important de votre corps, en ce sens qu'elle est un organe d'excrétion. Si vous utilisez une éponge naturelle, un louffa, produit de la mer similaire à une éponge dure, vous éliminerez toutes les cellules mortes. Passez-le prestement sur votre peau avant la douche ou le bain pour décoller une bonne partie de ces déchets que votre peau élimine. Une fois dans la baignoire ou sous la douche, frottez-vous de haut en bas, transversalement et en mouvements circulaires pour faciliter l'élimination de la cellulite (graisse, eau et déchets situées au-dessus des muscles).

Lavez-vous toujours le visage à grande eau le soir pour enlever toute trace de maquillage. Ma préférence va aux savons organiques et à une eau très chaude plutôt qu'aux démaquillants. Pour ma part, j'applique toujours après m'être lavé le visage, une lotion rafraîchissante à laquelle j'ajoute un peu de vinaigre de cidre de pomme (le vinaigre de cidre de pomme a le même ph que la peau). Veillez bien à ce que votre peau soit parfaitement sèche avant d'appliquer le maquillage. Si vous avez dépassé trente ans, vous auriez intérêt à appliquer un hydratant sur votre peau avant de vous maquiller. Si vous sortez sans maquillage, n'oubliez pas de protéger votre peau. Les petites rides qui entourent les yeux disparaissent sous l'effet de l'huile alimentaire. Toute huile non saturée, comme les huiles de sésame, de tournesol, de carthame, etc., peuvent faire l'affaire. Employez des hydratants achetés dans une boutique de produits de santé qui soient aussi naturels que possibles.

Vous pourrez à l'occasion, lorsque vous n'aurez pas à sortir, vous servir de mayonnaise. Appliquez celle-ci comme vous appliqueriez n'importe quel autre hydratant, mais mettez-en peu.

Le savon naturel que l'on trouve dans les boutiques de produits naturels mérite d'être acheté. Les savons courants se composent de produits chimiques qui sont absorbés par la peau et qui peuvent l'irriter. Il est donc préférable de les éviter (surtout les savons déodorants).

Après avoir pris votre bain ou votre douche, rincez votre corps au vinaigre. Je conserve toujours de l'eau de source vinaigrée dans ma salle de bains, un quart de vinaigre, trois quarts d'eau de source, et m'en asperge après m'être baignée. L'odeur disparaît très vite (parole d'honneur !). Appliquez ensuite une lotion hydratante. J'en emploie une achetée dans une boutique spécialisée, excellente, qui contient de l'aloès, de l'acide paminobenzoïque, de l'huile de sésame et quelques autres merveilleux ingrédients. Appliquez-la sur tout votre corps ; vous aurez une peau douce et éclatante.

Déodorants et autres produits

Gare aux déodorants. La plupart contiennent du chlorure d'aluminium, qui est une substance toxique. Nous avons dans notre société, la phobie des mauvaises odeurs. Et plutôt que de conserver nos odeurs naturelles, nous nous empoisonnons pour les masquer. Notre sueur ne sentirait pas si mauvais si nous ne déposions dans nos corps tant de matières infectes, bouffe-toc et médicaments. La transpiration aide nos organismes à éliminer les poisons. Quand vous employez des produits anti-sudorifiques, vous incrustez ces poisons dans votre organisme, ce qui est dangereux car vous vous empoisonnez au sens strict du mot. Les déodorants des boutiques de produits naturels sont bien. Si vous transpirez tellement que vous souillez vos vêtements, protégez-les adéquatement, mais n'employez jamais d'anti-sudorifiques.

L'huile minérale est un autre produit courant pour la peau qui présente des dangers. Évitez les produits qui en contiennent. Cette huile est absorbée par la peau et élimine les vitamines qui y sont solubles, entre autres les vitamines A, E, D et F. L'huile pour bébés est en fait de l'huile minérale. Il est regrettable que des mères bien intentionnées utilisent ce produit pour le bonheur de bébé, éliminant de ce fait des substances nutritives de son organisme.

Quelques produits merveilleux

L'aloès est une plante extrêmement utile. Elle est un excellent purificateur des intestins et est aussi très indiquée pour lutter contre les ulcères de l'estomac et du duodénum. En pommade, elle peut être appliquée directement sur la peau, contre les ecchymoses, les défauts de la peau, les brûlures et les boutons. Vous pouvez acheter de l'aloès liquide ou en gel pour ces deux usages, interne et externe, dans les boutiques de produits naturels.

Les boutiques de produits naturels vendent une argile qui constitue un merveilleux produit de beauté et qui s'appelle en anglais Cattier Clay. Elle existe en trois variétés : blanche, verte et rose. L'argile blanche est une poudre très agréablement parfumée, sans talc, qui peut être appliquée sur le corps et sur les pieds. La verte et la rose servent à faire d'excellents masques de beauté. Employez la verte avec un peu d'eau de source si vous avez de l'acné ou la peau grasse. Assurez-vous qu'elle soit assez épaisse pour que son application soit facile. Si votre peau n'a pas tendance à se craqueler, employez de l'argile rose ; ajoutez-y quelques gouttes d'huile végétale si votre peau est sèche. Appliquez généreusement sur tout votre visage et votre cou en évitant la bouche et les yeux. Conservez ce masque pendant vingt minutes environ en laissant autant que possible votre visage au repos. Ce n'est pas le moment de manger ou de parler au téléphone. Des instructions précises accompagnent les argiles. Elles contiennent des minéraux que votre peau adore absorber, du silicate en particulier. Elles soigneront votre peau, vous rendront beau et redonneront du tonus à votre peau.

Vous souhaiterez peut-être aussi vous faire un sauna facial. Faites bouillir de l'eau et ajoutez-y quelques cuillerées de « Swiss Kriss » (c'est un mélange d'herbes en vente dans les boutiques de produits naturels). Laissez mijoter quelques instants. Placez une grande serviette sur votre tête de façon à former une tente au-dessus du pot d'eau médicinale bouillante et laissez votre peau absorber pendant dix minutes cette panacée. Ceci fait, lavez votre visage puis tonifiez-le avec une lotion rafraîchissante.

Traitements faciaux et masques

Outre l'argile, il existe d'autres produits qui font d'excellents masques et traitements faciaux que vous pouvez préparer vous-même à partir de ce que vous avez dans votre cuisine. Appliquez toujours le masque ou le traitement facial sur tout votre visage, votre cou et votre gorge, mais ne l'appliquez jamais sur votre bouche ou autour de vos yeux. Enduisez ceux-ci d'huile végétale ou du contenu d'une capsule de vitamine E. Soyez très prudent lorsque vous appuyez sur les tissus délicats qui entourent les yeux.

Vous pouvez choisir d'alterner les types de masques et de traitements faciaux. Par exemple, si vous vous appliquez un masque de beauté deux fois par semaine, vous pourrez la première fois vous faire un masque à l'argile et la fois d'ensuite, un masque au yaourt. La semaine suivante, vous pourrez vous faire un masque aux oeufs, puis un masque au yaourt. La troisième semaine, vous pourrez à nouveau vous faire un masque à l'argile. La durée d'un masque est de vingt minutes environ et celui-ci généralement s'enlève à l'eau tiède. Pendant que votre masque sèche, vous pouvez vous étendre sur une planche à bascule et en profiter pour vous détendre. Vous pouvez même profiter de l'occasion pour « imager » votre nouvelle beauté !

Le blanc d'oeuf est excellent pour le visage. Il tonifie les tissus. Faites monter le blanc en neige (pas autant que pour un soufflé) et appliquez celui-ci sur votre visage et votre gorge avec un pinceau. Les jaunes d'oeufs sont également excellents. Battez un jaune avec un peu d'huile d'olive. Vous n'avez pas besoin d'un oeuf entier, il suffit d'un petit peu. Appliquez soigneusement sur une peau très propre, impeccable de propreté.

Servez-vous de yogourt. Il vous en faudra très peu. Appliquez-en une mince couche sur votre visage, votre cou, votre gorge et détendez-vous.

Pour les peaux sèches, sensibles et délicates, essayez ceci : mélanger une cuillère à soupe de lait en poudre reconstitué avec quatre ou cinq gouttes d'huile d'olive. Bien mélanger, avant d'appliquer le mélange huile-lait sur votre peau ; laisser sécher. Répéter l'opération à quatre reprises et attendez que la première couche soit sèche avant d'en appliquer une deuxième. Votre visage sera comme du granit. Conservez ce masque pendant dix minutes. Retirez-le à l'eau tiède avec une débarbouillette, puis tonifiez votre visage avec une lotion rafraîchissante.

Le masque suivant tonifiera vos muscles et resserrera les pores les plus apparents de votre peau. Employez un blanc d'oeuf, une cuillère à thé de lait en poudre et une demi-cuillerée à thé de miel. Mélangez le tout à la fourchette. Appliquez en couche épaisses sur votre visage, votre cou et votre gorge. Enlevez au bout de dix minutes.

Si vous avez une peau huileuse, de fines lamelles de melon coupées dans la partie la plus mûre élimineront cette huile. Après les avoir appliquées sur votre visage, étendez-vous pendant une demi-heure, si possible, puis rincez à l'eau froide.

Pour régler vos problèmes d'acné, utilisez du miel auquel vous aurez ajouté une cuillerée à thé de muscade. Appliquez sur toutes les zones boutonneuses, toutes celles qui présentent des traces d'acné. Conservez durant vingt minutes, puis enlevez à l'eau savonneuse. Rincez-vous ensuite avec de l'eau vinaigrée. Je reconnais qu'on s'en met plein les doigts. Mais certaines femmes sont enchantées des résultats. Le miel est assez difficile à appliquer, ce qui vous oblige littéralement à vous masser la peau. En plus de son effet contre l'acné, ceci est excellent pour tonifier les muscles.

Pour réussir votre bronzage l'été, et vous protéger des coups de soleil, mélangez de l'huile de graines de sésame à l'huile de bronzage. Appliquez sur votre corps. Cela assouplira votre peau et vous fera bronzer sans griller.

Vos cheveux

Passons à vos cheveux maintenant. Le jaune d'oeuf est merveilleux lorsqu'il est ajouté à votre shampooing (conservez le blanc de l'oeuf pour votre masque). Vous pouvez également l'appliquer avant le shampooing de la manière suivante : enduisez vos cheveux d'un jaune d'oeuf battu. Puis placez une serviette chaude sur votre tête et un sac de polythène par-dessus celle-ci afin de conserver l'humidité et la chaleur. Durée : dix minutes, et puis lavez-les comme d'habitude.

Si vos cheveux sont très secs, employez de l'huile d'olive très chaude. Quelques cuillères à soupe d'huile d'olive devraient être appliquées sur vos cheveux, mais non sur le cuir chevelu toutefois. Durée : 20 minutes, votre tête doit être recouverte d'une serviette chaude et celle-ci d'un sac de polythène. Lavez plusieurs fois et terminez par un rinçage à l'eau vinaigrée pour enlever la graisse.

Au fait, quand vous lavez vos cheveux, commencez toujours par le cuir chevelu et allez vers l'extrémité de ceux-ci. Lorsque vous appliquez un produit capillaire sur vos cheveux, faites le contraire, commencez par les extrémités et allez vers le cuir chevelu. Ne lavez pas ou n'appliquez pas de produit sur vos cheveux en les ramenant vers le haut de la tête parce que cela a pour effet de les affaiblir.

Les brunes auront avantage à se rincer les cheveux, après le shampooing, avec du vinaigre de cidre de pomme. Celui-ci leur donnera des reflets chatoyants. Le jus de citron rend plus brillants les cheveux blonds, tandis que la camomille donne des tons ravissants aux cheveux bruns.

Les rinçages à la sauge et à l'achillée peuvent être efficaces pour empêcher les cheveux foncés de grisonner. Certaines personnes affirment qu'elles rendent aux cheveux leur couleur naturelle lorsqu'elles sont bues en infusion et qu'elles sont utilisées lors du rinçage. L'acide paminobenzoïque (une vitamine B) a la réputation d'être efficace contre le grisonnement des cheveux.

Votre poids

Si vous voulez réduire votre poids, évitez comme la peste (ou comme autant de poisons) tous les sucres raffinés ! Les salades pauvres en calories et les aliments riches en protéines comme le yogourt, certains fromages, les oeufs, le poisson, le poulet, etc., font des merveilles en ce sens. La quantité de viande rouge que vous pouvez manger dépend de votre métabolisme. Pour plus de renseignements sur la question des régimes amaigrissants, voyez le chapitre qui traite du poids.

Il est essentiel de bien éliminer les déchets de l'organisme pour avoir belle apparence. Car les substances toxiques de votre sang, de vos organes et de vos cellules interfèrent avec votre digestion, votre métabolisme et votre circulation sanguine. Les poisons qui s'accumulent dans votre organisme ont tendance à être éliminés par votre peau, fréquemment sous la forme de points noirs et de boutons. Employez certains des produits de détoxication mentionnés dans le chapitre qui porte sur l'alimentation.

Vos dents

Si vous avez le souci de vos dents, il va vous falloir y consacrer du temps. Veillez à ce que votre dentiste vous enlève le tartre, ce qui doit généralement être fait deux fois par an. Utilisez délicatement de la soie dentaire non cirée une fois par jour pour nettoyer vos dents et rincez-les quotidiennement à l'eau salée. N'employez jamais de dentifrice au fluor. Il a déjà été question des dangers du fluor précédemment. L'un des meilleurs dentifrices est le bicarbonate de soude.

Vos ongles

Pour avoir des ongles magnifiques, appliquez-y de la crème ou de l'huile tous les soirs. L'huile alimentaire ou même la mayonnaise sont efficaces. Limez et polissez toujours bien vos ongles pour éviter de les mordre ou de les ronger. Faites des retouches au besoin, mais n'employez le dissolvant qu'une fois par semaine, sinon vous les dessécherez.

Les exercices faciaux

Les visages masculins se rident généralement plus lentement que ceux des femmes. Savez-vous pourquoi ? C'est parce qu'en se rasant les hommes exercent leurs muscles faciaux. Voici quelques exercices faciles à exécuter, qui vous aideront à prévenir les rides :

Remuez votre bouche et votre mâchoire, vers la droite et puis vers la gauche, comme un homme le fait lorsqu'il se rase. Vous pouvez pratiquer cet exercice autant de fois qu'il vous plaît (de préférence quand il n'y a pas trop de gens autour de vous).

Un autre exercice simple consiste à plisser ses lèvres et à ouvrir largement la bouche plusieurs fois de suite.

Voici un exercice qui donnera du corps à vos joues : gonflez-les d'air et faites circuler cette poche d'air de l'une à l'autre joue ; en commençant par celle de droite, déplacez-la vers la joue gauche, puis vers la joue droite, ainsi de suite ; déplacez également cet air vers l'avant et l'arrière de votre bouche. Répétez cet exercice plusieurs fois.

Pour muscler votre menton, conserver sa jeunesse à votre cou et à votre gorge, déplacez votre maxillaire inférieur vers l'avant de façon à sentir une tension dans votre cou et votre mâchoire. Levez la tête, puis ouvrez et fermez la mâchoire de dix à vingt fois.

Pour votre bouche, poussez un « miaou » retentissant plusieurs fois de suite en exagérant les mouvements de votre bouche. Vous allez ainsi exercer les muscles de votre bouche ainsi que ceux de votre visage.

Certaines femmes collent du ruban adhésif la nuit sur les rides verticales de leur front. Elles froncent moins les sourcils de cette façon et leurs rides deviennent moins visibles.

Il existe de nombreux exercices et mouvements qui visent à réduire les rides du front ainsi que celles autour des yeux, mais nous n'avons pas la place d'en traiter dans cet ouvrage. Consultez les livres au rayon « Beauté » des librairies et des boutiques de produits naturels. Recherchez les exercices les plus simples, parce que si vous êtes très occupée, vous ne pourrez les pratiquer que s'ils sont simples. (Vous pouvez me croire, je ne fais que les plus simples !)

Lorsque j'ai commencé ce chapitre, je voulais que celui-ci soit le plus bref possible. Il est en fait bien plus long que je l'avais prévu, mais cette synthèse m'a donné beaucoup de plaisir. J'espère bien qu'elle vous aidera à prendre soin de votre apparence, et même qu'elle vous permettra de l'améliorer encore davantage.

16

Contrôlez votre poids

Lorsqu'il est question de contrôle du poids, nous pensons toujours aux personnes qui sont trop grosses. Mais si ce n'est pas votre cas, si votre poids est inférieur à ce qu'il devrait être, ne croyez pas que ce chapitre ne vous concerne pas. Au contraire ! Nous traiterons de ces deux problèmes. Et d'ailleurs, nous parlerons d'abord des personnes trop maigres.

Trop maigre ?

Les personnes qui ne parviennent pas à gagner du poids se font autant de mauvais sang que celles qui n'arrivent pas à en perdre. (Ça vous étonne, n'est-ce pas !) Mais que vous ayez trop ou pas assez de kilos, cela est dû à la présence dans votre subconscient d'un concept qui doit être modifié ; ce n'est que de cette façon que vous pourrez résoudre ce problème.

Et ce n'est qu'en ayant recours aux trois formes d'énergie présentes en vous, aux niveaux physique, mental et spirituel, que vous pouvez modifier ce concept. Au plan physique, il est bien évident que vous devez manger davantage (ô joie !). Ajoutez à votre régime alimentaire des aliments très nourrissants : mangez des fruits secs (sauf si vous êtes hypoglycémique ou diabétique), des noix et des légumes riches en glucides, comme les pommes de terre, les patates douces, les ignames et les avocats. Si votre taux de glucose sanguin ne vous cause aucun souci, mangez tous les fruits que vous voulez. Mangez beaucoup de céréales riches en hydrates de carbone complexes, tels le riz brun et l'orge ; consommez des légumineuses, comme les nombreuses variétés de haricots et de pois chiches. Vous pouvez manger de la crème glacée « authentique », préparée avec du miel et des arômes naturels, et vous pouvez également vous permettre des gâteries délicieuses, nourrissantes et naturelles. Plusieurs tranches de pain à grains entiers devraient figurer à votre menu tous les jours. Nous serions ravis, du moins la plupart d'entre nous, de nous gaver de ces aliments sains et riches en hydrates de carbone, mais malheureusement nous ne le pouvons pas.

Si vous avez un appétit d'oiseau, les choses se compliquent. Dans ce cas, je vous conseille de manger autant d'aliments naturels riches en calories et en glucides que vous le pourrez. D'autre part, on peut souvent stimuler son appétit en ayant recours à des compléments naturels du complexe B.

La pratique de l'exercice physique, qui développe harmonieusement la musculature du corps, est tout aussi recommandable aux personnes qui veulent prendre du poids, qu'à celles qui veulent en perdre. Car si vous voulez gagner du poids, vous devez avant tout prendre les mesures qui s'imposent au niveau physique. Or l'adoption d'un nouveau régime alimentaire et la pratique de l'exercice font tous deux appel à l'énergie présente à ce niveau.

Au niveau mental, vous devez « penser » à l'acquisition et au maintien de votre poids normal. Dites-vous que vous êtes parvenu à ce poids et que vous vous y maintenez. Répétez-vous des assertions comme : « Moi (votre nom), j'ai un corps galbé, ravissant et j'ai un poids qui convient à ma taille et à ma charpente osseuse. » Bien sûr, si vous êtes un homme, votre assertion sera différente. Vous pourrez dire : « Moi (votre nom), j'ai un corps puissant, musclé, etc., et j'ai un poids qui convient à ma taille et à ma charpente osseuse. » Répétez cette assertion plusieurs fois durant la journée.

Au niveau spirituel, il vous faut « voir » ce corps galbé et ravissant ou musclé et énergique. Visualisez-vous exactement tel que vous voudriez être. Découpez des photographies et collez votre visage sur le visage de celles-ci. Ayez-en toujours une sur vous. Placez-en une autre sur la porte de votre réfrigérateur, une autre sur la porte de votre penderie, une autre dans votre salle de bains et conservez-en une autre dans votre bureau. Vous devez avoir une image de vous-même tout au long de la journée ; vous devez imprimer dans votre subconscient ce nouveau « vous ». (Souvenez-vous que c'est *votre* visage qui est sur la photo !) N'arrêtez pas de visualiser. Votre corps réagira parce que votre concept changera. Si vous avez un appétit d'oiseau, « voyez-vous » aussi en train de prendre plaisir à manger davantage.

Obèse ?

Si vous êtes obèse et que vous voulez perdre du poids, vous devez également utiliser l'énergie présente en vous aux niveaux physique, mental et spirituel. Il y a 80 millions d'obèses aux États-Unis, et ceux-ci n'arrêtent jamais de prendre, de perdre, de reprendre et de reperdre du poids. Si la majorité des obèses n'arrivent pas à perdre de façon définitive les kilos qu'ils ont en trop, c'est tout simplement parce que leurs concepts demeurent les mêmes.

Et le facteur qui peut faire toute la différence lorsqu'il s'agit de perdre du poids, réside sans doute au niveau de l'exploitation de l'énergie spirituelle, soit la visualisation. Voyez-vous comme vous voudriez être. Cela est de la plus haute importance. Consacrez beaucoup de temps à la visualisation. Découpez des photographies de corps que vous enviez et collez votre visage sur le visage de celles-ci. Regardez-les souvent au cours de la journée. De simples coups d'oeil au cours de la journée vont activer et impressionner les cellules de votre cerveau. Vous pouvez, à vos moments perdus, étudier attentivement ces photos. Veillez à ce qu'une de ces photos représentant votre corpulence idéale soit en tout temps sur vous.

Une autre technique de visualisation qui a fait ses preuves est de voir vos aliments préférés comme étant répugnants. Visualisez-les remplis de vers et d'asticots, ou encore voyez-vous en train d'engouffrer ces aliments avec une telle ardeur que vous en tombez malade. Si vous répétez souvent ces exercices de visualisation, vous perdrez bientôt tout intérêt pour ces aliments.

Les personnes qui ont trop de kilos doivent planifier soigneusement leurs repas. Veillez à ce que ceux-ci soient aussi nourrissants et délicieux que possible. Essayez les recettes de plats faibles en calories et en glucides que nous présentent les nombreux ouvrages de cuisine d'aliments naturels disponibles sur le marché. Devenez familier avec les aliments faibles en calories et en glucides. Ce ne sont pas nécessairement les mêmes aliments.

Certaines personnes perdent des kilos grâce à un régime pauvre en calories alors que d'autres doivent plutôt compter sur un régime pauvre en glucides. Il vous faudra découvrir quel est celui qui vous convient. Si vous avez un appétit d'oiseau, que vous surveillez les calories et que malgré tout vous ne perdez pas de kilos, vous devriez alors surveiller les glucides.

Maintenez-vous en dessous de 50-60 par jour. Les seuls glucides que vous devrez manger ne seront pas raffinés : fruits (très peu), légumes, céréales, noix et graines. Modérez votre consommation de fruits de même que votre consommation de noix et de graines. Veillez également à très bien mastiquer ces aliments. Votre régime sera assez riche en protéines si vous sabrez dans les glucides.

À vrai dire, vous devriez toujours bien mastiquer. Cela prend environ vingt minutes avant que votre hypothalamus envoie un message à votre estomac et l'avertisse que vous avez assez mangé. Si vous mangez rapidement, ce message atteindra votre estomac longtemps après que vous aurez fini de manger. Et le résultat est que vous aurez encore faim. Une mastication adéquate incite également votre estomac à sécréter de l'acide chlorhydrique, substance nécessaire à la digestion et à l'assimilation des minéraux et des protéines.

Les personnes qui sont au régime considèrent généralement qu'il est utile de prendre six petits repas par jour. Divisez donc votre ration quotidienne en six petits repas et, sauf si vous êtes hypoglycémique, évitez de manger avant de vous coucher. Prenez votre repas principal tôt dans la journée. Si vous êtes hypoglycémique, consommez du yogourt non aromatisé ou d'autres aliments protéiniques pauvres en glucides avant d'aller dormir.

Faites de l'exercice et buvez beaucoup de liquides, surtout de l'eau de source ou distillée et des tisanes. Ajoutez du varech à votre régime alimentaire, ce qui aura pour effet de stimuler votre thyroïde et d'accélérer votre métabolisme. Consommez de la lécithine qui aide à la métabolisation de votre graisse. Ajoutez des compléments de calcium. C'est important lorsque vous consommez beaucoup de protéines et de lécithine. Le vinaigre de cidre de pomme semble également très utile.

Quel que soit votre poids, veillez bien à ne pas être constipé. Vous devriez éliminer au moins une fois par jour et plus encore, si possible. Pour vous aider à éliminer, ajoutez davantage d'aliments fibreux à votre régime sous forme de salades, de céréales entières ou de comprimés de fibres en vente dans les boutiques spécialisées. Si le problème ne disparaît pas, buvez plus de liquides. Il existe également d'excellents laxatifs aux herbes en vente dans ces boutiques.

En vous mettant sérieusement à votre régime d'amaigrissement, vous ajouterez de la force et de l'énergie à l'idée que vous êtes en train de créer. Vous ferez également comprendre à votre esprit que vous êtes sérieux, que vous avez résolu d'atteindre votre objectif. Vous ordonnerez littéralement à la Puissance qui demeure dans votre subconscient de vous aider. Cette Puissance peut tout accomplir lorsqu'elle sait ce que vous voulez vraiment.

Fixez-vous des objectifs

Fixez-vous un objectif précis. C'est très important pour les obèses. Ne vous imposez pas toutefois des objectifs hebdomadaires trop stricts. Il est préférable de se fixer un objectif pour le mois à venir, et des objectifs à plus long terme. Répétez-vous des assertions affirmatives pendant la journée. Par exemple : « Moi (votre nom), j'ai un corps svelte et désirable (ou svelte et viril). Je perds régulièrement et sainement les kilos qu'il faut, et d'ici (date) je pèse... kilos. »

Si vous devez perdre beaucoup de kilos, fixez-vous plusieurs objectifs. En d'autres termes, fixez-vous un objectif pour dans un mois, pour dans six mois, pour dans un an, etc.

Fixez la date à laquelle vous aurez atteint votre objectif final. Mais soyez réaliste, s'il vous plaît. Il vaut certainement mieux, pour votre santé notamment, que vous perdiez des kilos lentement et sûrement plutôt que d'un seul coup. Nous savons toutefois qu'il est important, pour les personnes qui doivent perdre beaucoup de kilos, que celles-ci constatent une différence importante dans les premiers temps de leur nouveau régime. Sinon, finis leur intérêt et leur enthousiasme ; elles décrochent. Peut-être vous faudra-t-il vous faire suivre par un médecin si tel est le cas. Mais je vous mets en garde. Évitez les médicaments amaigrissants. Ils sont non seulement dangereux, mais ne contribuent en rien à la modification de vos habitudes alimentaires. Il est essentiel que vous adoptiez de nouvelles habitudes si vous voulez perdre vos kilos et ne pas les reprendre.

L'une des raisons pour lesquelles les régimes amaigrissants sont si difficiles à respecter est que le « moi enfant » trouve satisfaction et plaisir dans la consommation d'aliments (se reporter au chapitre qui traite des pensées et des sentiments). Vos egos adulte et parent ont bien pu agréer à ce régime, mais l'ego enfant, lui, peut bien ne pas se soucier de votre santé ni même de votre apparence. C'est le plaisir qu'il tire de la nourriture qui l'intéresse. Veillez à lui trouver un plaisir de substitution.

Il existe des formules de nutrition qui réduisent l'appétit et favorisent la perte de poids. Elles comprennent la vitamine B6 qui doit toujours être prise avec l'ensemble du complexe B, la lécithine et le varech (qui contient de l'iode et concourt au bon fonctionnement de votre thyroïde), déjà mentionnés. Veillez à ce que votre régime comporte une dose quotidienne modérée d'acides gras non saturés ; on les trouve dans les huiles alimentaires pour salades, poly-insaturées.

Il vous faut naturellement manger des aliments protéiniques de bonne qualité, pauvres en calories et en glucides. Ne buvez pas d'eau traitée au fluor parce qu'elle détruit vos enzymes, ce qui rend bien plus difficile la perte de vos kilos.

Maintenez-vous en bonne forme

Il est très important que vous vous mainteniez en bonne forme physique et mentale pendant ce temps, sinon il vous sera difficile de poursuivre votre nouveau régime. Lorsqu'on ne se sent pas dans son assiette, on veut toujours renouer avec ses anciennes habitudes, quelles qu'elles soient. C'est lorsque nous sommes en bonne forme physique et mentale que nous avons l'allant qu'exige la modification de nos habitudes. Bien sûr, toutes les règles de santé et d'équilibre chimique de l'organisme valent ici. Lorsque votre organisme est en équilibre chimique, il recherche et maintient automatiquement son poids normal.

Pendant toute la durée de votre diète, il est très important que vous preniez des compléments alimentaires. En réduisant vos calories, vous réduisez aussi vos aliments, que les compléments alimentaires doivent remplacer.

Que vous ayiez des kilos en trop ou en moins, vous pouvez, je vous le garantis, jouir d'un corps bien proportionné ; pour ce faire, il faut cependant que vous le désiriez vraiment et que vous fassiez preuve de détermination, de force intérieure et de motivation, qui seules vous permettront de vous en tenir au programme que vous vous êtes établi. Mais l'on s'en félicite lorsqu'on voit les résultats que procure la prise en charge de son poids.

17

Assumez votre puissance

Vous êtes quelqu'un d'extrêmement puissant en ce sens que si vous vous prenez en main physiquement, mentalement et spirituellement, vous éliminerez tous les obstacles et pourrez accomplir ce que vous voudrez dans la vie. Qui plus est, vous émettrez la vibration de la force, du succès et de l'assurance dans l'univers, qui vous réfléchira votre état d'esprit. Les gens vous remarqueront et désireront vous connaître, vous fréquenter.

La chance, comme par magie, vous tendra la main. Des portes qui autrefois vous avaient été fermées s'ouvriront pour vous. La vie prendra une saveur absolument différente. L'envie de vous pincer vous sourira parfois et vous vous direz : « Est-ce que je rêve ? C'est pourtant ce qui m'arrive ! » Eh oui, incroyable mais vrai !

La Puissance créatrice de l'univers s'exprime à travers vous, par l'intermédiaire de vos pensées. Et comme je l'ai déjà mentionné (on ne le répétera jamais assez), c'est la profondeur et l'amplitude de vos idées qui assignent à cette Puissance ses limites. Rien ne vous sera impossible si vous découvrez vraiment qui vous êtes et ce dont vous êtes capable.

Une mise en garde cependant : évitez de vous enfler la tête et de penser que vous êtes la source de cette Puissance, car alors vous deviendrez pompeux et trop agressif et aurez tendance à abuser et à exercer un pouvoir sur les gens moins sûrs d'eux et moins éveillés que vous ne l'êtes.

Bref, sachez qu'il existe une loi de cause à effet qui mystérieusement vous renvoie tout le bien et tout le mal dont vous êtes responsable. Mais, objecterez-vous, il existe des gens très puissants et très méchants qui selon toute apparence font « la belle vie ». Or, la vérité est que vous ne savez rien de ces personnes que ce qu'elles vous montrent. Vous ne connaissez pas la douleur et les tourments secrets d'autrui. Ne vous souciez pas des autres lorsque leur fortune vous semble injuste. Souciez-vous de vous seulement.

Aidez les autres

Employez votre Puissance à aider les autres et à les guider par votre exemple. Usez de votre influence pour qu'ils fassent un meilleur usage de leurs ressources personnelles ; ceci dit, évitez de les contraindre, car si tous, nous devons ouvrir notre propre chemin, nous devons aussi accepter de voir nos proches trébucher, se blesser et se détruire lorsqu'ils ne sont pas prêts à découvrir et à donner voie à la Puissance qui est en eux.

La vie est comme un meccano ; il faut la monter soi-même. Et la meilleure chose que vous puissiez faire pour un autre être humain est de lui permettre de voir qui vous êtes, *vous*.

Lorsque quelqu'un vous demande votre aide, donnez-la-lui sans réticence. Chaque fois que vous partagez le bien qui est en vous avec un être humain, vous vous attirez davantage de bien.

Si vous êtes parent, il vous est facile d'exercer une grande puissance. Ne confondez pas puissance avec force et domination. N'est-il pas vrai après tout que ce que vous désirez, c'est que vos enfants vous aiment et vous respectent, vous écoutent et suivent votre exemple, qu'ils vous admirent et vous apprécient pour votre force intérieure ?

Si vous êtes patron, la chance s'offre aussi à vous de faire un usage constructif de votre Puissance. Vous pouvez exercer une influence positive sur vos employés et vous gagner leur admiration et leur estime. Il n'est pas nécessaire pour cela de faire de longs raisonnements ou de chercher à intimider. Il n'est pas nécessaire de souffrir d'un « complexe de Puissance ». Évitez donc de contrôler, de dominer pour la simple raison que c'est vous qui tirez les ficelles. Donnez à vos employés le respect et l'approbation qu'ils désirent et méritent.

Lorsqu'il vous faut faire des critiques, faites-les avec gentillesse et avec le désir sincère d'aider et de corriger plutôt qu'avec celui de prouver que vous avez « raison ». « On n'attire pas les mouches avec du vinaigre » mais avec du miel, comme l'indique un ancien dicton.

La même Puissance traverse tout le monde. Ceux qui savent s'en servir, qui savent entrer en contact avec elle et l'orienter de façon conforme aux lois la manifestent de façon originale.

Lorsque vous savez qui vous êtes, ce dont vous êtes capable et où vous allez dans la vie, vous avancez la tête haute et êtes chef plutôt que mouton. Vous devenez une personne capable de jouer son rôle dans sa propre vie et dans celle des autres : vous devenez une personne qui s'assume !

18

Gagnez-vous le succès et l'argent

Maintenant que vous savez comment vous occuper de votre santé, de votre esprit et de votre stress, nous ferons une synthèse qui vous aidera à devenir un être plus sain, plus heureux, plus prospère.

Qu'entendez-vous par succès et qu'est-ce qui le représente à vos yeux : de l'argent et du prestige à la pelle ? Une voiture de luxe, une belle maison ? Un abonnement à des clubs très chics, des relations importantes, des vêtements haute couture ?

Si c'est cela, fort bien : l'univers matériel est là pour que vous le façonniez, le modeliez et que vous y trouviez votre félicité. Si ce sont ces choses-là que vous désirez, il n'y a pas de raison que vous ne les ayez pas. Ceci dit, vous pouvez aussi jouir d'une plus grande paix de l'esprit et d'affections plus nombreuses.

Le succès consiste-t-il pour vous à retirer votre épingle du jeu délirant de la compétition moderne : à habiter à la campagne, sans téléphone, sans télé, avec votre famille, un point c'est tout. Consiste-t-il encore à atteindre à une totale auto-suffisance, à cultiver votre jardin, à créer vos propres sources d'énergie, à vivre votre vie entouré de votre famille, sans plus. Si tel est le cas, fort bien ! Pourquoi ne pourriez-vous pas, ne devriez-vous pas atteindre à ce que vous désirez ?

Le succès consisterait-il pour vous à monter. une affaire prospère ? À proposer aux consommateurs un service ou un produit dont ils ont besoin et à veiller à ce que ce produit ou ce service soit le meilleur que vous puissiez produire ? Le succès consisterait-il pour vous à diriger une grande entreprise requérant les services de centaines d'employés ? Des employés fiers et heureux de leurs travaux ? Le succès consisterait-il à conserver votre présent emploi, à y donner le meilleur de vous-même et à gravir, d'où vous êtes, les échelons du succès ?

Le succès consisterait-il pour vous à élever une famille, à vous intéresser de près à la vie personnelle et scolaire de vos enfants, à les diriger d'une main douce (parfois pas si douce que ça) et à les regarder grandir ? Le succès consisterait-il également à les guider, à être là pour les épauler et les appuyer sans pour autant les serrer trop étroitement, à les éduquer, à leur donner un foyer harmonieux, un abri sûr contre le stress, les tiraillements et les pressions de la vie quotidienne ?

Le succès, c'est exactement ce que vous voulez qu'il soit pour vous. Il consiste en d'autres termes à atteindre aux objectifs que vous vous êtes fixés, aussi modestes ou aussi grandioses soient-ils.

Le succès en ce qui me concerne, consiste à atteindre à la plénitude dans toutes les dimensions de ma vie. Pour vraiment me sentir, quant à moi, choyée par le succès, je veux ni plus ni moins que la lune, toute la lune.

Pour moi, le succès...

Je désire la santé physique, mentale, émotionnelle et spirituelle. Je désire des attitudes saines et positives, des relations réussies. Je désire la sécurité matérielle, assez d'argent pour satisfaire à mes besoins et pour m'offrir certains plaisirs. Je désire toujours paraître à mon meilleur, être « vivante » et pleine d'énergie. Je désire faire un travail que j'aime du fond du coeur : m'exprimer et écrire sur les soins que nous pouvons nous donner (ce qui est exactement ce dont traite ce livre !). Et je désire savoir que je peux inciter mes auditoires et mes lecteurs à se motiver à assumer leurs vies.

Le succès me procure une sensation de joie intense. Il me permet de contempler mon petit univers à moi et de me dire (comme Dieu dans la Bible) : « Cela est très bon ! »

Le succès pour moi, c'est d'avoir le temps et l'énergie de faire ce que je dois faire pour devenir la personne totale et équilibrée que je veux être.

Le succès, c'est encore de pouvoir passer en revue ma journée en voyant ce qui est allé de travers et en découvrant ce que je peux faire pour améliorer les choses.

Le succès, c'est d'être capable d'être moi-même et d'avoir la capacité de goûter la vie, d'être capable de rire et de chanter ; c'est encore de pouvoir aller au théâtre, au concert, et autres divertissements, dans des restaurants chics et hors des sentiers battus si le coeur m'en dit. Le succès pour moi, c'est de pouvoir porter des vêtements Halston et des bijoux en or, ou simplement de pouvoir m'étendre dans mon jardin dans un jean coupé court et de sentir le soleil me caresser et l'herbe verte sous mon corps. Le succès pour moi, c'est de vivre chaque moment de ma vie dans sa plénitude et de leur trouver de la valeur. C'est accepter la vie comme elle vient et l'aimer tout entière (même en cas d'épreuves).

Le succès, c'est de me montrer capable de vivre mes propres sentiments : ma colère, ma tristesse et mes peurs. C'est de me montrer capable de communiquer ces sentiments lorsqu'ils sont utiles à quelque chose ou d'être capable d'y faire face seule, lorsque possible.

Le succès, c'est d'être éveillée, consciente et vivante, et de savoir, oui de savoir que je suis éveillée, consciente et vivante !

Oui, je désire une foule de choses. Et pourquoi devrait-il en être autrement ? Ceci dit, qu'entendez-vous de votre côté par succès ? Faites-en le tour, nouez le ruban et assumez-le. Connaissez votre destination dans la vie et dressez soigneusement votre plan pour l'atteindre.

Et si vous ne savez pas ce que vous voulez, ne vous en faites pas mystère. Reconnaissez que vous êtes ouvert et attendez que votre Puissance en vous vous dirige, vous donne des idées. N'en doutez pas, elle le fera. Demandez-lui de vous montrer où aller de même que la façon dont vous pouvez le mieux servir la vie : la vôtre et celle des autres.

Veillez bien à ce que la santé physique, mentale et spirituelle figure parmi vos objectifs. Car, quoi que vous désiriez accomplir dans la vie, vous ne l'accomplirez bien que si vous êtes déchargé des fardeaux de la maladie.

Même si vous ne désirez pas être riche, vous ne devez pas oublier de soumettre à examen vos attitudes face à l'argent. Vous devriez être capable de vous attendre à ce que l'argent couvre vos besoins et vos désirs, quels qu'ils soient. Vous pourrez mieux faire votre travail dans le monde si vous n'avez pas à faire face au stress et aux soucis qu'occasionnent les fins de mois.

Et malgré que le succès réside dans l'accomplissement de tous nos désirs les plus chers, il est bien des gens qui l'associent à leur métier ou à leur profession. Considérons donc cette dimension de la vie.

Se lancer

Il serait utile que vous vous reportiez au chapitre qui traite de l'esprit. Il y est dit que la première chose qu'il importe que vous fassiez, c'est de vous fixer des objectifs.

Essayez de savoir ce que vous voulez que soit votre profession. Et lorsque vous saurez ce que vous voulez, visualisez la réalisation de votre objectif.

Si vous exercez une profession libérale, si vous êtes médecin par exemple, vous aurez sans doute pour objectif d'avoir une clientèle importante. Et pour que cet objectif se concrétise, il importe que vous le couchiez sur papier et que vous visualisiez en imagination vos clients. Voyez-les exactement comme vous aimeriez qu'ils soient. Visualisez votre bureau. Il devrait être propre, bien meublé, en ordre et élégant. Vos classeurs devraient être rangés et votre équipe devrait travailler efficacement. Regardez sur l'écran de votre esprit vos patients entrer dans votre cabinet. Voyez-vous en train de leur parler, de les soigner ; observez-les tandis qu'ils règlent leurs notes ; regardez-les prendre de nouveaux rendez-vous. Passez en revue tous les détails d'une consultation. Demandez-vous alors : Que me faut-il pour changer ? Que me faut-il pour augmenter mon efficacité ? Comment puis-je créer un meilleur courant d'échanges avec mes patients et mon équipe ? Comment puis-je faire de mon cabinet un endroit où l'on désire être ?

Dressez alors vos plans. Vous faut-il de nouveaux employés ? Vous faut-il vous réunir plus souvent avec le personnel ? Perdez-vous trop de temps ? Les patients attendent-ils trop longtemps sans raison valable ? Avez-vous besoin davantage d'espaces de rangement ? Devriez vous modifier vos heures de consultation ? Le local a-t-il besoin d'un coup de pinceau, de nouveaux meubles ? Le ménage est-il fait assez souvent ? Avez-vous besoin de meilleurs bulletins d'information médicale pour vos patients ? Devriez-vous adopter des méthodes et des thérapeutiques nouvelles ? Quelle sorte de publicité devriez-vous faire ? Pourriez-vous améliorer vos relations avec vos patients ?

Dressez vos plans, écrivez-les noir sur blanc. Formulez, reformulez. Veillez bien à ce qu'ils soient pratiques et réalistes de façon à ce que vous puissiez les réaliser. Si vous estimez que vous passez trop de temps avec vos patients, décidez si oui ou non il convient que vous raccourcissiez le temps des visites. Si tel n'est pas le cas, ne vous préoccupez pas de cet objectif.

Passez à l'action

Le moment est venu de passer à l'action. Considérez vos objectifs et vos plans. Demandez-vous à chaque étape : « Cet acte va-t-il me rapprocher ou m'éloigner de mon objectif ? » Vous voulez autant que possible vous maintenir l'oeil fixé sur votre cible. Il n'est hélas pas toujours possible de ne faire que ce qui nous mène à notre but, parce qu'il nous faut toujours tenir compte des influences extérieures. Mais, autant que possible, faites ce qui vous mène dans la bonne direction. Par exemple, ce qui vous écarterait de votre objectif, ce serait de passer deux heures à regarder la télévision alors que vous pourriez définir des règles de travail plus efficaces pour votre cabinet. Autre chose encore, ce serait d'occuper votre heure du dîner à lire des romans au lieu de lire des documents spécialisés, de revoir vos dossiers et de vous interroger sur les moyens d'augmenter votre clientèle.

Continuez d'examiner vos objectifs et modifiez-les au besoin. Ces objectifs ne sont pas sacrés. Ils sont votre création, vous pouvez les recréer. Mais pensez-y assez pour ne pas les modifier constamment. Si vous n'arrêtez pas de les changer, vous ne vous donnez pas assez de temps pour créer le champ de force et l'énergie magnétique qu'exige leur matérialisation. Demandez-vous quel revenu vous voulez. Combien de gens vous faut-il voir pour faire cet argent ? Quelle part avez-vous l'intention de déposer à la banque ? De placer en Bourse ? Quel part de cet argent vous faudra-t-il réinvestir en vous-même pour faire circuler un « sang nouveau » dans votre clientèle ?

Visualisez, pensez, agissez

Au fur et à mesure que d'autres pensées se présentent, modifiez vos plans et continuez d'agir conformément à eux. Chaque fois que vous trouverez des livres et des cassettes traitant de ces sujets (il en existe sur tous les sujets possibles et imaginables), lisez et écoutez. Alimentez votre esprit. Plus vous le nourrirez, plus vous le stimulerez et plus vous serez récompensé de ces initiatives par des idées et des plans qui vous rapprocheront de vos objectifs.

Supposons que vous occupez un poste élevé dans une entreprise et que vous désirez être muté à un poste supérieur. Imaginez que vous avez déjà obtenu le poste et que vous vous trouvez dans votre bureau, bien installé dans votre fauteuil. Imaginez aussi que la personne qui occupait le poste que vous êtes en train d'occuper vient d'être promue à un poste encore plus élevé. (N'utilisez jamais la visualisation avec l'intention de nuir à autrui. Pour réaliser ses buts, il n'est jamais nécessaire d'enlever quoi que ce soit à qui que ce soit.) Essayez de ressentir quel effet cela vous fait d'occuper ce poste. Voyez les vêtement que vous porterez lorsque vous l'occuperez. Demandez-vous enfin : Que dois-je faire pour cette promotion ? Suivre des cours ? Donner à ma compagnie des renseignements sur ma personne, qui sont valorisants ? Prendre part à un programme spécifique ? Remplir plus adéquatement mes fonctions présentes ? Contribuer à l'amélioration de la communication dans mon département ? Arriver plus tôt le matin et partir plus tard le soir ? Acheter des périodiques susceptibles de m'intéresser ? Participer à des séminaires ou à des réunions ? Favoriser les contacts ? Être plus ponctuel ? Respecter les gens et obtenir leur respect ? Bref, identifiez vos points forts et appuyez-vous sur eux. Ceci fait, identifiez vos points faibles et voyez ceux que vous pouvez corriger. Tracez-vous enfin un plan et couchez-le sur papier. Puis, passez à l'action en prenant les mesures qui s'imposent.

Tous ces conseils valent pour les vendeurs, les ingénieurs, les cadres d'entreprise et ainsi de suite, car quel que soit le métier que nous exerçons nous devons savoir où nous allons. Nous devons reconnaître nos points forts et nos points faibles. Nous devons avoir à coeur de progresser et nous voir tel que nous voulons être. Enfin, nous devons accepter de faire les efforts qui nous conduiront à notre but.

Obstacles et épreuves vous attendent. C'est là la loi de l'univers. Mais pour peu que vous ne changiez pas d'idée et que vous suiviez les recommandations de cet ouvrage, vous atteindrez votre objectif.

Si les obstacles vous paraissent insurmontables, si la frustration s'empare de vous de façon définitive et si vous ne cessez, malgré tous vos efforts, de vous heurter la tête contre des murs, c'est peut-être qu'il vous faut reconsidérer vos objectifs. C'est peut-être qu'il existe pour vous un meilleur plan de vie que vous n'avez pas encore identifié ou reconnu. Souvent, il est difficile de savoir si la raison pour laquelle vous ne réussissez pas à atteindre votre objectif tient à ce que vous n'avez pas su employer correctement une formule ou à ce qu'une autre entreprise vous attend.

Je vous garantis toutefois que si votre désir de connaître et de réaliser votre ambition est sincère, la direction vous sera donnée. Vous trouverez la réponse à vos questions et problèmes.

Les lois de l'argent

Je voudrais vous parler brièvement de mon expérience de femme de carrière et de femme d'affaires. Mais, pour commencer, j'aimerais m'entretenir un peu d'argent avec vous. (Serait-ce aussi l'un de vos sujets préférés ?)

L'argent se moque que vous soyez bon ou méchant, gentil ou pourri. S'il n'en allait pas ainsi, tous les gens « bien », attentifs à Dieu, gentils, secourables, seraient riches, tandis que les escrocs, fraudeurs, menteurs (sans oublier les membres de la pègre) seraient pauvres. Ce serait chouette si les lois de l'argent se manifestaient ainsi, mais tel n'est pas le cas.

L'argent correspond aux idées que vous en avez. Ceux et celles qui s'attendent à avoir de l'argent trouvent les moyens d'en avoir.

Quelle idée entretenez-vous au sujet de celui-ci ? L'une de ces idées peut être :

—L'argent parle : il dit toujours bye bye.
—Les autres ont de l'argent, mais nous, nous n'en avons pas.
—Dès que j'ai assez d'argent pour joindre les deux bouts, les bouts s'écartent.
—Nous sommes pauvres, mais honnêtes. (Pourquoi pas *riches*, mais honnêtes ?)
—Il n'est pas facile de gagner de l'argent.
—Il faut être né de parents riches ou être chanceux pour avoir de l'argent.

Avez-vous une dent contre les gens qui ont de l'argent ?

Si un ami ou un parent tombe sur un filon, quelle est votre réaction ? Vous réjouissez-vous pour lui ou êtes-vous jaloux ? Les sentiments que vous inspire l'argent en disent long sur vous.

Vous attendez-vous à avoir de l'argent ou vous attendez-vous dans votre for intérieur à n'en avoir jamais assez ? Poussez-vous des soupirs à fendre l'âme en regardant les annonces incroyables de Madison Avenue parce que vous n'avez pas les moyens ? Si c'est ça, vous ne serez jamais riche (tout au moins financièrement), tant que vous n'aurez pas grandement modifié vos concepts.

L'argent va à ceux qui s'attendent à en avoir et qui l'aiment non comme l'Harpagon égoïste, mais comme quelqu'un qui en connaît la valeur et qui sait qu'il contribue à la qualité de la vie pour soi et pour les autres.

Il est peut-être vrai, de l'avis de certains, que l'argent ne fait pas le bonheur (seuls les *riches* disent ça et il m'a rarement été donné de constater qu'ils renoncent à tout leur argent). Et s'il est assurément vrai que l'argent n'est pas une garantie de bonheur, il facilite indiscutablement la vie, surtout en nos temps d'inflation !

Si vous vous êtes programmé à manquer d'argent ou à la médiocrité matérielle, commencez à vous reprogrammer. Si vous ne savez pas trop comment vous êtes programmé, considérez votre vie et votre situation financière. Vous ne tarderez pas à comprendre.

Comme le dit la Bible : « À celui qui a, il sera donné davantage. » Pourquoi ? Parce que les gens qui ont de l'argent sont programmés pour la richesse. Leur champ vibratoire se diffuse naturellement dans l'univers et attire les choses et les personnes dont ils ont besoin pour faire et avoir de l'argent.

De l'argent ? En veux-tu ? En voilà !

Suivez les instructions contenues dans le chapitre qui traite de l'esprit. « Pensez » à l'argent et « voyez » l'argent. Prenez un billet de 100 dollars que vous conserverez si possible dans votre portefeuille. Voyez dans ce billet de 100 dollars un placement pour l'avenir. Ou encore cherchez une photo d'un billet de 1 000 dollars, collez-la dans votre penderie et regardez-la souvent. Mieux encore, faites les deux. Inventez-vous une image de vous-même qui est celle d'une personne aussi riche que vous souhaitez l'être et imaginez-vous en train d'accomplir les choses que vous voulez accomplir. Imaginez que vous avez la possibilité d'acheter les biens matériels que vous désirez acheter. Car en vérité, ce que les gens convoitent c'est bien plus ce que l'argent permet de se procurer que l'argent comme tel. (Il y a des gens qui ont plus d'argent qu'ils ne sauraient, eux et leurs descendants, en trouver d'emplois. Pour eux, l'argent est la mesure du pouvoir.) Voyez-vous en train de jouir de votre toute nouvelle richesse.

Si vous avez beaucoup de vieilles choses usées, débarrassez-vous-en. Créez un vide parce que la nature, ayant horreur du vide, sera ravie de combler ce vide des biens, services et plaisirs que vous avez créés dans votre imagination.

Réservez toujours une part de votre argent à une noble cause (outre vous-même, j'entends bien !). Ce pourra être une ou plusieurs oeuvres philanthropiques. Votre église ou votre synagogue devrait assurément y être comprise, mais n'oubliez pas parmi vos parents et vos amis ceux et celles qui sont dans le besoin. En donnant un pourcentage de votre argent, il se multiplie. C'est la base de la « dîme ». Tous ces principes sont très bien expliqués dans un petit ouvrage qui s'appelle : *Semez l'argent.* Aussi curieux que cela puisse paraître, la loi de la multiplication est effective. Lorsque vous donnez une partie de votre argent, il vous revient décuplé. Peut-être aurez-vous à acquérir la juste attitude mentale pour qu'il en soit ainsi, car si donner votre argent vous paraît difficile (si payer vos factures vous traumatise parce que vous avez horreur de devoir vous séparer de vos sous) c'est que vous avez un problème qui doit trouver correction. Appliquez la formule AOC dont il est question au chapitre qui traite des pensées et des sentiments. Votre attitude en matière de factures et d'argent doit être positive si vous voulez que vos expériences financières soient positives. Croyez-moi, la leçon a été rude pour moi !

Mon expérience personnelle

Avant de découvrir « ma mission, mon talent et ma destinée », termes employés par le docteur James W. Parker pour désigner toute « authentique vocation », j'ai fait beaucoup de choses.

J'ai passé seize ans à recueillir des données, à établir des corrélations, à me documenter, à écrire et à étudier.

Pendant ces seize années, j'ai également enseigné sur les divers aspects de ce qu'on appelle aujourd'hui le mouvement holistique. Je me suis intéressée à la nutrition, à l'exercice physique, au cerveau et à l'esprit, au développement de la conscience, à la méditation, à la visualisation, à la psychologie, etc. J'ai également étudié le chant et l'astrologie. Je fus une chanteuse professionnelle pendant un certain temps. J'ai également enseigné la thérapie conceptuelle. J'ai dressé des horoscopes, j'ai ouvert un bureau de conseillère en nutrition pour finalement découvrir ma vocation, qui est de faire ce que je fais présentement soit : donner des conférences et écrire des livres sur les différentes façons de se prendre en charge du point de vue mental, physique et spirituel.

Dans chacun des domaines où j'ai travaillé, je me suis heurtée à d'énormes obstacles, et j'ai connu la frustration, les déceptions et la douleur. Longtemps, je me suis interrogée en mon for intérieur sur les raisons pour lesquelles il m'était impossible de rencontrer mes objectifs alors même que j'avais conscience de respecter la formule. Ce que je ne savais pas à l'époque, c'est que j'étais façonnée, modelée par le Maître, qu'Il me rendait ainsi capable d'accomplir la tâche qui me serait un jour révélée. Pour que je puisse partager avec vous toutes ces informations, il fallait que je les découvre, que je les éprouve dans ma vie, et que je sois mise à épreuve, que j'établisse des corrélations, que je raffine mes connaissances pour pouvoir vous les donner sous une forme qui soit non seulement compréhensible, mais utile.

Telle est ma vocation et c'est en appliquant ces principes mêmes que j'enseigne, que j'ai réussi à la découvrir. Il m'a fallu un certain nombre d'années pour y arriver mais, en y repensant, je sais que chacun de mes pas m'a conduit sur la bonne voie.

J'espère que cette explication sera utile à celui qui se trouve dans la même situation où je me trouvais auparavant. La plupart d'entre vous, toutefois, ne connaîtrez pas mon problème. En appliquant les principes de ce chapitre à votre vie, en en faisant usage, vous réaliserez les objectifs auxquels vous aspirez en temps et lieu.

Ne vous laissez pas décourager dans votre entreprise par ce qui vous semble des obstacles. Ce ne sont rien de plus, pour la plupart, que des épreuves. Négociez-les intelligemment et passez à la phase suivante. Vous verrez bientôt votre objectif se manifester à vos yeux. Vous connaîtrez votre direction dans la vie du moment que vous commencerez à assumer votre succès !

19

Apprenez à vous soigner et à vous guérir

En 1980 aux États-Unis, la facture pour les soins de santé s'élevait à plus de 244 milliards de dollars. Somme plutôt vertigineuse, surtout si l'on considère que notre santé, au lieu de s'améliorer, ne cesse de se détériorer. Au cours des cinquante dernières années, les maladies cardiaques ont augmenté de 300 %, le cancer de 308 %, l'épilepsie de 450 %, les troubles mentaux de 400 %, les affections rénales de 650 % et le diabète de 1 800 %. Qui plus est, environ 50 % des Américains (soit plus de 100 millions de personnes) souffrent d'au moins une maladie chronique dont ils ont *connaissance* alors qu'un autre 25 % souffre de maladies graves, mais ne le sait pas.

Plus de huit milliards de barbituriques et plus de cinq milliards de cachets d'amphétamines sont produits annuellement aux États-Unis. Les Américains consomment chaque année plus de 10 milliards de tranquillisants et plus de 12 mille tonnes d'aspirine. Deux cent cinquante millions d'ordonnances sont remplies aux États-Unis chaque année. Selon des études, l'arthrite et les rhumatismes affectent 77 % des Américains d'âge adulte. Au moment où j'écris, il y a 250 000 enfants de moins de seize ans qui souffrent d'arthrite. Depuis 1979, le cancer est la première cause de mortalité chez les enfants.

Je pourrais continuer à vous défiler ces abominables statistiques, mais n'en ai toutefois pas l'intention. Mon but ici n'est pas de vous effrayer, mais de vous faire comprendre combien il est important que nous prenions soin de nous-mêmes et que nous mettions nos connaissances en pratique.

C'est à vous qu'il revient de vous prendre en charge et de vous occuper de votre santé. La plupart des facteurs qui assurent votre santé, qui vous protègent contre la maladies ou qui facilitent votre remise sur pied se trouvent à l'intérieur de votre personne.

Ceci dit, il arrive parfois que votre corps ou que votre esprit aient besoin d'une aide extérieure. Et c'est alors qu'il devient important que vous choisissiez le spécialiste de la santé dont vous avez besoin. Que vous choisissiez, en d'autres termes, une personne qui comprenne vos besoins et qui n'a pas recours à des techniques ou à des procédés susceptibles de vous nuire ou de vous faire encourir des risques. Ceci dit, les thérapeutes et les thérapeutiques peuvent vous aider, mais ne peuvent vous guérir. C'est à nous qu'il revient de nous guérir, car la guérison a lieu en nous-mêmes.

Lorsque vous avez besoin d'aide, il est important que vous disposiez d'une quantité d'informations qui vous éclaireront et vous permettront de faire un choix judicieux. Vous devriez avoir connaissance des thérapeutes et des thérapeutiques existants. Vous devriez aussi savoir que vous avez la liberté de choisir la personne et les soins que vous désirez. Dans vos relations avec les praticiens de la santé, il est important que vous soyez coopératif et que vous preniez la résolution (non devant le praticien, mais devant vous-même) de vous rétablir. Elle est révolue l'époque où l'on pouvait se présenter à un médecin en disant : « Voilà, c'est moi, soignez-moi ! » Vous devez faire tout votre possible pour vous aider. Ayez toujours recours à des techniques d'auto-guérison naturelles, suggérées ou non par un thérapeute.

Ce que vous pouvez faire

Votre rétablissement sera généralement plus rapide si vous mangez beaucoup d'aliments nourrissants et prenez des compléments alimentaires. Dans certains cas toutefois, il sera plus sage de faire un demi-jeûne, jus et infusions pendant deux ou trois jours, ce qui vaut particulièrement pour les refroidissements et autres affections aiguës.

L'exercice physique devrait constituer une part importante de votre régime de santé quotidien. S'il vous est impossible de faire de l'exercice, veillez à stimuler les zones de vos mains et de vos pieds de façon à dénouer les noeuds d'énergie. Pratiquez la respiration rythmique. Lorsque vous êtes souffrant, éliminez ces habitudes malsaines que sont le tabagisme, la boisson, etc., et prenez davantage de repos. Ce livre comporte un certain nombre d'autres recommandations en rapport avec votre autogestion physique (se reporter au chapitre qui traite du corps).

Soumettez à examen votre état mental et veillez à mettre de l'humour dans votre vie quotidienne. Consacrez du temps à la méditation. Vingt minutes de méditation vous reposeront et raviveront votre énergie mieux que ne le ferait une nuit de sommeil. La pratique de la méditation constitue aussi un excellent moyen de se détendre. La meilleure guérison a lieu dans la détente.

N'oubliez jamais de faire des affirmations au sujet de votre santé et de dire : « Moi (votre nom), je vais de mieux en mieux chaque jour. » Ceci fait, continuez à faire des affirmations en vous concentrant sur la partie ou les parties de votre corps qui ont besoin de soins spéciaux. Et, plus important encore, « voyez-vous » en forme.

Ne cessez jamais de faire des exercices de visualisation en rapport avec votre santé. Imaginez que vous êtes actif et généreux, vous comportant et agissant comme vous le feriez si vous étiez en excellente santé.

Pensez en termes de santé, voyez en termes de santé et prenez les initiatives qui vous aideront à demeurer ou à recouvrer la santé. Demandez aux autres de vous aider, s'il y a lieu. C'est à vous de choisir les gens qui, selon vous, peuvent vous aider à protéger votre santé et pour le faire intelligemment, vous devez prendre connaissance des diverses thérapeutiques qui existent actuellement.

Les thérapeutiques naturelles

J'aimerais vous familiariser avec certaines techniques de guérison naturelles. Il fut un temps où seuls les docteurs en médecine allopathe (médecins orthodoxes qui recouraient aux médicaments et à la chirurgie) étaient considérés comme des autorités en matière de santé. Aujourd'hui toutefois les choses ont changé. Les gens n'obéissent plus de façon aveugle aux médecins et se méfient des médicaments et des interventions chirurgicales non justifiées. En janvier 1981, l'émission d'informations télévisées *20/20* nous révélait d'horribles histoires sur des organes parfaitement sains qui avaient été retirés par des chirurgiens peu consciencieux. En conclusion, ne vous faites opérer qu'après avoir consulté plusieurs personnes éclairées.

Il existe bien évidemment des médecins qui sont compétents et soucieux du bien-être de leurs patients, qui sauvent des vies et sont l'honneur de leur profession. Ceci dit, il est regrettable que les médecins n'apprennent qu'à traiter les maladies et qu'à soigner les symptômes. Ils ne reçoivent aucun enseignement sur la façon de prévenir les maladies et sur la diététique. D'où que les nombreux médecins qui manifestent un intérêt croissant pour la médecine préventive et la santé naturelle, doivent de leur propre chef acquérir des connaissances en ces domaines. Certains médecins, sensibles à l'holisme, reconnaissent la nécessité de traiter la personne « totale » : physique, mentale et spirituelle.

La chiropraxie

Le secteur médical le plus important qui ne recourt pas aux médicaments est celui des chiropracteurs. J'ai épousé un chiropracteur et suis peut-être influencée quand je dis que cette thérapeutique est remarquable. En chiropraxie, l'on affirme que notre cerveau et notre système nerveux contrôlent toutes les parties de notre corps. C'est votre cerveau qui dit à vos poumons comment respirer, à votre estomac comment digérer la nourriture, à votre coeur comment battre. On ne peut remuer le petit doigt sans qu'un message soit émis par le cerveau et véhiculé par le système nerveux jusqu'au petit doigt.

Votre cerveau ne cesse de recevoir, d'interpréter et de transmettre des messages véhiculés par l'intermédiaire du système nerveux. Votre cerveau est comparable à la génératrice d'une centrale électrique et vos nerfs, aux fils électriques. Vos organes, vos glandes sont comme des appareils électriques. Ces appareils ne fonctionnent pas lorsque quelque chose perturbe la transmission de l'énergie électrique, et ce même lorsqu'ils sont en parfait état de marche. Lorsque votre système nerveux est perturbé, des parties de votre corps ne reçoivent pas assez d'énergie et ne peuvent donc fonctionner normalement. Ces perturbations se produisent généralement dans la colonne vertébrale lorsqu'une vertèbre ou plus, étant déplacée, pince des nerfs.

Il incombe au chiropracteur d'éliminer cette perturbation de façon à ce que le cerveau puisse recevoir, interpréter et transmettre à nouveau des messages, permettant ainsi au corps de guérir. En chiropraxie, les traitements s'appellent des « ajustements », et ces ajustements constituent non seulement une façon de traiter la maladie, mais de la prévenir et de s'en protéger. Il existe diverses techniques chiropractiques, et cependant toutes visent l'élimination des perturbations affectant les nerfs et la restauration du flux de l'énergie vitale à travers l'organisme.

La chiropraxie, en plus d'améliorer la santé physique, améliore souvent la santé mentale et émotionnelle. Mes trois enfants ont bénéficié d'ajustement tout au long de leur vie et sont rarement tombés malades. La chiropraxie a mis un terme, il y a longtemps de cela, à une grave sinusite dont je souffrais. (Le traitement, les ajustements m'ont été si bénéfiques que j'ai épousé le chiropracteur !) Elle me maintient en bonne santé depuis des années malgré mon emploi du temps trop chargé.

Pour les chiropracteurs, les symptômes et le nom des maladies ont peu d'importance. Ce qui leur importe d'abord, c'est de localiser la perturbation au niveau du système nerveux, de l'éliminer et de permettre au corps de guérir. Les chiropracteurs estiment qu'une alimentation correcte est nécessaire au maintien de la santé, car elle fournit les matériaux bruts que le système nerveux utilise en permanence pour rénover l'organisme. Aussi recommandent-ils fréquemment à leurs patients de modifier leurs habitudes alimentaires.

L'ostéopathie

L'ostéopathie et la chiropraxie ont ceci en commun qu'elles se servent toutes deux de techniques manipulatoires ; ce qui les distingue toutefois, c'est qu'elles ne poursuivent pas les mêmes buts : la chiropraxie s'intéresse à l'élimination des perturbations au niveau du système nerveux, alors que l'ostéopathie a pour objet d'augmenter l'alimentation sanguine au niveau des zones irritées, enflammées, de l'organisme. Certains des ajustements crâniens les plus délicats sont le fait d'ostéopathes très qualifiés. Plusieurs ostéopathes ont recours aux méthodes utilisées en médecine et prescrivent des médicaments. Il devient de plus en plus difficile de trouver des ostéopathes qui privilégient la manipulation, ce en dépit du fait que l'ostéopathie traditionnelle soit très efficace.

L'acupuncture

Voilà maintenant plus de trois mille ans que les Chinois utilisent avec succès l'acupuncture. Ce système de soins repose sur une théorie voulant qu'il existe une force de vie qui circule à l'intérieur de tous les organismes vivants. Cette force ou énergie doit être équilibrée, sinon il y a douleur ou maladie. Il existe des milliers de points sur votre corps à la jonction desquels l'énergie peut se bloquer, et tous ces points sont en relation avec les systèmes et les organes. En stimulant certains points, les énergies antagonistes du corps (le yin et le yang des Orientaux) sont équilibrées et la santé peut être restaurée. Les acupuncteurs se servent de minuscules aiguilles, parfois électriquement chargées, pour équilibrer ces énergies.

Quoique je n'ai jamais été traitée par acupuncture, je connais des gens qui l'ont été et qui se sont dits fort satisfaits des résultats. D'autres thérapeutiques trouvent leur origine dans l'acupuncture ; le shiatsu, la réflexologie, l'acupressure et la kinésiologie appliquée sont de celles-ci. Cette dernière consiste en un examen musculaire complexe qui permettra de déterminer les forces et les faiblesses des glandes et des organes, et en un traitement manipulatoire accompagné d'une diète appropriée. Cette technique extrêmement efficace fut mise au point par un chiropracteur, le docteur George Goodheart ; elle est surtout employée par les membres de cette profession et par les dentistes de tendance holistique.

Autres techniques

Le massage thérapeutique est assez différent du massage courant, et il ne faut certainement pas le confondre avec les prétendus massages pratiqués dans les établissements « spécialisés ». Un bon massage fait plus que de vous détendre. Il élimine également les tensions musculaires responsables de certains blocages d'énergie.

La méthode Feldenkrais et la technique Alexander sont deux formes d'exercices qui rééduquent votre cerveau et votre système nerveux. Ce sont deux techniques corps/esprit qui, malgré leurs différences, comportent des similitudes en ce sens que toutes deux visent à nous faire prendre conscience de l'emploi que nous faisons de notre corps. En les pratiquant, on découvre comment chaque partie du corps/esprit affecte les autres parties. On prend aussi conscience du rôle du système nerveux, des fonctions de nos organes et des différents mouvements de notre corps/esprit. En observant les effets des postures, on voit comment les postures habituelles peuvent être mauvaises. Enfin, on apprend à intégrer son être total de façon plus harmonieuse et plus saine.

Les objectifs poursuivis par ces deux méthodes sont identiques, et c'est la façon d'arriver au but visé qui diffère. N'oublions jamais qu'il y a bien des façons d'aboutir au même endroit. Donc, que vous optiez pour l'une ou l'autre technique, il est important que vous choisissiez un thérapeute qui soit aussi un instructeur, car une grande partie du travail se fait en dehors des séances, alors que le patient est laissé à lui-même.

Le massage musculaire en profondeur, aussi appelé intégration posturale, rend à certains paralytiques le pouvoir de marcher et est une autre thérapie naturelle qui agit sur le corps/esprit. Elle est proche parente du rolfing. Ses adeptes affirment que, même s'il est douloureux, le massage en profondeur élimine des problèmes émotionnels qui ont pu se « fixer » dans le corps pendant des années.

Le traitement par polarité

Le traitement par polarité s'intéresse aux champs d'énergie personnels. Il cherche à restaurer l'équilibre corps/esprit des patients à l'aide de plusieurs techniques, dont des contacts légers pour débloquer l'énergie, une forme de manipulation, des exercices (postures et mouvements pour équilibrer le flux d'énergie), des régimes naturels et des « attitudes justes ». Il met l'accent sur le concept de progrès autogéré et cherche à restaurer l'énergie de façon à ce que le corps soit capable de se guérir lui-même.

L'homéopathie

Selon l'homéopathie, le remède d'une maladie est une dose légère d'une substance qui causerait le même type de symptôme chez une personne en bonne santé. Il existe des milliers de remèdes homéopathiques et leur adaptation exacte aux symptômes est très importante et requiert énormément de temps. Rares sont les gens qui pratiquent cet art et cette science. Les remèdes homéopathiques n'occasionnent que très rarement des effets secondaires dangereux, et un remède incorrect produit le plus souvent un effet léger ou nul sur le patient, que cet effet soit bon ou mauvais.

Étant donné que, bien choisis, les remèdes exercent généralement un effet normalisateur sur le corps/esprit, l'homéopathie est plus holistique que l'allopathie. Les dossiers de l'homéopathie sont pleins de cas traités avec succès, que la médecine traditionnelle, orthodoxe, n'avait réussi à guérir.

La naturopathie

La naturopathie est une thérapeutique éclectique et naturelle. Elle s'intéresse, elle aussi, à la totalité de la personne et assiste de diverses façons le corps dans ses efforts pour guérir. Les naturopathes emploient ces diverses méthodes : la manipulation, le traitement du côlon, la détoxication, les régimes alimentaires, l'exercice, les traitements chauds et froids, etc. Les bons naturopathes sont aussi des conseillers en matière de santé et d'hygiène, ce qui facilite les guérisons.

La psychothérapie

L'analyse transactionnelle, la gestalt, la modification du comportement comptent au nombre des techniques les plus récentes en psychologie (d'autres sont mentionnées dans cet ouvrage) et elles sont très efficaces. Elles favorisent une prise de conscience personnelle et mobilisent la personnalité dans son entier. Dans bien des cas, les troubles physiques sont en fait le résultat du stress mental et émotionnel. Ces techniques touchent très souvent le noeud du problème réel.

Il existe tellement de méthodes et de techniques thérapeutiques valables, poursuivant divers objectifs, qu'il serait important de recourir aux services de diverses catégories de praticiens, si vos moyens vous le permettent. Si ce n'est pas possible, faites le tour des possibilités pour pouvoir faire des choix intelligents dans le domaine des médecines naturelles (ou orthodoxes).

Les thérapeutiques dont j'ai parlé dans ce chapitre sont celles qui me sont les plus familières et que je sais être valables. Il en existe bien d'autres, dont la plupart sont excellentes, mais certaines laissent à désirer. Découvrez ces thérapeutiques de remplacement, naturelles. Vous verrez !

Quand vous aurez compris que la santé n'est pas un accident et que vous en êtes le seul responsable, vous serez vraiment heureux de pouvoir contribuer à votre guérison.

20

Assumez votre vie

Arrivée à la fin de ce livre, j'ai l'impression que nous avons fait ensemble, vous et moi, un voyage extraordinaire, comme si nous avions exploré la vie dans ses divers plans et aspects (physique, mental, spirituel).

Et maintenant que nous sommes revenus à notre point de départ (vos buts, vos ambitions et votre identité ayant été reconnus), il importe que vous vous atteliez à la tâche même que propose ce livre et que vous commenciez à assumer votre vie !

À partir du moment où l'on prend sa vie en charge, l'on découvre l'énorme potentiel qui est nôtre. Emerson disait : « Au regard de ce qui est en nous, ce que nous laissons derrière nous et ce qui se présente devant nous n'est rien. »

Il existe de grands esprits qui ont toujours affirmé que nous étions responsables de notre vie et qui ont toujours su qu'en chaque âme humaine avait été déposé le germe de la grandeur. Quelle chance nous avons de pouvoir prendre connaissance des idées et de la pensée de certains de ces génies.

Maintenant, j'aimerais mettre à votre disposition certaines de mes citations préférées. Parmi celles-ci, certaines sont attribuables à des personnages célèbres, depuis longtemps disparus mais dont les paroles de gloire ont été immortalisées. D'autres sont attribuables à des êtres célèbres ou moins célèbres qui vivent encore. Il est certain que s'ils devaient tous se rencontrer, ces êtres auraient en commun l'intuition, une conscience éveillée et peut-être encore, le don d'exprimer la vérité. Voici ce qu'ils ont dit et qui pourra vous aider à donner forme à votre vie.

Ce qui importe en ce monde, ce n'est pas tant le lieu où nous nous trouvons que celui vers lequel nous nous dirigeons...

Oliver Wendall Holmes

Les gens qui avancent en ce monde sont ceux qui, debout, cherchent les occasions et qui, s'ils ne les trouvent pas, les créent...

George Bernard Shaw

Ceux qui mettent le soleil dans la vie d'autrui le mettent dans leur vie...

Sir James Barry

Pour accomplir de grandes choses, nous devons non seulement agir, mais aussi rêver, non seulement dresser des plans, mais aussi croire...

Anatole France

Si vous n'essayez pas de faire mieux que ce que vous maîtrisez déjà, vous ne ferez jamais de progrès.

Ronald E. Osborne

Il faut avoir les yeux grand ouverts pour incarner son rêve...

Roger Babson

Les années rident la peau, mais renoncer à l'enthousiasme, c'est comme permettre de laisser rider son âme.

Samuel Ullman

Pour agir, il suffit de commencer...

Horace Greeley

Si vous dites la vérité, il n'est pas nécessaire que vous vous rappeliez ce que vous avez dit...

Mark Twain

Certaines personnes se lamentent toujours que les roses aient des épines ; moi, je me réjouis que les épines aient des roses...

Alphonse Karr

Ce qui compte, ce n'est pas ce que nous savons, mais l'aptitude à employer ce que nous savons...

Leo L. Spears

Ce qu'il y a de mieux, ce qu'il y a de plus beau au monde est invisible et ne peut même se toucher ; il faut le sentir avec son coeur...

Helen Keller

J'ai toujours adoré la poésie. Même enfant, je pouvais passer des heures à lire des poèmes à voix haute. Je passais presque autant d'heures à écrire les miens.

Encore aujourd'hui, il m'arrive de me sentir inspirée et d'écrire quelque chose qui me paraît « intéressant ». J'aimerais partager avec vous un poème qui exprime vraiment mes sentiments à l'égard de moi-même et des personnes qui veulent progresser et découvrir l'essence de leur être. Le poème s'appelle : « Je peux ». Je vous le dédie, *à vous*.

Je peux

Je regarde dans le miroir et je me demande :
Qu'est-ce que je veux être ?
Qu'est-ce que je veux avoir et faire ?
Le choix me revient.

Créés à l'image de Dieu
Voilà ce que nous sommes, dit la Bible.
Et avec Dieu tout est possible ;
Alors tends la main vers la plus haute étoile.

Il nous faut d'abord fixer nos buts,
Puis dresser notre plan
Et quand les doutes et les craintes nous assaillent
Dire malgré tout : « Je peux ! »

Aborde chaque jour avec confiance.
Marche droit, la tête haute.
Crois en toi et tu réussiras.
Tu peux, il suffit d'essayer.

Ne crains pas de te laisser emporter par ton rêve
Pendant que tu fais ce que tu dois faire.
Conserve toujours tes yeux sur ta vision.
La Sagesse en toi te guidera.

Passe à l'action, sors de l'ombre,
Avance dans la pleine lumière du soleil !
Car la seule course que tu peux gagner dans la vie
C'est celle que tu as courue.

Nous mesurons le succès à l'argent et à la richesse
Mais bien supérieur, ô bien supérieur
Qui consiste à sentir en toi la Puissance
Lorsque tu sais qui tu es vraiment.

Chacun de nous est quelqu'un de spécial.
Nous sommes, chacun de nous, unique,
Avec un potentiel à exploiter qui se réveille
Lorsque nous apprenons à utiliser notre esprit.

Maintenant, quand je me regarde dans le miroir
J'aime enfin ce que je vois.
Je peux faire tout ce que je veux vraiment faire.
Grâce à Dieu, je suis moi !

Achevé d'imprimer à Montmagny
par les travailleurs des ateliers Marquis Ltée
en septembre 1988